Für Ute Bortfeld

Carsten Jochum-Bortfeld

# PAULUS IN EPHESUS

## Eine Expedition in die Entstehungszeit des Neuen Testaments

# INHALT

# 1. DIE PAULINISCHEN BRIEFE LESEN – IM ALLTAG DES RÖMISCHEN REICHES

Die paulinischen Briefe sind Texte, von Menschen geschrieben, die in den antiken Metropolen des östlichen Mittelmeeres wohnten, in Antiochien, in Korinth oder in Ephesus. Sie wohnten nicht in den Luxuswohnungen wie den Hanghäusern in Ephesus. Die Mietskasernen der Großstädte waren ihr Zuhause. Die in diesem Buch vorgestellten Interpretationsversuche der paulinischen Briefe wagen ein Experiment: Wie lassen sich diese Texte lesen und verstehen, wenn man sie in eine antike Großstadt wie Ephesus hineinstellt? Was passiert, wenn man – vielleicht auch nur virtuell – die paulinischen Briefe in den Ruinen von Ephesus liest? Wie wirkt die antike Stadt mit ihren besonders gestalteten Räumen auf die Texte ein?

Um diesen Fragen nachgehen zu können, erlaubt sich dieses Buch ein fiktives Element. Es setzt mit der Ankunft von Paulus, Titus und Timotheus in Ephesus im Jahr 54 n. Chr. ein, dem Beginn eines längeren Aufenthaltes in Ephesus. In dieser Zeit entstehen der 1. Brief an die Messiasleute in Korinth, der Brief an Philemon und wahrscheinlich auch der an die Gruppe in Philippi. Nach dem längeren Aufenthalt machen sich Paulus und andere wieder nach Korinth auf. Auf dem Weg dorthin wird der 2. Brief nach Korinth geschrieben. Auch der Brief nach Galatien ist entweder in Ephesus oder auf dem Weg nach Korinth geschrieben. In Korinth kommt es dann zur Abfassung des so wirkmächtigen Briefes an die Messiasleute in Rom. Alle diese Schriften werden mehr oder weniger von der Zeit in der Hauptstadt der Provinz Asia geprägt. Ich gehe davon aus, dass die Eindrücke der Stadt, das soziale Miteinander der Menschen dort, die Architektur und Gestaltung der Stadt Spuren in den Briefen hinterlassen haben. Die paulinischen Briefe in den Ruinen von Ephesus lesen – das versucht dieses Buch auf der literarischen Ebene zu inszenieren. Die Gruppe von Messiasleuten, zu der Paulus gehört, erreicht Ephesus, sucht dort Kontakte, bewegt sich in den Straßen und auf den Plätzen dieser Stadt. Wie entsteht dort das, was heute die Theologie der paulinischen Briefe genannt wird?

Lange Zeit konzentrierte sich die Auslegung der Paulusbriefe auf die zentralen Glaubensaussagen in den Texten. Sie wurden isoliert für sich betrachtet. Die konkreten Lebensbedingungen der Menschen in den antiken Städten, die diese Briefe geschrieben und gelesen haben, waren nicht im Fokus der Auslegung. Die politischen, wirtschaftlichen und sozialen Strukturen des römischen Reichs sah man für die Interpretation der Bibeltexte als völlige Nebensächlichkeit an. Allein die Theologie der Paulusbriefe interessierte.

Mit diesem Buch versuche ich, eine Perspektive einzunehmen, die mit Bert Brechts »Fragen eines lesenden Arbeiters« vergleichbar ist:

*»Wer baute das siebentorige Theben?*
*In den Büchern stehen die Namen von Königen.*
*Haben die Könige die Felsbrocken herbeigeschleppt?*
*Und das mehrmals zerstörte Babylon –*
*Wer baute es so viele Male auf?*
…
*Friedrich der Zweite siegte im Siebenjährigen Krieg. Wer*
*Siegte außer ihm?*
*Jede Seite ein Sieg.*
*Wer kochte den Siegesschmaus?*
*Alle zehn Jahre ein großer Mann.*
*Wer bezahlte die Spesen?*

*So viele Berichte,*
*So viele Fragen.«*

Diese Fragen lenken den Blick auf die Frauen und Männer, die mit ihren Händen und ihren Körpern den Aufbau und die Entwicklung von menschlichen Gesellschaften überhaupt erst möglich gemacht haben. Sie sind nicht das Werk einzelner mächtiger Männer.

In den paulinischen Briefen stehen nicht die Spitzen der Gesellschaft im Vordergrund. Hier kommt kein römischer Kaiser oder Feldherr zu Wort. Wir lesen davon, wie die Menschen aus den unteren sozialen Schichten ihren Alltag im römischen Reich bestreiten. Die Bibeltexte spiegeln das Erleben des Alltags und die andauernden Erfahrungen von Ungerechtigkeit und Gewalt wider. Es geht um das soziale Miteinander und den Kampf ums Leben und Überleben in prekären Situationen. Es ist damit eine Perspektive von unten. Gleichzeitig geht es um die Frage, ob sich Paulus mit der jeweiligen politischen und sozialen Situation arrangiert und abfindet, oder ob sich in den Briefen Formen von Widerstand und Versuche von Befreiung aus Unterdrückung und Ungerechtigkeit finden lassen.

Zwei weitere Fragerichtungen sind für die Textauslegungen in diesem Buch wichtig:

1. Menschliche Gesellschaften, das gesamte Zusammenleben von Menschen werden von Regelwerken bestimmt, deren Zustandekommen und normative Gültigkeit nicht immer wieder aufs Neue diskutiert und in Frage gestellt werden. Diese Regelwerke werden anerkannt und durch jede neue Anwendung immer wieder bestärkt. Ein Beispiel ist die naturgemäße Unterordnung der Frau unter den Mann. Diese Vorstellung wurde beinahe über Jahrtausende als wissenschaftlich fundierte Aussage angesehen.

Antike Philosophen wie Plato und Aristoteles schrieben dazu Texte. Antike jüdische Autoren wie Jesus Sirach, Philo von Alexandrien und Flavius Josephus vertraten in ihren Werken ähnliche Positionen. Die Frau ist von Natur aus schwächer als der Mann. Deswegen muss sie sich ihm unterordnen. Damit war klar, wie das Verhältnis von Männern und Frauen in der Gesellschaft geregelt war. Die so vorgegebenen Geschlechterrollen wurden Jahrhunderte, eigentlich Jahrtausende lang mehr oder weniger bereitwillig ausgefüllt. Ein weiteres Beispiel sind die Bewertung von Armen als faule Menschen und die Qualifizierung von Armut als charakterlicher Mangel. Wie Paulus sich zu solchen Regelwerken der antiken Gesellschaft verhält, auch davon handelt dieses Buch.

2. Häuser, Straßen, Plätze und öffentliche Bauten sind keine natürlichen Gegebenheiten in einer Stadt, sondern Ergebnisse menschlicher Entscheidungen, das Produkt gesellschaftlicher Prozesse. Der Grundriss einer antiken Stadt wie Ephesus ist das Ergebnis solcher Prozesse. In der genauen Aufteilung der Stadt (Welche gesellschaftliche Gruppe wohnt wo? Welche hat wieviel Platz zur Verfügung? Wie ist der Zugang zu natürlichen Ressourcen wie Wasser geregelt? usw.) werden die gesellschaftlichen Unterschiede und Machtverhältnisse greifbar. Sie sind in Stein gefasst. Ein Angehöriger der Oberschicht verfügt über mehr Platz als eine Handwerkerfamilie, er kann einfacher und in größerem Umfang auf Wasser zurückgreifen. Er hat eventuell die bessere Aussicht und atmet die bessere Luft ein, da keine Gerbereien oder Wäschereien in der Nähe seines Hauses sind. Diese Betriebe arbeiten mit Tierabfällen und menschlichem Urin. Diese Stein gewordenen Unterschiede mache ich für die Auslegung der Paulus-Briefe fruchtbar.

Die jeweiligen Orte in einer Stadt erfüllen eine bestimmte Funktion in der Gesellschaft: Für den Handel werden Marktplätze gebaut, Speicher für Waren, Straßen für den Transport über Land, Häfen für den Seeweg. Das Rechtswesen erhält Räume zur Rechtsprechung, die Verehrung der Götter benötigt Tempel, der Rat muss genügend Raum für die Klärung der politischen Angelegenheiten haben. Gleichzeitig spiegeln öffentliche Räume die besondere Gestalt politischer Herrschaft wider: In diesem Buch werde ich zeigen, wie die äußere Gestaltung von Ephesus von der besonderen Form der römischen Herrschaft geprägt worden ist.

## … geschrieben von Paulus, Phoebe, Sosthenes und all den anderen

Für dieses Buch ist ein weiterer Punkt zentral. Ich betrachte Paulus konsequent innerhalb eines verzweigten Beziehungsnetzes. Paulus ist unter mehreren anderen ein Botschafter des Messias Jesus. Schaut man sich die unterschiedlichen Bücher zu den paulinischen Briefen an, so kommt man beinahe unfreiwillig zu der Annahme: Innerhalb der Theologie gilt immer noch, dass allein große Männer Geschichte machen. Allein Persönlichkeiten wie Jesus, Paulus und Luther bringen die geschichtliche Entwicklung des Christentums voran und sind in der Lage, etwas Neues zu schaffen, was die Menschheit besser macht. Bücher über Paulus konzentrieren sich auf das Individuum Paulus. Dieser durchläuft eine Entwicklung und prägt damit die Geschichte des Christentums nachhaltig. Andere Menschen kommen hier zunächst nur unter den Überschriften ›Schüler‹ oder ›Gegner‹ in den Blick. Paulus wird hier als Gründer einer Schule mit dazugehörigem Sympathisantenkreis gesehen. Erst im Verlauf der jeweiligen Darstellung wird deutlich: Paulus agiert nicht allein, er wirkt mit anderen zusammen. Diese Personen werden als ›Mitarbeiter‹ betitelt. Dass von diesen Personen wichtige Impulse für die gemeinsame Arbeit ausgegangen sind, wird allerdings selten in Erwägung gezogen. Es ist zwar ein Fortschritt gewesen, dass die vielen unterschiedlichen Menschen im Umfeld von Paulus wahrgenommen wurden. Im Endeffekt blieben sie ›Mitarbeiter‹ – und Paulus war der Chef, der seinem Schreiber die Briefe diktiert. Das theologisch wirklich Wichtige kam natürlich vom Chef.

Es lohnt sich, an dieser Stelle die neutestamentlichen Texte genauer anzuschauen. Wie wird über diese ›Mitarbeiter‹ gesprochen? Wenige Jahre nach dem Aufenthalt in Ephesus wird die Gruppe um Paulus einen Brief an die Gemeinschaft in Rom schreiben. Dieses Schreiben wird, so Röm 16,1, von einer Frau überbracht – von Phoebe. Sie ist jedoch nicht einfach nur Botin. Sie ist die, die den Brief in der Versammlung der Messiasleute vorstellt. Sie ist da, wenn die Menschen in der römischen Gemeinschaft Fragen zum Brief haben. Sie steht für eine Diskussion zur Verfügung – in der Tradition jüdischer Schriftgelehrsamkeit stehend. Phoebe wird hier als Theologin vorgestellt, als gleichwertige Botin Christi neben Paulus. In Röm 16,1-3 wird Phoebe folgendermaßen charakterisiert:

»Schwester« ist ein Wort aus der Verwandtschaftssprache, der die enge Beziehung zwischen Menschen charakterisiert. Es drückt die tiefe Solidarität zwischen ihnen aus. In alttestamentlichen Schriften wird das Volk Israel als Verwandtschaftsgruppe verstanden. Alle Angehörigen des Volkes stammen von den 12 Söhnen Jakobs und seinen Frauen ab. Zwischen Verwandten herrscht die Bereitschaft, sich gegenseitig zu stützen und in Notlagen zu helfen. Auch die Messiasleute sahen sich als Verwandte. Auch ihr Miteinander war von Solidarität und von Gleichberechtigung geprägt. Geschwister herrschen nicht übereinander. Wenn Paulus Phoebe ›Schwester‹ nennt, dann zeigt sich darin eine Beziehung, in der es nicht um Unterordnung und Befehlsgewalt geht.

Phoebe wird als »Diakonin« und als »Vorstand« (griech.: prostátis bezeichnet. Die Bezeichnung »Diakonin« (also Dienerin) macht deutlich: Phoebe steht im Dienst Gottes. In 1 Kor 3,5ff wird erläutert, was die Aufgabe von Dienerinnen und Dienern bei den Messiasleuten ist. Sie sind Mitarbeitende im Garten Gottes. Dieser Garten ist ein Bild für die Gemeinschaft dieser Menschen. Der Auftrag für diese Aufgabe kommt von Gott. Die Adressaten des Dienstes sind die Menschen in den Gemeinschaften. Im Fall der Phoebe ist es die Versammlung der Messiasleute in Kenchrea, einem Hafen von Korinth. Es geht insgesamt um einen Dienst für die Geschwister und nicht darum, ihnen zu befehlen und sie rumzukommandieren. In griechisch-römischer Zeit handelt es sich beim ›Dienst‹ um eine in den Augen der Gesellschaft (besser: ihrer Meinungsführer) unehrenhafte Versorgungstätigkeit von Frauen und Versklavten.

Das griechische Wort prostátis dient in der Antike der genaueren Bezeichnung eines Patrons und bedeutet Vorstand oder Anführer. Eine Aufgabe eines Patrons war der rechtliche Beistand für seine Klienten vor Gericht. Im weiteren Sinne ist damit aber auch Unterstützung und Hilfe in allen Lebensbereichen gemeint. Die Tätigkeit eines Patrons war innerhalb der antiken Gesellschaft eine öffentliche Handlung. Aus Röm 16,1-3 wird deutlich, dass Paulus selbst Hilfe von Phoebe erfahren hat. Phoebe hat damit Handlungsfelder in Anspruch genommen, die in der griechisch-römischen Antike in der Regel nur Männern zustanden. In der Sichtweise der von Männern verfassten Texte war der öffentliche Raum einer Gesellschaft allein Männern als Betätigungsfeld vorbehalten. Frauen blieb nur das

Innere des Hauses. In römischer Zeit waren Gerichtsprozesse ein öffentlicher Ort ehrenhaften Handelns. Männer konnten hier ihre Ehre erlangen und verteidigen. Frauen durften hier nicht agieren. Die Rechte und Privilegien von Männern im Rechtswesen blieben ihnen verwehrt. Phoebe hat sich diesen Regeln nicht gebeugt. Sie nahm für sich in Anspruch, Rollen und Handlungen auszufüllen, die sonst nur Männern zustanden.

Frauen haben, und dafür ist Phoebe nur ein Beispiel, in den frühen Gemeinden eine zentrale, leitende Rolle inne. Paulus wendet sich in seiner Anerkennung Phoebes und der Inanspruchnahme ihrer Hilfe gegen die gängige Vorstellung, wie ein Mann zu handeln hat. Er knüpft eine Beziehung zu Phoebe. Beide setzen sich für die Sache Jesu ein, beide stützen sich in diesem schweren und gefährlichen Dienst. Für römische Männer war es undenkbar, Frauen eine solche Stellung und Autorität überhaupt zuzugestehen. Der römische Politiker Cato der Ältere hält in der Senatsdebatte um die sog. Lex Oppia (einem Gesetz, das Kleidung und Schmuck von Frauen reglementierte) Männern, die den Widerstand von Frauen gegen dieses Gesetz unterstützten, Folgendes vor: Sie seien nicht mehr Herr im eigenen Haus (Livius Römische Geschichte 34,2,2). Eine solche Nichtwahrnehmung von Herrschaft galt als unmännlich. Paulus wäre in den Augen Catos kein richtiger Mann gewesen.

Die ganze Grußliste im 16. Kapitel des Römerbriefes gibt einen lebendigen Eindruck, wie groß das Beziehungsnetz gewesen ist, zu dem Paulus gehörte. Zahlreiche Namen von Frauen und Männern stehen gleichberechtigt nebeneinander. Christliche Theologie hat zulange diese Namen beiseitegeschoben. Natürlich werden wir mit den Mitteln der Geschichtswissenschaft nie mehr über diese Menschen herausbekommen. Aber es ist ungemein wichtig wahrzunehmen, dass Paulus ein Bote Jesu Christi unter vielen anderen Menschen war, die auch vom Messias Jesus erzählten. Im Hinblick auf die vielen Frauen ist diese Nichtbeachtung ein gravierendes Problem. In vielen Kirchen dieser Welt werden Frauen immer noch diskriminiert, indem sie z.B. bei der Wahrnehmung kirchlicher Aufgaben nicht Männern gleichgestellt werden. Bei der theologischen Rechtfertigung meint man die Bibel auf seiner Seite zu haben. Der erste Blick in einen paulinischen Brief zeigt, dass diese Begründungen auf sehr unsicheren Füßen stehen. Frauen nahmen im ersten Jahrhundert in den Gruppen der Messiasleute wichtige Aufgaben wahr, und zwar – wie das Beispiel der Phoebe zeigt – zusammen mit Männern.

Eine weitere beinahe völlig vergessene Person aus diesem Beziehungsnetz ist Sosthenes. Er wird in 1 Kor 1,1 neben Paulus als Mitverfasser des Briefes genannt. In der exegetischen Forschung wird dies in der Regel nicht wirklich ernst genommen. Der 1 Kor bleibt ein Brief des Paulus, des Mannes, der Geschichte macht. In 1 Kor 16,16 z.B. werden die Menschen an der Seite des Paulus mit dem griechischen Wort synergós bezeichnet. Die Vorsilbe syn- betont, dass hier Menschen zusammen agieren, dass ihr Werk aus dem Zusammensein und Zusammenwirken erwächst. Die synergoí, die Mitarbeitenden, sind auf keinen Fall die Mitarbeiter des Paulus. Der Gebrauch des besitzanzeigenden Genitivs in der theologischen Literatur ist hier problematisch: Das eigentlich auf Egalität ausgerichtete Verhältnis bekommt eine hierarchische Schlagseite.

Für dieses Buch ist das Netzwerk von Menschen, in denen sich auch Paulus bewegt, von entscheidender Bedeutung. Phoebe, Prisca, Aquila, Paulus, Sosthenes und andere – sie können nur zusammen agieren und ihre Botschaft vom Messias Jesus weitergeben. Nun werden wir einen Teil dieses Netzwerkes genauer in den Blick nehmen: Paulus, Titus und Timotheus vor den Toren von Ephesus.

# 2. DEN MESSIAS JESUS VERKÜNDEN – IN EPHESUS

Wir schreiben das Jahr 54 n. Chr., das letzte Regierungsjahr des Kaisers Claudius.

Drei Männer nähern sich, von Osten kommend, der Stadt Ephesus. Zu Fuß kommen sie aus Richtung Magnesia, einer Stadt am Fluss Mäander. Es sind Paulus, Titus und Timotheus. Sie gehören zu einer jüdischen Gruppierung, die ihre Wurzeln in Israel hat. Für sie ist der Bauhandwerker Jesus aus Nazareth der Messias. Jesus war mit einer Gruppe von Männern, Frauen und Kindern erst durch Galiläa gezogen. Sie hatten das Reich Gottes, Gottes neue Welt angekündigt. Dann machten sie sich nach Jerusalem auf. Dort wurde Jesus verhaftet und auf Anordnung des römischen Statthalters Pontius Pilatus hingerichtet, auf Golgatha vor den Mauern Jerusalems. Wenige Tage nach der Kreuzigung Jesu erzählten Frauen und Männer aus der Bewegung davon, Jesus sei vom Tod auferstanden. Dies war ein Neubeginn für die Bewegung nach der Katastrophe auf Golgatha, ein zaghafter Neubeginn zwar, aber immerhin. Stetig breitete sich die Bewegung aus. Die Grenzen Judäas und Galiläas wurden überschritten. Menschen, die Jesus selbst nie gekannt und erlebt hatten, schlossen sich den einzelnen Gruppierungen an.

Paulus, Titus und Timotheus reisen aber nicht ins Blaue hinein. In Ephesus wollen sie Prisca und Aquila besuchen, die dort als Zeltmacher arbeiteten und die sich ihrer Gruppe einst schon in Korinth angeschlossen hatten.

Nur noch ein paar Schritte und da, jetzt wird sie schon sichtbar: Schon sehen die drei die ersten Umrisse von Ephesus: die Stadtmauer mit ihren Türmen und aufwendigen

Toranlagen. Nicht mehr lange und die Männer kommen in Kontakt mit der Stadt – mit ihren Tempeln, Brunnen und Bädern.

Zu Ephesus gehört aber auch die dort praktizierte Verehrung der Artemis. Denn wer ephesinischer Bürger ist, nimmt natürlich an den Kulten um das Artemesion teil.

Wenn sie erst einmal dort sind, wollen die drei einen Brief an ihre Gemeinschaft in Philippi schreiben. Darin soll ihre Einstellung zum römischen Reich eine Rolle spielen und darin wollen sie erklären, dass Jesu Tod und Auferstehung eine Umkehrung der gesellschaftlichen Werte von Macht und Aufstieg sind. Sie wollen aufzeigen, dass die Gemeinschaft in Christus vom Himmel her bestimmt wird und sich damit im radikalen Gegensatz zum Gemeinwesen der Stadt Ephesus befindet. Was für revolutionäre Worte!

So stehen die drei jetzt vor den Mauern der Polis, bereit, ihren Anti-Weg fortzusetzen und vom Bürgerrecht des Himmels zu reden.

## Die »Messiasleute«

Der Messias ist eine Figur in der jüdischen Tradition, die sehr eng mit der Hoffnung auf Gottes neue Welt verbunden ist. Der Messias steht für Recht und Gerechtigkeit (Jes 9; 11), er bringt im Auftrag Gottes Frieden für die ganze Welt. Aus dem griechischen Wort christós der Übersetzung des hebräischen Maschiach, wurde der Name der späteren Weltreligion abgeleitet. Die Vorstellung vom Messias hat seine Wurzeln im Königtum Davids. Der Prophet Natan kündigt der Familie Davids an, dass das Königtum der Familie Davids immer Bestand haben wird (2 Sam 7,16). Nach der Zerstörung des judäischen Königreichs (587 v. Chr.) wird diese Verheißung auf einen kommenden Heilsherrscher übertragen.

In diesem Buch gehe ich davon aus, dass diese Gruppe Männer, von denen oben die Rede ist, sich noch nicht als Teil einer neuen Religion verstanden hat. Zu ihrer Kennzeichnung verwende ich den von Luise Schottroff geprägten Begriff »Messiasleute«. Er macht deutlich, dass für diese Menschen Jesus der Messias ist – ohne sie aber schon vom Judentum abzutrennen. Die hoffnungsvolle Erwartung des Messias ist schließlich etwas durch und durch Jüdisches. Losgelöst vom Judentum, hat die Aussage, dass Jesus der Messias ist, keine Bedeutung. Mit ihrem Bekenntnis zu Jesus als dem Messias bewegt sich diese Gruppe inmitten jüdischen Lebens. Es ist deswegen unangemessen, für die Zeit der neutestamentlichen Texte vom frühen Christentum zu sprechen, denn diese Bezeichnung suggeriert, dass es sich um eine eigenständige und neue Religion handelt.

Über die Herkunft und das bisherige Leben der drei Männer auf der Straße zwischen Magnesia und Ephesus lässt sich einiges, aber leider zu wenig sagen. Die paulinischen Briefe geben einige biografische Stationen des Paulus wieder. Die Apostelgeschichte des Lukas erzählt den Werdegang des Verkünders der Auferstehung Jesu deutlich detailreicher; ebenso kann man etwas über die Herkunft des Timotheus erfahren (Apg 16,1). Diskutiert wird aber, ob die Apostelgeschichte als historisch zuverlässige Quelle für die Biografien einzelner Personen überhaupt taugt. Auffällig ist, dass in der Apostelgeschichte Paulus nicht als Apostel bezeichnet wird. In den Briefen hingegen wird dies immer wieder – vor allem in konfliktreichen Situationen – betont. Auch wenn die Apostelgeschichte (und das Lukasevangelium) mit der Prämisse antreten, alles möglichst genau darzustellen, muss man also vorsichtig sein; denn das sogenannte lukanische Doppelwerk will wichtige theologische Grundgedanken erzählerisch entfalten, eine genaue Wiedergabe der historischen Fakten ist hier nicht zu erwarten. Auf diese Problematik werden wir immer wieder stoßen.

Völlig eindeutig ist aber zu sagen: Paulus war jüdisch. Er versteht sich als Angehöriger des Stammes Benjamin, dem jüngsten der 12 Söhne Jakobs, er wurde gemäß der Tora (Gen 17,10-12) am achten Tage beschnitten. Die Apostelgeschichte (Apg 22,3) erzählt, dass Paulus aus der griechisch geprägten Stadt Tharsus (im Südosten der heutigen Türkei) stammt und das römische Bürgerrecht besaß. Paulus selbst kommt allerdings selbst in den Briefen an keiner Stelle auf sein Bürgerrecht zu sprechen. Für die Apostelgeschichte ist dieser Punkt dagegen zentral: Nur unter Berufung auf sein römisches Bürgerrecht konnte Paulus nach seiner Verhaftung in Jerusalem und der Überführung nach Caesarea Maritima eine Verhandlung vor dem kaiserlichen Gerichtshof erreichen (Apg 22,25-28; 25,10-11), denn nur römischen Bürgern stand diese Möglichkeit der Verlegung des Gerichtsorts nach Rom offen. Erst so also kommt es in der Apostelgeschichte zur Reise nach Rom. Sollte Paulus also wirklich römischer Bürger gewesen sein, so war es ihm überhaupt nicht wichtig.

Sicher ist darüber hinaus, dass Paulus sich in den Städten des römischen Reiches gut bewegen konnte. Er kannte durch seine Herkunft aus Tharsus deren kulturelle Prägungen, er wusste um die dortigen Schwierigkeiten des jüdischen Lebens. Was viele Menschen tagtäglich in diesen Städten erleben und erleiden mussten, war ihm vertraut. Er war einer, der wusste, wovon er sprach. Kein weltferner Prediger einer neuen Welt, sondern verbunden mit den Hoffnungen und Nöten vieler Menschen.

Paulus selbst gehörte der pharisäischen Bewegung an (Phil 3,5). Diese Bewegung war entstanden, als sich nach dem Tod Alexanders des Großen in Syrien und Ägypten von griechischer Kultur geprägte Großreiche bildeten. Für viele Juden war eine Angleichung der eigenen Lebensgewohnheiten – oft auch aus wirtschaftlichen Gründen – attraktiv. Wie aber sollten die hergebrachte, von der Tora geprägte Kultur und die »modernen« Lebensweisen zueinander ins Verhältnis gesetzt werden? Viele wichtige Gebote, die das soziale Miteinander regelten, wurden an den Rand gedrängt. Die Tora schien in Gefahr zu sein. Und gerade die bäuerlichen Schichten in Israel sahen dies mit Argwohn.

Nach gewaltsamen Konflikten mit den griechischen Reichen erlangte Israel ab 164 v. Chr. politische Selbstständigkeit. Aber auch die neuen jüdischen Herrscher (die Hasmönäer) schienen die Tora zu vergessen. Die Pharisäer (wörtlich: die Abgesonderten) setzten sich nun mit großem Eifer dafür ein, dass die Tora in ganz Israel das Leben prägen und gestalten sollte. Die Tora sollte nicht nur für die Priester bestimmend sein. Alle sollten mit den Geboten der Tora ihr Leben auf Gott ausrichten, indem sie sich z.B. an die vielfältigen Reinheitsgebote der Tora im Alltag hielten. Paulus gehörte dieser Gruppe an. Er selbst sah sich als perfekten Pharisäer (Phil 3,6).

Als solcher verfolgte Paulus die Messiasleute zunächst. In der Apostelgeschichte ist davon die Rede, dass er Zeuge der Steinigung des Stephanus war und auf Geheiß des Hohepriesters gegen Messiasleute in Damaskus vorgehen wollte (Apg 7,60; 9,1-2). Mit Blick auf Paulus' Einstellungen gegenüber den Jesus-Anhängern hat es einen klaren Bruch in Paulus' Biografie gegeben. Aus dem Verfolger wird ein Bote der Auferstehung des Messias Jesu (Gal 1,1). Er selbst schreibt, dass er dazu von Gott berufen worden sei. Es ist kein Bruch aus eigenem Antrieb. Allerdings hat es keinen Bruch mit Blick auf seine jüdische Lebensweise gegeben. Paulus bleibt auch als von Gott berufener Bote der Auferstehung Jude. Er wird nicht zum ersten Christen.

Als jüdischer Bote der Auferstehung Jesu will er die frohe Botschaft vom Messias Jesus bis an die Enden der Welt weitertragen. Deswegen ist er jetzt hier, auf der Straße von Magnesia nach Ephesus, kurz vor den Mauern der Hauptstadt der Provinz Asia.

Titus wird nur einige Male in den Briefen des Paulus erwähnt. Klar ist aber, dass er kein Jude ist. In Gal 2,3 erzählt Paulus später, wie er zusammen mit Titus zu einer Versammlung der Messiasleuten in Jerusalem gereist ist. Dort wurde die Frage diskutiert, ob und inwieweit nichtjüdische Menschen, die sich den Messiasleuten angeschlossen haben, die jüdische Lebensweise übernehmen müssen. Titus gehörte genau zu dieser Gruppe. Er war in einem nichtjüdischen Umfeld großgeworden. Sein Name ist lateinisch. Er steht für diejenigen, die zu den Messiasleute zählten, ohne die Tora im vollem Umfang für das eigene Leben zu übernehmen: Titus war nicht beschnitten. Das Gebot der Beschneidung, dessen Erfüllung am Ende eines Konversionsprozesses zum Judentum stand, hatte er nicht vollzogen. Später wird Titus zu einem der wichtigen Protagonisten der Kollektensammlung für Jerusalem. Aus dem 2. Brief nach Korinth wird auch noch deutlich: Titus überbringt die Briefe an die Gruppe in Korinth, Briefe, mit denen die nicht unerheblichen Konflikte zwischen denen in Korinth und der Gruppe um Paulus bearbeitet wurden.

Timotheus kam nach Apg 16,1 aus Derbe/Lystra. Er stammte aus einer multikulturellen Ehe: der Vater Grieche, die Mutter Jüdin, die sich zum Messias Jesus bekannte. Timotheus schloss sich der Gruppe um Paulus an. Die Apostelgeschichte erzählt, dass Timotheus sich beschneiden ließ, um als jüdisch anerkannt zu werden. Seine Biografie macht deutlich: Er kannte sich in unterschiedlichen kulturellen Milieus des Reiches aus. Eine wichtige Voraussetzung für seine spätere Arbeit. Mit Paulus war er in den Städten des östlichen Mittelmeerraums unterwegs, um vom Messias Jesus zu erzählen. Er hielt durch Besuche Kontakt zu den aufgebauten Gemeinschaften. Er hat wahrscheinlich auch den 1. Brief an die Gemeinschaft in Korinth überbracht.

Blick von den Stufen des Bouleuterion Richtung Osten (Magnesisches Tor)

Die Apostelgeschichte erzählt, dass Paulus bei einem ersten kurzen Aufenthalt in Ephesus zusammen mit Prisca und Aquila gereist ist (Apg 18,18-19). Beide sind in Ephesus geblieben und haben dort einen Handwerksbetrieb eröffnet. So bekam die Gruppe um Paulus, zu denen sie sich zählten, ein Basislager in der Provinzhauptstadt Ephesus. Beide waren sie jüdisch und kamen aus der Reichshauptstadt Rom. Von dort aus war einer Notiz beim Historiker Sueton zur Folge die jüdische Bevölkerung auf Veranlassung eines Edikts des Kaiser Claudius vertrieben worden.

Wichtig ist: Prisca und Aquila haben am eigenen Leib erfahren, dass das Judentum innerhalb des Imperiums in einer prekären Situation war. Sie kennen die Schattenseiten Roms nur zu genau. Einerseits schützen kaiserliche Edikte ihr Leben nach den väterlichen Geboten, andererseits wurden Juden als Feinde des römischen Volkes angesehen (Cicero, Flaccus, 68), oder als Feinde der ganzen Menschheit (Tacitus, Historien, 5,5,1). Ihr Leben nach den väterlichen Geboten wird oft als finsterer Aberglaube abgetan (Cicero, Flaccus, 67; Tacitus, Historien, 5,4,1). Ob Prisca und Aqulia schon in Rom zu der messianischen Gruppe gehörten, ist völlig unklar. In Korinth schließen sie sich beide der Gruppe an und unterstützen sie maßgeblich. Sie arbeiten wie Paulus als Zeltmacher (Apg 18,3). Aus 1 Kor 16,19 kann man entnehmen, dass sich in ihrer Werkstatt (und damit in ihrem Wohnhaus) Messiasleute, in einer Hausgemeinschaft versammelten. Beide werden in den jeweiligen neutestamentlichen Texten gleichberechtigt nebeneinander genannt. Beide betrieben sie ihre Werkstatt, beide setzten sie sich für ihren Glauben ein – und nahmen dafür viele Nachteile in Kauf. Für die drei Männer muss es sehr wichtig gewesen sein, dass Prisca und Aquila eine Basis in Ephesus aufgebaut hatten: ein verlässlicher Anlaufpunkt nach der langen Reise, ein guter Ausgangspunkt für die weitere Arbeit.

Als die drei sich Ephesus näherten, sahen sie zunächst die Stadtmauer mit ihren Türmen und aufwendigen Toranlagen. Die Mauer erstreckte sich über die Erhebungen Preon (heute: Bülbül Dağ) und Tracheia (heute: Panayir Dağ), die man schon von Weitem sah. Die Mauer war im Auftrag von Lysimachos gebaut worden. Er war einer der Generäle Alexanders von Makedonien, die nach dem plötzlichen Tode Alexanders 323 v. Chr. in Babylon versuchten, die Macht in einem Teil des Reiches Alexanders zu erlangen.

Ephesus wurde damals von Lysimachos zwischen den Erhebungen Preon und Tracheia neu gegründet. Vorher lag die Stadt in der Ebene an den Ufern des Kaystros näher am Heiligtum der Artemis, dem Artemesion. Ephesus sollte für Lysimachos und seine Herrschaft eine wichtige Basis werden. Deswegen wurde die Stadt zur Sicherung gegen feindliche Angriffe mit einer mächtigen Mauer gesichert: Über 9 km erstreckte sie sich. Ihre Stärke betrug 2,90 bis 3,60 m, ihre Höhe bis zu 6,50 m. Zahlreiche Türme, die bis zu 9 m hoch waren, verstärkten die Verteidigungsanlage. Die sehr bewegte Geschichte Kleinasiens bis in das 1. Jh. v. Chr. zeigt, dass der Bau der Mauer unter militärischen Gesichtspunkten sinnvoll war. Zahlreiche Kriege und kleinere bewaffnete Konflikte prägten das Leben in dieser Zeit. Eine Mauer stellte aber nicht nur eine militärische Befestigung dar. In den Augen mancher antiker Zeitgenossen machte die Mauer eine Stadt überhaupt erst zu einer Stadt und war Ausdruck ihrer Autonomie.

## Die Stadt Ephesus

Eine Stadt – eigentlich genauer: eine Polis (so das griechische Wort für eine autonome Stadt) – war ein Raum, der viele Grundhaltungen und Wertvorstellungen der Gesellschaft widerspiegelte. Ephesus war zwar in der Form, wie sie die kleine Gruppe der Messiasleute nun sah, die Gründung eines Monarchen. Aber Ephesus war immer noch fest in der Poliskultur Ioniens, des griechischen Teils der heutigen Westtürkei, verankert. Die Städte verstanden sich als Gemeinschaften von Bürgern, die über die wesentlichen Belange gemeinschaftlich entschieden. Wie weit dieses »gemeinschaftlich« ging, war von Polis zu Polis verschieden. Die Athener Verhältnisse nach den Perserkriegen, wo ein Großteil der männlichen Bevölkerung Stimmrecht in der Volksversammlung besaß, dürfte nicht der Normalfall einer Polis gewesen sein. Für Aristoteles setzt sich das Gemeinwesen aus einer bestimmten Anzahl von Bürgern zusammen. Sie bilden damit die Basis der Polis. Dies zeigt sich auch in der Art und Weise, wie die Städte häufig bezeichnet wurden. In offiziellen Dokumenten war z.B. von den Athenern die Rede, wenn die Polis Athen gemeint war. Die Gemeinschaft der Bürger bildete die Stadt. Bürger zu sein bedeutet für Aristoteles die Teilhabe »am Regieren wie auch am Regiertwerden« (Politik 1277 b 7-9). Wer daran nicht teilhatte, war im Umkehrschluss kein Bürger. Die Geschichte des antiken Griechenlands zeigt: Es war sehr erstrebenswert, Bürger zu sein. Der Grad der Teilhabe war häufig Gegenstand von Konflikten innerhalb einer Polis. Dass die Bürger aber die Geschicke ihrer Stadt selbst bestimmten, wurde zu einem wichtigen Element der griechischen Kultur in der Antike.

Eine Stadt war nicht einfach eine große Ansammlung von Häusern, in denen Menschen wohnten. Eine Stadt stand für eine hoch entwickelte Kultur. Für den antiken Architekten Vitruv ist der Fortschritt beim Bauen klarer Ausdruck der fortschrittlichen Entwicklung der Menschen (Vitruv Architektur 2,1,2.6). Im Bauen zeigen sich die zivilisatorischen Kräfte menschlicher Kultur. Städtisches Leben insgesamt bringt die Segnungen der Zivilisation für die Menschen hervor. Ohne Städte hätte das Leben in den Augen vieler antiker Zeitgenossen auf einer viel niedriger stehenden Entwicklungsstufe stattgefunden.

Eine Stadt ist ein von Menschen geplantes Gebilde. Mit dem Bau von Städten entscheidet sich der Mensch zur weiteren Entwicklung seiner Kultur, so Cicero in »Über den Staat« (2,4-11). In einer Stadt finden sich Wohnhäuser und die vielen verschiedenen Gebäude, die allen Lebensbereichen und Institutionen der damaligen Gesellschaft einen Ort geben Tempel, Versammlungsort des Stadtrates, Brunnen, Bäder, Latrinen, Geschäftsgebäude, Versammlungsräume für Vereine, Lagerhallen usw. Viele dieser Gebäude und der darin befindlichen Einrichtungen sind Orte der Wohltaten der römischen Zivilisation. Im weiteren Verlauf dieses Buches werden einzelne Bereiche und Bauten von Ephesus noch einmal genauer in den Blick genommen.

Ephesus bekam, nachdem Alexander die Stadt in seinen Herrschaftsbereich einverleiben konnte, vom makedonischen König das Angebot, den 356 v. Chr. zerstörten Artemis-Tempel wieder aufzubauen. Die Bürger der Polis, die nach Beseitigung der persischen Herrschaft gerade erst wieder ihre Autonomie erlangt hatten, wiesen das Angebot zurück. Sie wollten selbst den Kult ihrer Stadt wieder aufbauen. Die Verehrung der Artemis war ein unabdingbarer Bestandteil des Lebens in Ephesus. Wer ephesinischer Bür-

 Blick auf die Grabungsstätten an den Hängen des Bülbül Dağ

ger ist, nimmt natürlich an den Kulten um das Artemesion teil. Die Gemeinschaft der Bürger ist die Gemeinschaft derer, die das Heiligtum pflegen und dort ihre Opfer darbringen. Die Identität der Stadt ist von der Praktizierung des Kultes der Artemis durchdrungen. Religionsfreiheit – eine für die Antike undenkbare Vorstellung.

Wie verhielt es sich mit dem politischen Konzept der Polis unter römischer Herrschaft? Demokratische Elemente in den jeweiligen Polisverfassungen wurden klar zurückgedrängt. Es fällt jedoch auf, dass viele politische Dokumente, die die politischen Geschäfte der Städte betrafen, als Subjekte der Entscheidung und der Regierungstätigkeit den Rat und die Versammlung der Bürger nennen. Die Inschrift von Ephesus (IvE 429) (sie bezieht sich auf die Errichtung des Hadrian-Tempels) nennt Publius Vedius Antoninus den »Sekretär der Volksversammlung«. Dieses Gremium existierte noch im 2. Jh. n. Chr. Die Szene in Apg 19,23-40 zeigt, auch wenn sie fiktiven Charakter hat, deutlich, dass die Menge der Bevölkerung auch in römischer Zeit Willens und in der Lage war, ihre Einstellungen und Absichten öffentlich zu artikulieren: Die Silberschmiede versuchen, die politisch Verantwortlichen zu bewegen, gegen Paulus vorzugehen. Dafür machen sie über das im großen Theater von Ephesus versammelte Volk Druck auf die Stadtregierung. Solche Aktionen sind zwar nicht mehr in ein rechtliches Regelwerk eingebunden, die das Zusammenspiel von Rat und Volksversammlung ordnete. Die Bevölkerung einer Stadt war aber nicht völlig von den politischen Prozessen ausgeschlossen.

In einem Brief an die Gemeinschaft der Messiasanhängern in der Stadt Philippi, der von der Gruppe um Paulus wahrscheinlich in Ephesus geschrieben wurde, taucht eine Formulierung auf, die die Distanz der Messiasleute zur politischen Kultur der antiken Städte deutlich macht: »Unser Bürgerrecht ist im Himmel« (Phil 3,20). Was hier zunächst mit »Bürgerrecht« übersetzt wurde, heißt im Griechischen políteuma. Es meint Regierung und ihre jeweiligen Geschäfte oder Aktionen. Es kann Bürgerrecht bedeuten, aber auch die Gemeinschaft der Bürger einer Polis. Hier zeigt sich ein klarer Verstehenszusammenhang: Es geht um die Gemeinschaft der Bürger, die am Herrschen und Beherrschtwerden teilhaben, die die Regierung der Polis mitbestimmen, die das Recht dazu haben (und sich somit von anderen, die nicht dazu gehören, abgrenzen). Der Kontext von Phil 3,20 zeigt, dass genau vor diesem Hintergrund der Ausdruck »unsere políteuma ist im Himmel« verstanden werden sollte.

Der ganze Brief an die Gemeinschaft in Philippi wird durch die theologische Deutung der Kreuzigung Jesu bestimmt. Eine zentrale Stelle ist der sog. Philipperhymnus in Phil 2,6-11. Hier wird im ersten Teil der Lebensweg Jesu theologisch gedeutet. Es ist ein Abstieg. Der, der göttlichen Ursprungs ist, erniedrigt sich selbst. Er wird zum Sklaven. Im Kontext der Gesellschaft des römischen Kaiserreichs bedeutet das eine völlige Umkehrung der gesellschaftlichen Werte. Von Beginn an war das politische System im Kaiserreich vom Gedanken des Aufstiegs geprägt. Augustus brauchte zur Verwaltung des riesigen Reiches kompetente einsatzwillige Menschen, die politische Aufgaben übernahmen. Den langen römischen Bürgerkrieg hatten viele aus der politischen Klasse nicht überlebt. Es brauchte aufstrebende Männer, die sich dann auch fanden.

Der Weg Jesu ist ein ganz anderer. Er wendet sich gegen das, was im politischen System Roms akzeptiert und gefordert wurde. Das Verhalten Jesu wird in Phil 2,5 für die angesprochene Gemeinschaft zur Norm: »Seid so eingestellt und verhaltet euch so, wie es der Gemeinschaft im

Messias Jesus entspricht« (Phil 2,5). Die Opposition zum römischen System wird quasi zum prägenden Merkmal der Gemeinschaft in Christus.

Ab Phil 3,1 beginnt der Briefschluss. Dort geht es dann um die Frage, wonach die Angesprochenen das Leben in Christus ausrichten sollen. In Phil 3,12-16 zeigt sich Paulus als jemand, der trotz allem immer noch auf dem Weg zum endgültigen Ziel ist. Das bisher Erreichte soll aber als Richtschnur für den Weg in die Zukunft gelten. In Phil 3,18 kommen Paulus und sein Mitabsender Timotheus auf eine Gruppe zus prechen, die sie als Feinde des Kreuzes bezeichnen. Sie sind auf das Irdische fixiert. Das wurde in der Theologie häufig als Zurückweisung einer jüdischen Leistungsfrömmigkeit gedeutet (vgl. dazu Kapitel 3). Blickt man jedoch auf den Philipper-Hymnus zurück, ist klar, worum es hier geht: Paulus und Timotheus reagieren auf diejenigen, die den Anti-Weg Jesu nicht mitgehen wollen oder können.

Auf das Irdische bedacht sein – hier geht es um die Ausrichtung auf die Maßstäbe, die in der Gesellschaft gelten. Zum Teil dürfte eine solche Anpassung an die anerkannten Regeln mit der Angst vor negativen Reaktionen der Mitmenschen zu tun haben. Wer nicht mitmacht, fällt auf und wird ausgeschlossen. Das kann die wirtschaftliche Existenz gefährden. Natürlich wird es auch welche gegeben haben, die auf Steigerung des Ansehens aus waren (Phil 3,19: ihr Ruhm). Einer solchen Lebensweise setzt Paulus entgegen: »Unser Gemeinwesen ist im Himmel.« »Im Himmel« verweist auf den Bezugspunkt dieser políteuma Vom Himmel wird sie bestimmt, also vom Gott Israels. Himmel ist in der alttestamentlich-jüdischen Tradition der Ort Gottes. Vom Himmel kommt auch der Retter Jesus. Retter (griechisch: soter) ist eine zentrale Vokabel der politischen Theologie Roms. Der Kaiser ist der Retter des Erdkreises, des römischen Imperiums. Er bewahrt das Reich vor den Feinden. Augustus hatte – so die offizielle Sicht – das Reich aus dem langen Bürgerkrieg befreit und vor der Herrschaft des Marcus Antonius und Kleopatras gerettet (vgl. Vergil Georgica 1,499-519).

Die Messiasleute sehen nicht im Kaiser den Retter. Jesus ist es. Und er wird Rettung bringen, indem er die gedemütigten Körper befreien wird. Das kann man sich gar nicht real genug vorstellen. Es geht hier um die Befreiung der Körper, die durch harte Arbeit geknechtet werden. Körper, die versklavt sind und von den Mächtigen missbraucht werden. Gerade für Sklavinnen heißt dies: Freiheit vom sexuellen Missbrauch durch ihre Besitzer.

In Phil 3,20 wird eine Gemeinschaft einer anderen entgegengestellt. Die Gemeinschaft in Christus wird vom Himmel her bestimmt. Sie befindet sich im radikalen Gegensatz zum Gemeinwesen der Stadt Ephesus (und all der anderen Städte im Imperium Romanum). Die Bezeichnung für die Gemeinschaft der Messiasleute entstammt auch der politischen Kultur griechischer Stadtstaaten. Ekklesia ist die Bezeichnung der Volksversammlung der Polis. Die Versammlung, die sich im Messias Jesus gründet, steht der Versammlung der Bürger von Ephesus, Korinth oder Philippi gegenüber. Gleichzeitig demonstrieren die Messiasleute damit aber auch ihre Verbundenheit mit Israel, dem Volk Gottes. Die Versammlung Israels am Sinai ist die Versammlung Gottes (hebräisch: kahal adonaj/griechisch: ekklesía kyríou) (Dtn 4,10).

Das, was Paulus, Timotheus, Titus, Prisca und Aquilla hier in Ephesus ins Werk setzen, wendet sich gegen die Grundüberzeugung und Wertmaßstäbe der políteuma in Ephesus, einer Stadt im römischen Reich.

# 3. JÜDISCHE GESCHWISTER TREFFEN – DIE SYNAGOGE

Eines ihrer ersten Ziele war eine Synagoge in Ephesus. Im Haus von Prisca und Aquila hatten Paulus, Timotheus und Titus Unterkunft und Aufnahme gefunden. Aber sie wollten zügig Kontakt zu jüdischen Menschen in der Stadt aufnehmen. Sie gingen dorthin, wo jüdische Menschen sich versammelten, die Dinge ihrer Gemeinschaft klärten, Fragen ihres Glaubens besprachen, aus den Schriften lasen und die Gebete für den einen Gott Israels verrichteten – in eine Synagoge. In den Weiten des römisches Reiches tat es gut, jüdische Geschwister zu treffen. Mit ihnen verband sie so viel: der Glaube an den einen Gott Israels, die gemeinsamen Traditionen, nach denen sie ihr Leben gestalteten. In dieser Gemeinschaft wurde dies alles geachtet. Viel zu häufig schlugen ihnen im Alltag Missachtung und Feindschaft entgegen – weil sie eben jüdisch waren.

Mit den jüdischen Geschwistern wollten sie aber auch über den gekreuzigten und auferstandenen Messias Jesus sprechen. Deswegen waren sie in Ephesus. Hier in einer Synagoge hofften sie gesprächsbereite Menschen zu finden. So hatten sie es in der Vergangenheit häufig gemacht. Sie hatten offene Ohren gefunden. Es gab Gelegenheiten zu tiefen Gesprächen und Diskussionen. Häufig fanden sie kein Gehör. Vielfach mussten sie sich nach den Gesprächen eingestehen, dass die Mehrheit ihrer jüdischen Geschwister Jesus nicht als den Messias sahen. An einigen Orten schaukelten sich die Diskussionen so hoch, dass es zu heftigen Wortgefechten und Konflikten kam. Worte flogen hin und her, für die sich beide Seiten nach der Hitze des Wortgefechts schämten. Einige hochgestellte Menschen in den

Synagogen sahen in der Botschaft der Messiasleute auch etwas Gefährliches: War dieser Jesus nicht ein Aufrührer? Seine Anhänger waren gefährlich. Von ihnen musste man sich schnell trennen.

Aber sie fanden eben auch offene Ohren. Jüdische Menschen boten ihnen Gemeinschaft an, sie wollten mehr von Jesus erfahren. Auch Menschen aus den Völkern, die Gemeinschaft mit Juden suchten, hörten genau zu, denn Paulus und die anderen sprachen gerade sie an, die nicht von Geburt an jüdisch waren.

## Ein Ort für die versammelte Gemeinde

Bis heute sind in Ephesus weder Synagogen noch jüdische Wohnhäuser ausgegraben worden. Schriftliche Quellen aus der Antike belegen aber, dass Jüdinnen und Juden dort lebten. Um sich ein gutes Bild vom jüdischen Leben in der Provinz Asia und den angrenzenden Gebieten machen zu können, kann man auf die zahlreichen antike Texte zum jüdischen Leben und den Ergebnissen von Ausgrabungen aus anderen römischen Städten in dieser Gegend zurückgreifen. Nur Ausgrabungen von Synagogen, die bereits im 1. Jh. n. Chr. als Versammlungsort genutzt worden sind, fehlen beinahe vollständig. Wir wissen deshalb nicht genau, wie die Versammlungsorte ausgesehen haben. Ab dem 3. Jh. n. Chr. wird das archäologische Material über Synagogen aussagekräftiger, wie die Funde in Sardes oder Dura Europos zeigen.

Aus christlicher Perspektive wird eine Synagoge gern mit einer Kirche verglichen. Das trifft die Sache jedoch nur zum Teil. Das griechische Wort synagogé meint sowohl die Versammlung einer jüdischen Gemeinschaft als auch den Ort, an dem sich Menschen versammeln. Die Entstehung der Versammlungsgebäude ist wegen der wenigen archäologischen Zeugnisse nicht einfach zu rekonstruieren. Synagogen gab es sowohl in Israel als auch in den jüdischen Siedlungsgebieten außerhalb Israels. Gerade außerhalb Israels erfüllten sie eine besondere Funktion: Sie waren der Ort, wo innerhalb einer nicht-jüdisch geprägten Gesellschaft die jüdische Gemeinschaft zusammenkam und so ihren Zusammenhalt sichtbar darstellen konnte. Für die Festigung der Gruppenidentität war die Synagoge unverzichtbar. Teilweise fanden die Versammlungen in Räumen privater Wohnungen oder in einem umfunktionierten Privathaus statt. Die versammelte Gemeinschaft verwandelte den Zweck des Raumes oder des Hauses. Der Bau von eigenen Synagogengebäuden fand da statt, wo jüdische Menschen über finanzielle Mittel zum Bau verfügten. In der Diaspora musste dazu noch sichergestellt sein, dass die Mehrheitsgesellschaft den Bau auch akzeptierte und die Besitzverhältnisse von Grund und Boden geklärt waren. Dies war die Ursache zahlreicher Konflikte mit Teilen der griechisch geprägten Bevölkerung in den Städten des Imperiums. Häufig wurden Besitzrechte der Juden angefochten, um einen Synagogenbau zu verhindern.

Eine Synagoge hatte ganz unterschiedliche Aufgaben und Funktionen. Sie diente als Versammlungsort der jeweiligen jüdischen Gemeinschaft bei ganz verschiedenen Anlässen. Der wöchentliche Gottesdienst am Sabbat hatte eine besondere Bedeutung. Aus schriftlichen Quellen (Lk 4,16-17) wissen wir, dass dabei die Lesung aus der Tora, den Propheten und den Schriften eine wichtige Rolle spielte. Die fortdauernde Verlesung der Tora wurde dabei zu einem wesentlichen Teil jüdischen Lebens. Im Gottesdienst wurde natürlich auch gebetet. Deswegen werden Synagogen auch als Ort des Gebets bezeichnet (griechisch proseuché). Die Psalmen entfalteten hier eine besondere

Wirkung für den jüdischen Glauben. Die gottesdienstliche Bedeutung einer Synagoge macht sie vergleichbar mit einer christlichen Kirche. Vor der Zerstörung des Tempels in Jerusalem (70 n. Chr.) war in jüdischer Perspektive der Gottesdienst in Synagogen nur ein Notbehelf. Der richtige Gottesdienst fand im Tempel in Jerusalem statt. Das ändert sich mit dessen Zerstörung durch römische Truppen.

Die Synagoge ist nicht nur ein Gottesdienstraum. Hier wird Tora gelehrt und ausgelegt. Eine Synagoge gibt dem Studium und der Auslegung der Tora einen festen Ort. Sie dient dazu, dass die Tora und andere religiöse Traditionen an die nächste Generation weitergegeben werden können. Darüber hinaus versammeln sich hier alle, die sich zu dieser Gemeinschaft rechnen. Hier werden die Beziehungen zu den Glaubensgeschwistern gelebt und erlebt.

Auch die Leitung der Synagoge trifft sich hier, um alle Belange der Gemeinschaft zu regeln, von den Finanzen über den Gottesdienst bis hin zum Verhältnis zur nichtjüdischen Umwelt. Zu den Leitungsaufgaben gehört auch die Organisation der Unterstützung sozial bedürftiger und in Not geratener Geschwister. Die Synagoge ist ein Ort, von dem vielfältige Hilfeleistungen ausgingen. Synagogen sind in diesem Zusammenhang auch dazu da, reisende Juden zu beherbergen. Ihnen sollte in der Fremde jüdische Gastfreundschaft gewährt werden. Die Kinder Abrahams und Sarahs ließen einander nicht ohne ein Dach über dem Kopf und einen Platz zum Schlafen.

Das höchste Leitungsamt war der Synagogenvorsteher. Lange Zeit ging man in der historischen Forschung davon aus, dass dies eine Funktion war, die nur Männer versehen konnten. Antike Quellen zeigen jedoch, dass auch Frauen solche Leitungsfunktionen übernommen haben. Es gab auch keine Trennung von Männern und Frauen im Gottesdienst, die sich erst später im Judentum beginnt durchzusetzen. In Apg 16,13-15 wird von einer am Sabbat versammelten Gruppe von Frauen erzählt, und zwar an einem Ort, den der Erzähler der Apostelgeschichte für eine Synagoge hält. Mit ihnen kommt die Gruppe um Paulus ins Gespräch. Von Trennlinien, die dies verhindern sollten, ist hier nicht die Rede.

## Eine Minderheit im römischen Reich

In der Provinz Asia oder in anderen griechisch geprägten Gebieten im Osten des Imperiums lebten jüdische Menschen als Minderheit. Ihr Glaube an nur einen Gott machte sie zu etwas Besonderem. In der Antike war die Anbetung mehrerer Gottheiten üblich. Die Menschen richteten ihre Gebete und ihre Opfer an unterschiedliche Gottheiten, die für die verschiedensten Lebensbereiche zuständig waren: Zur Zeit der Aussaat bat man die Gottheit Saturnus um ein gutes Wachsen der Saat. Nach der Ernte galt solchen Gottheiten der Dank der Menschen. In Kriegszeiten wurden die Kriegsgötter um Beistand angefleht, vor einer langen Seereise musste man einen Gott wie Neptun günstig stimmen. Von dieser Vielfalt hatte Israel sich im Laufe seiner Geschichte verabschiedet. Seit dem babylonischen Exil hatte sich die Verehrung des einen Gottes, der Israel aus der Sklaverei in Ägypten befreit hat, durchgesetzt. Damit fielen jüdische Menschen in den antiken Gesellschaften auf. Es gab zwar einige, die diese Konzentration auf einen Gott attraktiv fanden. Mehrheitlich aber wurden Juden skeptisch beäugt: Die alleinige Verehrung des Gottes Israels fassten andere als Herabsetzung ihrer eigenen Götter auf. Für diese Gottheiten wollten jüdische Menschen nicht opfern. Dies war nur ein Element des Judentums, durch das sich Jüdinnen und Juden skeptische Blicke oder Anfeindungen zuzogen.

Die für das Judentum zentrale Heiligung des 7. Tages, des Sabbats, war für einige antike Zeitgenossen ein Ausdruck der Faulheit: Der Philosoph und (gescheiterte) Erzieher Neros, Seneca, verspottete die Juden, weil sie ein Siebtel ihres Lebens mit Nichtstun verbringen (überliefert in Augustinus, Vom Gottesstaat, 6,11). Juden wollten am Sabbat z.B. wegen eines Prozesses nicht vor Gericht erscheinen. Das sah man als ungebührliches Verhalten gegenüber den Gesetzen des Gemeinwesens an. Mit der Zahlung der Tempelsteuer für Jerusalem, die dem Unterhalt des dortigen Tempels diente, zeigten Juden nach der Meinung vieler Nichtjuden, dass sie sich einzig und allein Israel und seiner Hauptstadt verpflichtet fühlten In die Stadt, in der sie lebten, wollten sie sich – so der Vorwurf – nicht integrieren.

Um diese Praktiken des Judentums entbrannten in vielen Städten des römischen Reiches immer wieder heftige Konflikte. Die griechisch-römisch geprägte Mehrheitsgesellschaft wollte es Jüdinnen und Juden nicht zugestehen, nach ihren althergebrachten Gesetzen zu leben.

Bevor diese Konflikte und ihre politischen Auswirkungen genauer in den Blick genommen werden, gilt es zu klären, welche Bedeutung diese alten Traditionen für jüdische Menschen selbst hatten und bis heute haben.

## Gebote zur Bewahrung der Freiheit

Religiöse Gebote werden gemeinhin als Einschränkung und Beschneidung menschlicher Handlungsfreiheit verstanden. Die historische Erforschung der Gebote des Alten Testaments hat jedoch gezeigt: In den Geboten zeigt sich nicht ein Gott, der die Menschen gängeln und kleinmachen will, sondern der ihnen mit den Geboten ein sicheres

Leben in Freiheit ermöglichen will. Frank Crüsemann hat sein wichtiges Buch zur Erforschung der Gebote im Alten Testament »Bewahrung der Freiheit«(1983) genannt.

Das erste der Zehn Gebote (im Judentum werden sie die Zehn Worte genannt) beginnt mit der Aussage: »Ich bin ›Gott‹, deine Gottheit, weil ich dich aus Ägypten, dem Haus der Sklavenarbeit, befreit habe« (Dtn 5,6). Gott stellt sich hier dem Volk Israel vor, und zwar als der, der das Volk aus der Sklaverei in Ägypten geführt hat. Der befreiende Gott gibt dem Volk jetzt die Gebote an die Hand: Die geschenkte Freiheit soll nicht wieder in Unfreiheit umschlagen. Deshalb braucht es konkrete Regeln, Weisungen und Gesetze: Ein Leben in Freiheit kann man nur führen, wenn das eigene Leben nicht angetastet wird. Es braucht weiterhin eine materielle Grundlage: Der Besitz soll vor unberechtigten Zugriff geschützt werden. Wenn Menschen alt und nicht mehr wirtschaftlich leistungsfähig sind, haben sie ihr Recht auf Leben nicht verwirkt. Ihnen steht die helfende Zuwendung seitens ihrer Kinder zu. Die Gebote beinhalten Regeln, die ein lebenswürdiges Miteinander von Menschen ermöglichen wollen. Es sind Lebensregeln von Befreiten.

Dieser Grundgedanke zieht sich durch die ersten fünf Bücher des Alten Testaments. Die Weisungen sind dafür da, ein verträgliches Leben zu ermöglichen. Alle Bereiche menschlichen Lebens werden geregelt, und zwar von Gott her: Für jüdische Menschen gab es keinen Bereich des Lebens, in dem sie es nicht mit dem einen Gott zu tun hatten. So musste das Wirtschaftsleben geordnet werden, die Kriegsführung, der Umgang mit Menschen, die Not litten. Dabei kam es zu weltgeschichtlichen Neuerungen: Arme hatten einen Rechtsanspruch auf Unterstützung. In der Antike war die Hilfe für in Not Geratene sonst immer ein Gnaden- und Gunsterweis der Reichen. Im Hinblick auf

Dtn 14,27-29 spricht Frank Crüsemann von der ersten Sozialsteuer der Weltgeschichte.

Genau solche Bereiche des Alten Testaments hat man lange Zeit im Christentum überhaupt nicht wahrgenommen, weswegen es immer wieder zu kruden Verzeichnungen des Judentums als Gesetzesreligion gekommen ist. Das Judentum verstand man als völlig degeneriertes Volk, das sich seinem despotischen Gott bedingungslos unterworfen hat. Das Ganze ging so weit, dass das Gebot der Nächstenliebe als ureigene Erfindung Jesu verstanden wurde, obwohl es schon in Lev 19,18 steht.

Die Gebote im Alten Testament betreffen aber auch die Verehrung Gottes. Dazu gehören Regeln, die besagen, wie religiöse Feste zu begehen sind (z.B. der Sabbat oder das Passah-Fest). Des Weiteren gibt es Anweisungen, welche Nahrungsmittel zu meiden sind und welche nicht kombiniert werden dürfen. Ein Gebot, das in den paulinischen Briefen zentral ist, ist das der Beschneidung: Männliche Neugeborene sollen bis zum 8. Tag nach ihrer Geburt beschnitten werden (Gen 17,12). Dieses Gebot wird zum großen Streitpunkt in den messianischen Gemeinschaften.

Die Gesamtheit der Ge- und Verbote im Alten Testament wird im Judentum Tora genannt. Tora bedeutet Weisung, die Weisung eines Propheten oder Priesters, aber auch die der Mutter oder des Vaters an die Kinder. Der Begriff macht deutlich, dass es nicht um einen gängelnden Verbotskatalog geht. Es sind Weisungen für ein gutes Leben. Sie wollen Orientierung geben. Es sind aber keine beliebigen Weisungen, denn sie kommen von dem Gott, der Israel aus Ägypten befreit hat. Gott gibt den Israelitinnen und Israeliten diese Gebote, damit sie in der Lage sind, ein gutes Leben zu führen, ein Leben, in dem das Geschenk der Befreiung weiterwirkt. Die Gebote der Tora empfangen ihre Kraft und Energie aus der Beziehung zu dem einen Gott. Menschen können die befreiende Wirkung der Gebote nur dann erleben und in die Tat umsetzen, wenn sie sich diesem Gott anvertrauen und sich an ihn binden.

Dieses Verständnis von Tora muss man sich vergegenwärtigen, wenn Paulus in den Briefen über die Tora schreibt (vgl. Röm 3,28; 13,8-10; Gal 2,11-21; 5,14). Lange Zeit sind diese Passagen als Abwertung der Tora verstanden worden Wir werden später sehen, dass es – im Sinne von Röm 3,31 – um ein Aufrichten der Tora geht.

## Zusammenleben mit den Anderen

Für jüdische Gemeinschaften in einer mehrheitlich griechisch-römisch geprägten Umwelt zog das Leben gemäß der Tora einige Probleme nach sich. Die Mehrheitsgesellschaft, gerade in den Städten des römischen Reiches, war nicht so tolerant, wie sie immer dargestellt wird. Andere und neue Religionen wurden toleriert, aber nur wenn sie in die Struktur der polytheistischen Religionen passten: Wer seine neuen Götter mitbrachte, der musste die, die schon immer da gewesen waren, akzeptieren. Der Monotheismus Israels fügt sich nicht ins anerkannte Regelwerk ein, wie die Götter zu verehren waren. Die exklusive Anbetung eines Gottes bei gleichzeitiger Verneinung der Existenz anderer Götter störte im Alltag einer antiken Stadt. Die Messiasleute hatten damit ebenfalls schwer zu kämpfen.

Ein weiterer Punkt, bei dem Griechen oder Römer höchst irritiert und abschätzig auf Juden blickten, war die Beschneidung. Genitalbeschneidung bei Männern ist kein exklusiv jüdischer Ritus. Bereits um 2000 v. Chr. wurde die Beschneidung von Männern im alten Ägypten praktiziert. In Griechenland und Rom war diese Praxis nicht nur fremd, man betrachtete sie mit Widerwillen. Beschneidung wurde häufig mit Kastration gleichgesetzt. Beschnittene Männer waren in den Augen von manchen Griechen und Römern Eunuchen – keine richtigen Männer. Männlichkeit hing mit der intakten Vorhaut zusammen. Natürlich war die Beschneidung nicht etwas, was im Alltag zu sehen war. Das änderte sich aber an einem der beliebtesten Orte römischer Kultur, dem öffentlichen Bad. Dort ließen Männer die Toga fallen, und man sah, wenn jemand beschnitten war. Wollten jüdische Männer ihr Jüdischsein verbergen, mussten sie sich von solchen Orten fernhalten.

Die Beschneidung und ihre Bewertung durch die Mehrheitsgesellschaft konnten zu einem Hindernis bei der Integration in die Gesellschaft werden. An dem für das Judentum zentralen Ritus kann man zeigen, wie die griechisch-römische Gesellschaft das Judentum sah. Es galt als eine Religion, die den eigenen Wertmaßstäben völlig widersprach. Der römische Historiker Tacitus belegt das antike Judentum mit dem Vorwurf, dass Juden von einem allgemeinen Hass auf das Menschengeschlecht geprägt seien (Historien 5,5).

Wegen solcher Einstellungen war es für jüdische Menschen nicht so einfach, soziale Beziehungen zu nichtjüdischen Menschen zu knüpfen. Aber auch von der jüdischen Tradition her gab es Punkte, die ein solches Gehen über Grenzen nicht einfacher machten. Die Allgegenwart der Verehrung der Gottheiten in der griechisch-römischen Gesellschaft brachte Jüdinnen und Juden immer in eine schwierige Situation. Sollten sie den geschäftlichen Zusammenkünften oder öffentlichen Feiern der Stadt fernbleiben, wenn den Göttern der Griechen und Römer geopfert wurde? Auch die Reinheitsgebote der Tora machten ein gemeinsames Essen mit Nichtjuden schwierig. Um eine jüdische Kategorie zu verwenden: Es stand die Frage im

Raum, ob ein Essen koscher war. Die Reinheitsgebote (insbesondere aus dem Buch Levitikus) regeln die Zubereitung von Essen und den Genuss bestimmter Lebensmittel. Milchiges darf nicht mit Fleisch zusammen zubereitet werden. Schweinefleisch ist nicht erlaubt – um nur wenige Beispiele zu nennen. Die Küche der Menschen aus den Völkern stand prinzipiell im Verdacht, nicht den Reinheitsgeboten zu entsprechen. Deswegen war gemeinsames Essen von Juden und Menschen aus den Völkern durchaus ein heikles Thema. Allerdings muss man eins berücksichtigen: Die Nahrungsmittel, die Menschen aus der Unterschicht im Mittelmeerraum zur Verfügung standen, waren in ihren Bestandteilen und ihrer Zusammensetzung von jüdischer Seite her kaum zu beanstanden. Mittelmeer-Diät ist beinahe koscher. Das Problem des gemeinsamen Essens ergab sich also eher für diejenigen, die sich in etwas höheren Kreisen bewegten und zu einem Geschäftsessen eingeladen wurden.

Wir wissen viel zu wenig, wie jüdische Menschen in der Antike damit im Alltag konkret umgegangen sind. Von den archäologischen Zeugnissen her kann man wohl mit ziemlicher Sicherheit sagen, dass trotz aller Anfeindungen jüdische Menschen bis zu einem gewissen Grad in die Gesellschaft der antiken Städte integriert waren. Eine wie auch immer geartete Ghettobildung ist für antike Städte nicht feststellbar. Es konnten keine gesonderten jüdischen Viertel oder Straßenzüge nachgewiesen werden. Jüdinnen und Juden teilten somit den Alltag der anderen, die nicht ihren Gott anbeteten.

Weiterhin gab es auch ein großes Interesse von nichtjüdischen Menschen am Judentum. Der Monotheismus traf nämlich nicht bei allen auf Ablehnung. Gerade in der hellenistischen Philosophie gab es Tendenzen, die statt der bunten Göttervielfalt die Konzentration auf das Eine bevorzugten. Auch die jüdische Ethik fand Interesse außerhalb Israels. Es gab in den Synagogengemeinden Menschen, die nicht von Geburt an jüdisch waren. Sie sympathisierten mit dem Judentum. Sie werden in der Forschung Gottesfürchtige genannt. Einige Forschende vertreten dazu folgende Auffassung: Die Gottesfürchtigen nahmen zwar am Leben der jüdischen Gemeinschaften teil, aber sie galten nicht als vollwertige und gleichberechtigte Mitglieder der Synagogengemeinschaft. Sie saßen gewissermaßen in der zweiten Reihe. Ob dies für die Gottesfürchtigen wirklich der Fall war, kann nicht eindeutig nachgewiesen werden. Auf jeden Fall tauchten an einigen Orten Gottesfürchtige als prominente Unterstützer der jüdischen Gemeinden auf. Sie konnten an hervorgehobener Stelle das gemeinschaftliche Leben mitprägen. Dies zeigt: Die Grenze zwischen dem Judentum und den anderen war nicht so klar gezogen, wie man das häufig denkt.

Shaye Cohen zeigt in seinen Studien zum antiken Judentum, welche unterschiedlichen Möglichkeiten es für Menschen aus den Völkern gab, Beziehungen zum Volk Gottes aufzunehmen: von einem gesteigerten Interesse an jüdischer Lebenspraxis, über die Anerkennung der Macht der jüdischen Gottheit, der Unterstützung jüdischer Gemeinschaften, der Praktizierung einzelner Elemente der jüdischen Tradition bis zur Verehrung des Gottes Israels bei gleichzeitiger Ablehnung der anderen Gottheiten. Cohen unterscheidet davon die Aufnahme intensiver sozialer Beziehung zur jüdischen Gemeinschaft, die manchmal in einem vollständigen Übertritt zum Judentum münden konnte. Das beinhaltet für Männer u.a. die nachträgliche Beschneidung. Die Konversion ist aber kein notwendiger Schritt. Diese verschiedenen Möglichkeiten wurden gerade von jüdischer Seite akzeptiert und gut geheißen. Es gab also trotz aller Anfeindungen breite und positiv besetzte Berührungspunkte zwischen jüdischen Menschen und Menschen aus den Völkern innerhalb des römischen Reiches. Man akzeptierte die Anderen, nahm soziale Beziehungen auf und räumte ihnen die genannten Handlungsmöglichkeiten ein.

## »Werke des Gesetzes«

Die theologische Forschung hat sich intensiv mit den Differenzen zwischen den Jesus-Leuten und den jüdischen Gemeinschaften beschäftigt. Die Debatte kann an zwei Texten aus den paulinischen Briefen festgemacht werden: Gal 2,11-15 und Röm 3,21-28. In diesen Texten ist das Stichwort »Werke des Gesetzes« von großer Bedeutung.

In Gal 2,11-15 schildert Paulus eine Begebenheit aus der messianischen Gemeinschaft in Antiochien, der Hauptstadt der Provinz Syrien. In der theologischen Forschung hat sie die Bezeichnung »Antiochenischer Zwischenfall« erhalten. Dort hatte sich eine besondere Art des Miteinanders von jüdischen Menschen und Menschen aus den Völkern etabliert. Die aus den Völkern mussten ihre Lebensweise nicht der jüdischen anpassen.

Bei einem Aufenthalt in Antiochien hatte Petrus dies zunächst mitgetragen. Als aber eine messianische Gruppe aus Jerusalem kam und die Zustände in Antiochien heftig kritisierte, machte Petrus einen Rückzieher. Dafür musste er sich von Paulus heftige Vorwürfe anhören: »Wenn du, der du doch Jude bist, nach Traditionen und Normen der Völker lebst und nicht jüdisch, wieso zwingst du dann nichtjüdische Menschen, jüdisch zu werden?« (Gal 2,14).

In der Forschung gab es lange Zeit einen Konsens, dass in Antiochien die Bedeutung der Reinheitsgebote der Tora bei gemeinsamen Mahlzeiten von Juden und Nicht-Juden zur Diskussion stand: Die Messiasleute in Antiochien richteten sich nicht nach diesen Geboten. Sie konnten das aus ihrer Sicht machen, da sie glaubten: Die Auferstehung Jesu hat das Heil gebracht. Die Reinheitstora war im Angesicht dessen unwichtig geworden. Das Tun der Tora versteht man in der Forschung als »Werke des Gesetzes« (Gal 2,16): In den Augen des Paulus verneinen die »Werke des Gesetzes« das Heilswerk Christi: Wer sein Leben auf dem Gehorsam gegenüber der Tora gründet, baut auf Sand. Allein in Christus können die Menschen Heil finden (Gal 2,20-21). Die theologische Diskussion um Gal 2 wurde deshalb lange Zeit vom Gegensatz Tora – Christus bestimmt. Die Botschaft vom gekreuzigten und auferstandenen Jesus, dem Christus, weist in dieser Forschungsperspektive die Tora als falschen Lebensweg zurück.

Vergleichbares findet sich in den ersten Kapiteln des Briefes an die Gemeinde in Rom. Das große Thema der ersten Kapitel ist die Offenbarung der Gerechtigkeit Gottes (Röm 1,16-18) und die Frage, wie Menschen im Angesicht der Gerechtigkeit Gottes bestehen können. Paulus nimmt in Röm 1-3 die Völker und Israel gemeinsam in den Blick: Das Urteil über beide ist niederschmetternd. Beide sind durch die Sünde gefangen. Die Völker könnten den wahren Gott erkennen (Röm 1,19ff). Aber sie wenden sich falschen Göttern zu und führen ein sündiges und gottfernes Leben. Israel habe die Tora. Trotzdem seien Juden nicht in der Lage, den Willen Gottes im Leben umzusetzen. Auch hier herrsche die Sünde. Paulus versteht Sünde nicht als einzelne unmoralische Handlungen, sondern als eine Macht, die ihnen die Fähigkeit, im Sinne Gottes zu leben, raubt. Wie können Menschen in dieser Situation vor Gott bestehen? Verfallen sie nicht dem gerechten Gericht Gottes, der das sündige Leben verurteilt (Röm 2,5ff)?

In Röm 3,21-28 sehen viele Theologen die Lösung des Paulus für dieses Problem: Gott überbrückt den tiefen Graben zwischen ihm und den Menschen, in dem er die sündigen Menschen annimmt und seine Bindung zu ihnen bekräftigt. Darin erweist sich Gott in den Augen des Paulus als gerecht. Gerechtigkeit wird hier in der Linie des Alten Testaments als gnädige und rettende Zuwendung Gottes verstanden. Gott erweist sich als der Gerechte, wenn er den Menschen rettet (vgl. u.a. Ps 51,16; 82,3). Gerade in der Auferweckung Jesu durch Gott ist die Gerechtigkeit Gottes erfahrbar. Paulus betont: Gottes heilvolles Handeln vollzieht sich, ohne dass Menschen etwas dazu beitragen können. Die Rechtfertigung des Menschen vor Gott geschieht ohne die »Werke des Gesetzes« (Röm 3,28).

Lange Zeit wurde das »ohne Werke des Gesetzes« als Gegenposition zum antiken Judentum verstanden: Jüdische Menschen versuchen, mit einer genauen Befolgung der Gebote Verdienste bei Gott zu erwerben. Wer die Gebote erfüllt, wird von Gott belohnt. Das Judentum war in den Augen vieler Forscher eine Art Leistungsreligion: Nur wer seinen Glauben in handfestem Gebotsgehorsam unter Beweis stellt, erlangt das göttliche Heil. Dieser Ansatz ist eindeutig von der Theologie Martin Luthers beeinflusst. Luther wandte sich gegen die Praxis der mittelalterlichen römischen Kirche, sich das Heil durch eigene Werke verdienen zu wollen. Der Ablass, der gezahlt wurde, um den Sündenstrafen zu entgehen, war ein solches Werk. Davon beeinflusst, rückübertragen viele die Position Luthers in die Zeit des Paulus und brandmarken damit das Judentum als eine Religion der Werke – innerhalb des Luthertums eine Diffamierung ersten Ranges.

## Eine neue Perspektive auf Paulus

Nach 1945 setzte sich in der Theologie sehr langsam die Einsicht durch, dass im Anblick der Vernichtung des europäischen Judentums die christliche Sicht auf das Judentum grundlegend überdacht werden muss: Das Judentum durfte nicht einfach mit der ihm unterstellten Leistungsfrömmigkeit die dunkle Folie bilden, vor der die Theologie des Paulus besonders hell strahlen konnte.

Grundlegend war dabei die Einsicht von Krister Stendahl: Die Herausforderung, vor der Paulus stand, unterscheidet sich grundlegend von der, der sich Luther stellte. Luther wurde von der Frage umgetrieben, wie Menschen trotz ihrer Sündhaftigkeit bei Gott Gnade finden können. Bei Luther zeigen die Gebote Gottes den Menschen: Sie sind nicht in der Lage, nach den Geboten zu leben und das Gute wirklich im Leben umzusetzen. Sie scheitern ständig an den Forderungen der Gebote. Sie erfahren so, dass sie Sünder und allein auf Gottes Vergebung angewiesen sind.

Stendahl und andere sagen: Das ist nicht das Problem des Paulus. Er diskutiert nicht in erster Linie die Unfähigkeit der Menschen, nach dem Willen Gottes zu leben. Es geht bei der Diskussion um die Gebote der Tora um die Frage: Wie geht man mit den Weisungen Gottes um, die eine Grenze zwischen Juden und Nicht-Juden ziehen?

Mit dieser Frage schaut die Forschung mit einer ganz anderen Perspektive auf die paulinischen Briefe. Diese »New Perspective on Paul« genannte Forschungsrichtung fragt danach, wie die Völker Anteil am göttlichen Heil bekommen. Paulus versteht sich als von Gott berufener Bote für die Völker (Gal 1,15). Den Völkern soll er die Auferweckung Jesu verkünden. Paulus deutet seine Aufgabe im Licht von Jes 49,1 und Jer 1,4-5. Diese prophetischen

Texte aus dem Alten Testament sehen auch die Völker als Adressaten prophetischer Botschaft (Jes 49,1.6). In Röm 15,16 charakterisiert Paulus sein Wirken in der Perspektive von Jes 66,20: »dass ich ein Diener des Gesalbten Jesus für die Völker sei, der ich heiligen Dienst mit Gottes guter Botschaft verrichte, damit die als Opfergabe dargebrachte Völkerwelt Gott gefalle«. Die Völker werden als heilige Gabe zu Gott gebracht. Damit werden die Völker in eine feste Beziehung zu Gott aufgenommen. Das ist nichts, was das Neue Testament als radikal neue Vorstellung präsentiert. Davon ist schon in den Schriften des Alten Testaments die Rede: Gott ist auch der Gott der Völker. Für Paulus ist jetzt aber der besondere Moment erreicht, wo diese Botschaft konkret unter den Völkern verbreitet werden muss. Paulus versteht seine besondere Aufgabe im Lichte jüdischer Traditionen und nicht gegen sie.

Den Völkern die frohe Botschaft vom Gott Israels zu bringen – das lässt Paulus einige Gebote neu bewerten. Die Beschneidung galt bei Männern als Zeichen der Zugehörigkeit zum Volk Gottes. Für Männer aus den Völkern ist dieses Gebot jetzt jedoch irrelevant: Sie müssen sich nicht erst beschneiden lassen, um an den Gott Israels glauben zu können. Vergleichbares gilt für die Reinheitsgebote: Sie müssen von Menschen aus den Völkern nicht als Bedingung erfüllt werden, um in Beziehung zum Gott Israels treten zu können. Genau diese Gebote sind für Stendahl im Blick, wenn Paulus die »Werke des Gesetzes« für irrelevant erklärt. Es geht dabei nicht um eine Abqualifizierung der Tora in ihrer Gesamtheit. Paulus will deutlich machen, dass bestimmte Gebote nicht den Zugang zu Gott erschweren dürfen. Gott ist der Gott Israels und der Völker (vgl. Röm 3,29).

Die Diskussion um dieses Problem ist seit den ersten Arbeiten der neuen Forschungsperspektive weitergegangen. Eine wichtige Frage ist dabei: Existierten solche Grenzziehungen zwischen Juden und Nicht-Juden wirklich in einem solchen Umfang, dass sie als ein derart brennendes Problem wahrgenommen wurden? Wie bereits erwähnt: Es gibt keine archäologischen Zeugnisse, die auf eine strikte Trennung jüdischer Gemeinschaften von der sie umgebenden nichtjüdischen Gesellschaft hinweist. Jüdische Menschen waren trotz der Vorbehalte und Anfeindungen gegenüber dem Judentum Teil der Städte im römischen Reich. Neuere Auslegungen zum Konflikt in Antiochien haben auch gezeigt: Der Streitpunkt zwischen Paulus auf der einen Seite und Petrus und den Jerusalemern auf der anderen Seite ist nicht die Einhaltung der Reinheitsgebote im Zusammenhang des gemeinsamen Essens. Die Völker werden in Gal 2,15 als Sünder bezeichnet. Dies verweist auf ein ganz anderes Problemfeld: Wenn antike jüdische Texte den Völkern eine positive Bedeutung beimessen, werfen sie eine Frage auf: Verehren sie den Gott Israels oder beten sie weiterhin ihre alten Gottheiten an? »Und alle Völker auf der ganzen Erde, alle werden umkehren und Gott wahrhaftig achten und ehren und sie werden sich alle von ihren Götterbildern abkehren, die sie lügnerisch auf ihren Irrweg verführten« (Tob 14,6). Die Sünde der Völker besteht dann darin, dass sie den einzigen Gott, den Gott Israels, nicht erkennen und ihm die Ehrfurcht verweigern. Die Reinheitsgebote der Tora hingegen richten sich an das Volk Israel: Für ihre Nichteinhaltung kann nur Israel verantwortlich gemacht werden. Die Formulierung »Sünder aus den Völkern« (Gal 2,15) kann nur etwas im Blick haben, was in der Sicht der jüdischen Tradition ein Fehlverhalten der Völker ist: die Nichtanerkennung Gottes.

Von daher kann sich die Konfliktlage in Antiochien so darstellen: Die gemeinsamen Mahlzeiten und Versammlungen der messianischen Gemeinschaft fanden in Wohnungen und Häusern von Familien statt, die sich noch nicht vollständig zum Gott Israels und seinem Messias bekennen. In 1 Kor 7 gehen Paulus und Sosthenes darauf ein. Von Ehepaaren gehört häufig nur eine Person zur Gruppe der Jesus-Leute. Die andere Person betet weiterhin die alten Götter an. In der Wohnung dürften dann kleine Götterbilder oder gar Altäre gewesen sein, wo diese Götter weiterhin angerufen werden. In Gegenwart dieser Götterbilder finden dann auch die gemeinsamen Treffen der Messiasleute statt. Für Paulus stellt das kein grundsätzliches Problem dar. Die Jerusalem-Fraktion fordert hier eine klare Trennung von den alten Göttern.

Paulus reagiert in Gal 2,14 heftig auf die Aufkündigung des Konsenses durch Petrus. Er stellt ihn öffentlich zur Rede. Die Gruppe in Antiochien hat für sich eine Lebensform gefunden, die die Gemeinschaft unterstützt. Paulus trägt das, wie schon erwähnt, mit. In Gal 3,28 betont Paulus, dass in Christus, also in der messianischen Gemeinschaft, die Unterscheidung von Juden und Menschen aus den Völkern keine Trennung mehr zwischen ihnen begründen kann. Paulus spricht den Jerusalemern jedes Recht ab, dies in Frage zu stellen. Paulus erlebt, dass im Angesicht der fremden Götterbilder echte Gemeinschaft entsteht, mit aller Vorläufigkeit und Brüchigkeit. Dies darf in der Sicht des Paulus nicht einfach aufs Spiel gesetzt werden. Natürlich müsste man eigentlich die Götterbilder beiseiteräumen. Leichter gesagt als getan. Dadurch könnte die Gemeinschaft jedoch Schaden nehmen. Das treibt Familien und andere Lebensgemeinschaften auseinander. Die aus Jerusalem scheinen nach Meinung des Paulus nicht zu sehen, welche Konflikte eine konsequente Umsetzung die von der Tora geforderten Abkehr von den fremden Göttern nach sich ziehen kann. Dieses geforderte Werk des Gesetzes hilft der so jungen und fragilen Gemeinschaft nicht. Deswegen positioniert sich Paulus hier so.

In 1 Kor 7,12-15 greifen Paulus und Sosthenes dieses Problem noch einmal auf. Hier geht es konkret um die Frage: Soll ein Anhänger/eine Anhängerin Jesu bei ihrer Partnerin/ihrem Partner bleiben, auch wenn diese/r nicht den Glauben an den Messias Jesus teilt? Die beiden Briefschreiber sagen: Bleibt zusammen, wenn ihr zusammenbleiben wollt, wenn ihr Unterschiede und auch Gegensätze in der Lebensführung gemeinsam tragen wollt. Sie entwickeln die Vorstellung, dass die messianische Person der Lebensgemeinschaft die nicht-messianische heiligt (1 Kor 7,14). Das sollte man nicht magisch verstehen, in dem Sinne, dass die Messiasleute eine heilvolle Sphäre auf die Anderen übertragen. Vielmehr scheint das Heiligende in dem zu liegen, dass die Messiasleute ihre jeweiligen Gegenüber nicht verdammen, wegstoßen oder auf eine andere Art mit ihr lieblos umgehen. Damit wird die sich nicht zum Messias bekennende Person in das Beziehungsnetz der messianischen Gemeinschaft aufgenommen. Sie hat Anteil an den guten Gaben und Taten, die Messiasleute einander weitergeben. Sie ist nahe an den Leib Christi herangerückt, und dessen gute Atmosphäre wirkt auch auf diejenigen, die nicht dazugehören. Paulus und Sosthenes würden hier vielleicht ergänzen: noch nicht.

## Im System der Sündenmacht

Theologie wäre nicht Theologie, wenn es zu diesem Problemfeld nicht noch weitere Auslegungsansätze gäbe. Gerade die sozialgeschichtliche Sicht auf die Tora führt noch einmal zu neuen Erkenntnissen. Dabei rückt ein Text aus Röm 7 in den Focus:

»Ich aber bin durch mein begrenztes menschliches Dasein angreifbar, verkauft unter die Gewalt der Sündenmacht. Was ich bewirke, durchschaue ich nicht. Ich mache nämlich nicht das, was ich will, sondern was ich hasse, das tue ich. [...] Jetzt jedoch bewirke ich es nicht mehr selbst, sondern die Sündenmacht, die mich besetzt. [...] Denn das Gute, das ich will, verwirkliche ich nicht. Aber das Schlechte, das ich nicht will, das vollbringe ich. Wenn ich aber das tue, was ich nicht will, dann bestimme ich nicht mehr selbst über mein Handeln, sondern die Sündenmacht, die mich besetzt« (Röm 7,14-20).

Was für Erfahrungen haben Paulus und andere gemacht, dass sie so etwas schreiben? Sie wissen durch die Tora eigentlich, was das Gute und Richtige ist. Aber: Sie handeln nicht danach. Ganz im Gegenteil. Sie machen etwas, was sie nicht wollen. Jemand anderes bestimmt und lenkt ihr Handeln.

Die Menschen in den frühen Gemeinden kommen zum allergrößten Teil aus den unteren sozialen Schichten. Ihre Lebensbedingungen verhindern es allzu oft, nach der Tora leben zu können. Wie soll ein Sklave den Sabbat heiligen? Wie soll man als Tagelöhner oder Sklavin Solidarität üben, wenn man selbst ums Überleben kämpft? Wie hörte eine Sklavin, die von ihren Besitzern zur Prostitution gezwungen wurde, das Verbot des Geschlechtsverkehrs mit mehreren Männern? Die Gebote der Tora sind für Paulus gut und gerecht, aber er stellt fest: Viele aus den Gemeinden können bestimmte Gebote nicht erfüllen, nicht weil sie zu bequem sind oder weil es zur Natur der Menschen gehört, fehlbar zu sein. Die Umstände, in denen sie leben, machen ein Leben nach der Tora unmöglich: Ein Sklave, der sich weigert, am Sabbat zu arbeiten, muss mit heftigen körperlichen Strafen oder gar dem Tod rechnen.

Menschen aus der Unterschicht werden aber auch zu Mittätern: Sklaven üben stellvertretend die Macht ihrer Herrn über andere Sklaven aus und haben so aktiv Anteil am Gewaltsystem. Sie sind z. B. Haus- oder Gutsverwalter. Eine solche Position verschafft ihnen natürlich ein einfacheres und gesichertes Leben, aber nur so lange, wie sie im Sinne ihres Herrn die aufgetragene Aufgabe wahrnehmen. Es war ein perfides System: Die Aussicht, in der Sklavenhierarchie aufzusteigen und ein besseres Leben führen zu können, war zwangsläufig daran gebunden, dass man selbst als Herr handeln und Gewalt ausüben musste. Dies alles ist das versklavende System der Sündenmacht, von dem im Römerbrief die Rede ist. Das System der Sündenmacht erleben die Menschen alltäglich in den Herrschaftsstrukturen des römischen Reiches.

Die Gebote können die Menschen nicht vor der Macht der Sünde bewahren. Allein die Existenz der Gebote gibt keine Kraft, nach ihnen zu leben. Die Sünde wird als stärker erlebt. Die Machtstrukturen im römischen Reich verhindern ein Leben nach der Tora. Innerhalb des Systems der Sündenmacht erfahren die Menschen, die nach der Tora leben wollen, immerwährendes Scheitern.

Das Heil Gottes erfahren diese Menschen neu in Jesus, dem Messias, »ohne dass die ganze Tora getan wurde«. So übersetzt Claudia Janssen in der »Bibel in gerechter Sprache« den Teil von Röm 3,28, der in anderen Übersetzungen recht unkonkret mit »ohne Werke des Gesetzes« (s.o.) wiedergegeben wird: Gott nimmt die Menschen an, obwohl sie es nicht geschafft haben, nach der Tora zu leben. Die Macht der versklavenden Sünde hat sich als zu stark erwiesen. Gott befreit sie aus dem Herrschaftsbereich der Sünde. Für Paulus zeigt sich das konkret in der Auferweckung Jesu. Er ist von der römischen Staatsmacht als Aufrührer hingerichtet worden. Dass die Jesusanhänger von der Auferweckung Jesu durch Gott sprechen, zeigt: In ihrer Sicht hat die römische Staatsmacht, hat die versklavende Sünde ihre Macht verloren. Jesus ist nicht tot, er ist auferweckt worden.

Der Glaube an die Auferweckung Jesu gibt jetzt den Menschen die Kraft, nach der Tora zu leben (Röm 8,4). Das Heil, die Befreiung von der Sündenmacht, kommt ohne die Werke der Tora zu den Menschen. Aber sie ist in den Taten der Tora erfahrbar. Gottes Herrschaft setzt sich gegen die todbringende Sündenmacht durch und schafft so einen Raum, in dem Menschen es wagen können, nach den Weisungen der Tora zu leben. Martin Luther stellte zu Recht fest: Die Gebote der Bibel geben nicht die Kraft und die Fähigkeit, nach ihnen zu leben. Dies kommt von Gott, und zwar durch sein heilvolles Handeln für die Menschen: Gott befreit Israel aus der Sklaverei in Ägypten. Um dieses befreiende Geschenk nicht zu verlieren, gibt Gott, wie schon beschrieben, Israel die Tora. Nach Gottes Weisung zu leben hilft, sein Geschenk der Befreiung zu bewahren. Vergleichbares findet sich in den paulinischen Briefen, wenn Paulus das Gebot der Nächstenliebe als Realisierung der von Gott in Christus geschenkten Freiheit versteht (Gal 5,1.13-15). Die Tora ist und bleibt Gottes Weisung zu einem guten Leben.

## Zerwürfnis in Galatien

»Kein anderes Evangelium« – »Fluch sei über sie!« Solche Sätze schreibt Paulus in einem Brief an Gemeinschaften in Galatien, eine römische Provinz an der östlichen Grenze der Provinz Asia (Gal 1,8). Dieser Brief ist vielleicht noch während des Aufenthaltes in Ephesus entstanden oder auf dem Weg von Ephesus nach Korinth. Im Kontext dieser Sätze wendet sich Paulus gegen die »Werke der Tora«. Was war in Galatien geschehen? Hat Paulus seine Meinung zur Tora als gute göttliche Weisung geändert? In der Forschung ging man davon aus, dass in Galatien Jesus-Leute auftauchten, die eine strenge Übernahme jüdischer Lebensweise forderten. Diese Bewegung forderte von Messias-Leuten aus den Völkern die Konversion zum Judentum, mit Übernahme der Toragebote wie die Beschneidung und die Reinheitsgebote. Vertreter der Neuen Paulus-Perspektive sehen hier eine Gruppe am Werk, die das Trennende zwischen Israel und den Völkern betont. Anscheinend hatte diese fremde Gruppe damit Erfolg. Deswegen wetterte Paulus auch im Galaterbrief so los.

Neuere Auslegungsansätze stellen in Frage, dass Messiasleute mit einer solchen Programmatik in der jüdischen Diaspora auf offene Ohren gestoßen sind. Jüdische Gemeinschaften lebten davon, dass sie in der Gesellschaft der Städte des Reiches integrierbar waren. Eine Politik der Abschottung hätte für viele katastrophale Folgen gehabt. Eine solche Hardliner-Haltung wäre weder bei den galatischen Messiasleuten noch in den dortigen jüdischen Gemeinschaften positiv aufgenommen worden.

Ich versuche in diesem Buch eine Interpretation, die durch Studien von Mark D. Nanos und Brigitte Kahl angestoßen ist. Beide verorten den Streit in der besonderen Situation jüdischen Lebens im Imperium Romanum. Dabei geht es um die Frage: Wer hat ein Interesse an der Ausgrenzung von Jesus-Anhängern, die sich nicht beschneiden lassen?

Die Antwort in Kürze: Es müssen Personen aus Synagogengemeinden gewesen sein, die Angst um ihre religiöse Heimat und ihre Integration in der griechisch-römischen Gesellschaft hatten. Sie befürchteten, dass die Agitation der Messiasleute die römischen Behörden gegen die Synagogengemeinden aufbringt. Jesus war, damit hielten seine Anhänger nicht hinter dem Berg, ein von der römischen Verwaltung hingerichteter Aufrührer. Wer ihn zum Mittelpunkt einer Bewegung macht, ist selbst ein Rebell gegen

Rom, gerade wenn man unter Nichtjuden für diesen Jesus wirbt. Wer solchen Gruppen Unterschlupf gewährt, macht sich selbst der Rebellion schuldig. Es muss also darum gehen, die Agitation unter Nichtjuden einzudämmen und die Jesusgruppe der Disziplin der jüdischen Gemeinschaft zu unterwerfen. Die Gebote der Tora sind hier ein Mittel für dieses Unterfangen.

Nun aber Schritt für Schritt ein Versuch, den Galaterbrief im Kontext des römischen Imperiums zu verstehen.

Jüdisches Leben konnte in den Städten nur gedeihen, weil der Kaiser seine schützende Hand über die Gemeinden hielt. Zu heftig waren die Anfeindungen, denen jüdische Gemeinden ausgesetzt waren. Schon Julius Caesar erließ ein Edikt, das jüdischen Menschen garantierte, nach ihren väterlichen Gesetzen zu leben. Dieser Erlass war wohl der Dank für die erfahrene Unterstützung im Krieg gegen Pompeius seitens jüdischer Gruppen. Augustus setzte diese Politik seines Adoptivvaters fort und erließ mehrere ähnliche Edikte. Diese Erlasse sind in den Werken des jüdischen Historikers Flavius Josephus überliefert. Diese Politik Roms ähnelt den Herrschaftspraktiken der Perser seit dem 6. Jh. v. Chr. und der selekeudische Herrscher wie Antiochos III. (223-187 v. Chr.). Auch sie erlaubten es jüdischen Gruppen, gemäß den väterlichen Gesetzen zu leben. Eine solche Politik entsprang nicht einer Toleranz gegenüber dem Anderen. Die Gewährung des Lebens nach den Gesetzen sollte jüdischen Gemeinden zeigen: Die Regierung ist für das Leben von Juden förderlich und gut. Zufriedene Untertanen waren loyal. Gerade Caesar und nach ihm Augustus waren nach ihrer gewaltsam Eroberung der Macht auf eine nachhaltige Konsolidierung ihrer Herrschaft angewiesen. Verschiedene Bevölkerungsgruppen sollten durch fördernde Maßnahmen an den zentralen Mann im Staat gebunden werden. Hier von Privilegien des

Judentums zu sprechen, wie es in der Forschung geschieht, ist völlig fehl am Platz. Die Edikte bezüglich jüdischer Lebensweise gewährten kein exklusives Sonderrecht, das die Juden über ihre Mitbürger erhob. Die Edikte waren eine Reaktion auf konkrete politische Ereignisse und zeigen, wie fragil die Situation für jüdische Menschen damals war.

Jüdischen Menschen wurde seitens der Mehrheit eine mangelnde Identifikation mit ihrem Wohnort vorgeworfen: Sie schickten Geld nach Jerusalem (Tempelsteuer), statt es hier für die Belange der Allgemeinheit zu verwenden. Synagogengottesdienste galten als nichtöffentliche Versammlungen. Man wusste nicht recht, was dort gemacht wurde, und befürchtete Aufrufe zu aufrührerischem Verhalten. Da die jüdischen Menschen sich nicht an den städtischen Opferhandlungen für Rom (und später für den Kaiser) beteiligten, galten sie als vaterlandslose Gesellen.

Monika Schuol weist daraufhin, dass in den Schriften des Josephus die Stadt Ephesus mehrfach in Zusammenhang von Konflikten zwischen Juden und Nichtjuden auftaucht. Ihrer Meinung nach scheinen hier die Rechte jüdischer Gruppen von der Mehrheitsbevölkerung immer wieder infrage gestellt worden zu sein. Eine Episode aus dem Jahr 17 v. Chr. zeigt dies in besonderer Weise. Hier tragen jüdische Gruppen aus Ephesus und anderen Städten, vertreten durch Nikolaos von Damaskus, ihre Klage vor Marcus Agrippa, den zweiten Mann im Reich, der Augustus' Weg zur Macht mit seinen militärischen und politischen Fähigkeiten erst möglich gemacht hat. Agrippa befand sich in Begleitung des jüdischen Königs Herodes auf einer Reise durch den Osten des Reiches und machte in der Nähe von Ephesus Station. Die Vertreter der jüdischen Gemeinschaft nutzen die Anwesenheit der politischen Prominenz, um sich gegen die Anfeindung durch die

Mehrheit in der Stadt rechtlich zu wehren. Gerade die Präsenz des Königs von Israel, der sich in vielfältiger Weise als Förderer griechischer und jüdischer Kultur präsentierte, musste genutzt werden – mit Erfolg: Marcus Agrippa erließ mit seiner Amtsgewalt ein Edikt. Er bestätigte damit die politische Linie des Augustus. Jüdische Gruppen durften ihren väterlichen Gesetzen entsprechend leben. Jüdische Gruppierungen wurden auf diese Weise eng an den Kaiser gebunden. Gleichzeitig konnte Agrippa so die Beziehung zu Herodes pflegen, der für Rom einen Teil der Ostgrenze des Imperiums gegen äußere Feinde sicherte. Interessant ist die Einschränkung in Agrippas Entscheidung: Römische Herrschaftsinteressen dürfen durch das jüdische Leben nach ihren Gesetzen nicht tangiert werden. Hier sieht man, worum es Rom geht: Sicherung des Reiches. Nur dafür gewährt Rom jüdischen Menschen Schutz.

In dieser besonderen Konstellation treten die Messiasleute auf den Plan und erzählen vom Gesalbten Jesus, der von Rom als Störer der imperialen Ordnung hingerichtet worden ist. Das beinhaltet für die jüdische Gemeinschaft jede Menge Konfliktstoff. Innerjüdische Aktionen gegen die Messiasleute gründen in der – völlig berechtigten – Befürchtung: Diese Gruppe gefährde den Schutz durch Rom. Ihre Rede vom bereits gekommenen Messias setzt all das aufs Spiel, was in mühsamen Aushandlungsprozessen mit Rom erreicht wurde. Was passiert, wenn Rom von der Handlungsweise der Jesus-Leute Wind bekommt? Werden die Edikte des Kaisers widerrufen, wenn Synagogen Orte der Rebellion sind? In 2 Kor 11,24 schreibt Paulus, dass über ihn in Synagogen die Bestrafung mit 40 Schlägen verhängt wurde, und zwar fünfmal. Die Tätigkeit der messianischen Gruppen wurde nicht einfach als Verstoß gegen einzelne Gebote der Tora gesehen – nein, sie provozieren die römische Staatsmacht, gefährden die Existenz der jüdischen Gemeinschaft und müssen bestraft werden. So könnte eine jüdische Position zu den Messiasleuten ausgesehen haben.

Ich sehe in der Beschneidungsforderung (Gal 6,12) eine Reaktion seitens jüdischer Synagogengemeinden auf das Auftreten der Messiasleute. Setzt man den soeben skizzierten Konflikt voraus, lässt sich recht schlüssig erklären, warum die Beschneidung gefordert wurde. Eine Gruppe hat Angst, dass neu Hinzukommende die Existenz der Gruppe gefährden. In solch unsicheren Zeiten fangen Wortführer der Synagoge an zu überlegen, ob nicht der Zugang zur Gemeinschaft reglementiert werden muss. Wer dazugehören will, muss sich den Regeln der Synagoge unterordnen. Die waren, wie oben dargestellt, eigentlich recht offen. Damit musste jetzt Schluss sein. Die Paulus-Gruppe ging ja davon aus, dass die Anhängerschaft Jesu, egal ob sie jüdisch lebten oder nicht, dazugehörten. Dem widersprachen jetzt einige aus der Synagoge. Wer dazugehören will, muss sich – als Mann – beschneiden lassen. Man beharrte jetzt auf vollständige Konversion, wenn man Teil der Versammlung jüdischer Menschen sein wollte.

Im Hinblick auf eine solche Haltung muss man sich noch eines vor Augen führen: Jüdisches Leben konnte sich im römischen Reich entfalten, weil es Förderinnen und Förderer gab, die finanziell und ideell das Judentum unterstützen. In Acmonia, einer Stadt in Phrygien, wurde eine Inschrift aus dem 1. Jh. n. Chr. gefunden. In ihr wird Julia Severa als wichtige Unterstützerin der dortigen Synagoge von der jüdischen Gemeinschaft geehrt. Sie war aber nicht irgendjemand. Andere archäologische Zeugnisse zeigen, dass sie zu den höchsten gesellschaftlichen Gruppen der Stadt gehörte. Sie selbst war eine hohe Priesterin des Kaiserkultes. Ihr Mann gehörte zur lokalen Oberschicht, ihr Sohn war Senator unter Kaiser Nero. Von solchen Menschen bekamen jüdische Menschen wichtige Hilfe und Unterstützung. Wieso sollten sie dann nicht der Agitation der Messiasleute Grenzen setzen? Alles andere hätte diese wichtigen Personen verprellt.

Bevor man eine solche Haltung als eine bequeme Anpassung an das römische Reich kritisiert, sollte man die Notlage der jüdischen Menschen in der Antike ernst nehmen. Sie wollten das erhalten, was jüdisches Leben in Ephesus und anderswo überhaupt ermöglichte. Alles andere hätte sie ins gesellschaftliche Abseits befördert.

## Der Verfolgung entgehen

Paulus schreibt den Brief an die Gemeinschaften in Galatien mit zweifacher Absicht. Zum einen will er die Haltung zur Notwendigkeit der Beschneidung angreifen, und zwar massiv. Zum anderen will er die Messiasleute vor Ort, die beginnen, dem Druck nachzugeben, ins Gewissen reden: Wenn sie jetzt dem nachkommen, was von ihnen verlangt wird, dann verraten sie alles, was Paulus und die anderen ihnen vom auferstandenen Messias erzählt haben.

Ein zentraler Satz des Briefes nach Galatien ist Gal 6,12: »Diejenigen, die gut dastehen wollen in Reih und Glied mit der herrschenden Weltordnung, zwingen euch nur aus einem einzigen Grund zur Beschneidung: Sie wollen der Verfolgung entgehen, die durch das Kreuz des Messias ausgelöst wird.« Er wirft seinen jüdischen Geschwistern dort vor, dass sie vor Rom einknicken und sich nicht schützend vor die Messiasleute stellen, wofür sie eventuell Repressalien seitens Rom in Kauf nehmen müssten. Dazu sind sie aber nicht bereit. Aus ihrer Perspektive ist Jesus auch nicht der Messias, sondern ein fehlgeleiteter Rabbi. Paulus selbst hat aber diese Konsequenz auf sich genommen (Gal 6,17).

Gal 6,12 macht durch sein Verbinden von Beschneidungsforderung und Kreuz Christi sehr gut deutlich, worum sich der Konflikt in Galatien dreht. Für die große Mehrheit in den Synagogengemeinden war der Kreuzestod des Galiläers Jesus theologisch ohne Bedeutung. Er gehörte in die Reihe derer, die mit ihrem Extremismus ihr eigenes Leben zerstörten und das anderer gefährdeten. Um diese Gefahr von den jüdischen Menschen in den Städten des Imperiums fernzuhalten, wird die Forderung der Beschneidung zum Kontroll- und Abwehrinstrument für gefährliche Strömungen und Personen.

Paulus widerspricht der Position der jüdischen Mehrheit in Galatien, dass die Beschneidung notwendig sei, um in einer Beziehung zum Gott Israels zu stehen, um zu den Kindern Abrahams und Saras zu gehören. Dabei argumentiert er als jüdischer Schriftgelehrter mit der Tora. Die unbeschnittenen Menschen aus den Völkern sind für ihn in vollem Sinn Kinder Abrahams und Saras. So wie Abraham als Nicht-Beschnittener auf Gott vertraute, vertrauen sie auf Gott (Gal 3,6-9 mit Verweis auf Gen 12,3). Von ihnen muss und darf keine nachträgliche Beschneidung eingefordert werden. Dabei muss aber immer eines mitbedacht werden: Paulus argumentiert gegen die Forderung, Männer und Jungen aus den Völkern beschneiden zu lassen. Die Beschneidung in jüdischen Familien stellt er nicht infrage.

Paulus unterstellt seinen Kontrahenten in Galatien, dass sie ein anderes Evangelium, eine andere gute Nachricht verkünden. Bei seinem Vorwurf kann es nicht darum gehen, dass sie das Befolgen der Tora als Heilsweg sahen. So hatte man die Reaktion des Paulus auf seine Gegner lange Zeit in der Theologie verstanden.

Der Begriff »Evangelium«, Gute Nachricht, ist in neutestamentlicher Zeit kein Wort, das die Jesus-Bewegung allein für sich gepachtet hat. Das griechische Wort euangélion war in der östlichen Reichshälfte ein viel gebrauchter Begriff, und zwar nicht nur bezüglich guter Nachrichten im persönlichen Leben, wie die Geburt eines Sohnes oder der Abschluss eines guten Geschäfts. Das Wort war fest mit dem Kaiser in Rom verbunden. Eine Inschrift aus Priene (9 v. Chr.), einer Stadt in der Nähe von Ephesus, zeigt die Relevanz des Wortes euangélion im Hinblick auf den Kaiser:

> *»Da die Vorhersehung, die unser Leben strukturiert, mit Eifer und Großmut unser Leben auf das Vollkommenste in Ordnung gebracht hat, indem sie Augustus hervorgebrachte […], wodurch sie uns und unseren Nachkommen einen Retter schickte, der den Krieg beendete und alles ordnet; da der Kaiser nun durch sein Erscheinen die Hoffnungen überbot, weil er nicht nur die vor ihm lebenden Wohltäter überragte, sondern auch den künftigen keine Hoffnung auf eine Steigerung ließ; da für den Kosmos der Geburtstag des Gottes der Anfang der durch ihn verursachten Evangelien war … , deshalb haben zu gutem Gelingen und zum Heil die Griechen der Asia den Beschluss gefasst, dass der neue Jahresbeginn für alle Städte am 9. Tag vor den Kalenden des Oktober beginnt«. (OGIS 458,32-56)*

Der Geburtstag des Augustus ist nach dieser Inschrift die Quelle aller »Evangelien«, also aller guten Nachrichten, die der Kaiser und seine Herrschaft für die Menschen in seinem Reich bedeuteten. Die Inschrift verweist insbesondere auf die Beendigung des römischen Bürgerkrieges durch Augustus. Dieser Geburtstag wird nun der Orientierungspunkt des Kalenders dieser Stadt. Augustus gibt der Zeit seiner Untertanen eine neue Ordnung. Deswegen stellt die Stadt Priene jetzt ihren alten Kalender um. Alles dreht sich somit um ihn, Gaius Octavius, Sohn des vergöttlichten Caesars, vom römischen Senat mit dem Ehrennamen Augustus beschenkt.

Wenn Paulus nun dagegen kämpft, dass ein anderes Evangelium verkündet wird, geht es um Folgendes Er wirft seinen Gegnern vor, dass sie mit ihrer Position zur Beschneidung dem Druck Roms nachgeben und so das Evangelium Roms verkünden. Auch bei ihnen drehe sich alles um den Kaiser, der jetzt zwar nicht mehr Augustus, sondern der ab Herbst 54 n. Chr. Nero heißt. Der Hinweis des Paulus auf das Einhalten bestimmter Tage, Monate, Zeiten und Jahre seitens seiner Kontrahenten (Gal 4,10) kann mit Hinweis auf diese Kalenderinschrift so erklärt werden: Der Kaiser und die ihm zustehende Verehrung strukturierten das Jahr der Menschen; sie müssen den daraus entstehenden Verpflichtungen nachkommen und dem Kaiser ihre Ehrerbietung bezeugen. Paulus hält den anderen also vor, dass sie mit ihrer Haltung, sich Rom anzupassen, ihren Jahreslauf am Kaiser orientieren.

Für Paulus ist natürlich klar, welchem Evangelium er sich verpflichtet weiß: Es ist die frohe Botschaft von der Auferweckung des Messias Jesus. Dies macht er zu Beginn des Briefes nach Galatien klar (Gal 1,1.8). In seinem letzten Brief, den er an die Messiasleute in Rom schreiben wird, hebt er noch einmal hervor, dass er sich für dieses Evangelium nicht schäme (Röm 1,16-17). Es ist eine Botschaft, die sich an der Welt, in der Menschen leben und leiden, abarbeitet. Die Behauptung, dass es sich um eine frohe Botschaft handelt, muss sich im Angesicht der alltäglichen Gewalt bewahrheiten.

Der Konflikt in Galatien ist damit ein innerjüdischer Konflikt gewesen. Lange Zeit galt er, neben dem in Gal 2,11-15 geschilderten sog. Antiochenischen Zwischenfall, als ein Zeugnis für die Trennung des frühen Christentums vom Judentum. Diese Sicht der Dinge geht am Galaterbrief allerdings völlig vorbei. Hier streiten jüdische Menschen miteinander, und zwar um die Frage, unter welchen Bedingungen Menschen aus den Völkern, also Nicht-Juden, Zugang zur Gemeinschaft mit dem Gottesvolk haben. Der Konflikt wird unter jüdischen Voraussetzungen ausgefochten. Was hier zur Debatte steht, sind jüdische Vorstellungen – von denen eine dann zur Grundlage des späteren Christentums wird. In der Perspektive der damals handelnden Personen ging es also nicht um die Frage, eine neue Religion ins Leben zu rufen. Es ging um die Frage, wie Jüdischsein gelebt werden soll.

Die Trennung der Jesus-Anhänger vom Judentum begann erst im 2. Jh. n. Chr. da, wo jüdische religiöse Praxis generell verworfen wurde: Der wöchentliche Feiertag der Auferstehung sollte auf keinen Fall mit dem jüdischen Sabbat zusammenfallen, ebenso wenig die jährliche Feier der Auferstehung Jesu mit dem Passah-Fest. Christliche Identität bildete sich so in Abgrenzung vom Judentum heraus. Mit solchen Einstellungen beginnt von Seiten der Messiasleute die Trennung vom Judentum. Der Prozess selbst dürfte längere Zeit angedauert haben und wurde von den Verwaltern der Rechtgläubigkeit und der höheren religiösen Wahrheit sowohl auf jüdischer als auch auf christlicher Seite vorangetrieben. Das Gegenüber der jeweils anderen Seite provozierte die Frage: Was ist nun der wahre Glaube? Sowohl jüdische als auch christliche Theologen und Glaubensfunktionäre gaben sich große Mühe, die Frage unter Herabwürdigung der anderen Partei zu beantworten, wobei man nicht aus den Augen verlieren darf: Die christliche Haltung gegenüber dem Judentum war die folgenreichste. Der Anwurf an jüdische Menschen, Gottesmörder zu sein, spielte in der Geschichte christlich motivierter Judenfeindschaft eine gravierende Rolle.

Auf christlicher Seite kommt der Trennungsprozess in den Ausformulierungen der altkirchlichen Bekenntnisse im 4. und 5. Jh. zu einem Abschluss. Mit diesen Bekenntnissen lagen Texte auf dem Tisch, die beanspruchten zu regeln, wie der Gott der Christen richtig verehrt und wie von ihm angemessen gesprochen werden kann. Auch wenn innerchristlich in vielen Fragen kein Konsens erzielt werden konnte – für die Beziehung zum Judentum war klar, dass man sich von ihm getrennt hatte. Gruppen innerhalb des Christentums, die weiterhin auch jüdisch leben wollten, wurden drangsaliert und ausgegrenzt. Das Christentum verleugnete seine jüdischen Wurzeln.

Wie der Konflikt in Galatien weitergegangen ist, weiß man nicht. Leider ist ein Antwortbrief aus Galatien nicht überliefert. Wahrscheinlich war das Verhältnis zwischen den streitenden Parteien nachhaltig gestört. Der Ton, den Paulus in seinem Brief angeschlagen hat, dürfte dazu einiges beigetragen haben. Im weiteren Verlauf der Arbeit von Paulus und den anderen waren jüdische Menschen und Gruppen jedoch wichtige Gesprächspartner und Unterstützer. Israel blieb für Paulus das von Gott erwählte Volk. Daran änderte auch die Zurückweisung des Messias Jesus bei der Mehrheit Israels nicht. Paulus ging davon aus, dass Israel weiterhin das Volk Gottes war (Röm 9,3).

# 4. GOTT ODER DER KAISER – DIE STAATSAGORA

Die Staatsagora (von den Stufen des Bouleuterion gesehen)

Schon während der ersten Tage in Ephesus hatten Paulus und die anderen den großen Platz südlich des Panayir Dağ überquert. Von ihm aus erreichten sie über eine der Prachtstraßen die verschiedenen Handelsplätze in der Stadt, den Hafen und die Tetragonos Agora. Einschüchternd wirkte der große Platz auf die Boten des Messias Jesus. Mächtige Bauten säumten ihn. Direkt am Fuße des Hügels lagen das Bouleuterion, der Versammlungsort des Stadtrates, und das Prytaneion, ein Bau, in dem zum Wohle der Stadt über das Heilige Feuer der Göttin Hestia gewacht wurde. Dazwischen lag ein Tempel zu Ehren der Stadtgottheit Roms. Westlich des Prytaneion stand ein großzügiges

Bankettshaus, in dem der Stadtrat Gastmähler ausrichtete. Davor erstreckte sich eine mächtige Säulenhalle, die Basilike Stoa. 67 Säulen bildeten die Front des doppelstöckigen Hallenbaus. Inschriften verwiesen auf den Erbauer und Stifter: Sextilius Pollio und seine Familie. Am östlichen Ende der Säulenhalle schloss sich ein Gebäude an, in dem große Sitzstatuen vom Kaiser Augustus und seiner Frau Livia standen. Im Süden wurde der Platz von einer etwas kleineren Säulenhalle begrenzt. Im Westen versperrte kein Gebäude den Blick auf das nahe Meer, den Hafen und die daran angrenzenden Stadtteile.

Über diesem Gebäudeensemble thronte auf dem Hügel eine Palastanlage. Auf die Frage, wer hier residiere, bekam Paulus die Antwort: »Roms Statthalter.« Rom und seine Macht – sie waren in diesen Gebäuden präsent. Oben der Statthalter, unten die große Statue des Kaisers, daneben Gebäude, in denen die Mächtigen der Stadt die Geschicke von Ephesus bestimmten.

Abgelenkt durch den mächtigen Bau der Säulenhalle, hätten sie den Tempel mitten auf dem Platz fast übersehen. Seine Größe wirkte gegenüber den Hallenbauten beinahe bescheiden. Trotzdem lag er im Zentrum des Platzes. Hier wurden Opfer für den vergöttlichten Julius Caesar und die Göttin der Stadt Rom, Roma Dea, dargebracht. Immer häufiger sahen sie, dass Gruppen von wohlhabenden Bürgern und andere mächtige Personen in einer Ehrfurcht einflößenden Prozession Opfer hierherbrachten. Während sie längere Zeit in Ephesus verbrachten, erlebten sie große Festlichkeiten rund um den Tempel, wo viele Einwohner zugegen waren und die Opfer mit Anteilnahme begleiteten. Für Roms Macht, für den fernen Kaiser, den vergöttlichten Caesar zu opfern – das gehörte zu den alltäglichen Dingen in Ephesus. Roms Herrschaft – sie hatte etwas mit diesen fremden Gottheiten zu tun, die in den Augen der

Messiasboten eigentlich nur von Menschen gemachte Götzen waren. Trotzdem hatten sie immense Macht über die Menschen.

Wie sollten die Messiasleute sich gegenüber diesen Opferhandlungen verhalten? Konnten sie den Opferfesten einfach fernbleiben? Jesus als gläubiger Jude hatte doch selbst gesagt, dass nur dem Gott Israels Anbetung gebührt (Mt 4,13). Die Teilnahme an den Riten im Tempel des Kaisers verstieß gegen das erste Gebot der Zehn Gebote (Ex 20,2). Gott oder der Kaiser – das war die Frage, vor der die Messiasleute standen. Viele von ihnen mieden die Opferhandlungen für Rom. So machten sie sich aber verdächtig: Wer keine Opfergaben darbrachte, der war dem Kaiser gegenüber illoyal. Wer die Festversammlungen mied, der verachtete den, der sie veranstaltete – Augustus, Tiberius, Claudius oder Nero. Man begann, über diese merkwürdige Gruppen, die sich in den Synagogen und in Wohnungen trafen, zu tuscheln: Sie verraten das Wohl der Stadt, wenn sie nicht an den Opfern teilnehmen. Es gab zwar kein Gesetz, das alle Einwohner der Stadt zur Teilnahme an den kultischen Festen für den Kaiser zwang. Dass man sich dem nicht entzog, war eher ein ungeschriebenes Gesetz.

## Ein Tempel für Rom und Augustus

Der 160 x 58 m große Platz, den man heute über den östlichen Eingang der Ausgrabungsstätte des antiken Ephesos erreicht, wird in den archäologischen Reiseführern häufig ›Staatsmarkt‹ genannt, eine leicht irreführende Bezeichnung. Das griechische Wort agorá bedeutet zwar auch Marktplatz. Waren wurden auf diesen Platz aber nicht verkauft, auch Handel wurde hier nicht getrieben. Dafür

Reste des Tempels für Julius Caesar und die Roma Dea

gab es in der Stadt andere Orte. Das Wort agorá bezeichnet auch einen zentralen Platz des politischen und kulturellen Lebens einer antiken griechischen Stadt. Hier lagen alle wichtigen Gebäude der Stadtverwaltung, hier wurden wichtige politische Entscheidungen von den Oberen der Stadt getroffen und hier versammelten sich die, die über die wichtigen Kulte und Tempel der Stadt wachten. Über all dem thronte die Palastanlage auf dem Panayir Dağ. Auch wenn die archäologische Erforschung bisher keine vollständig gesicherten Ergebnisse zutage gebracht hat: Hier residierte wohl der römische Statthalter der Provinz Asia. Die Mächtigen der Stadt mochten zwar im Rat die Geschicke der Stadt versuchen zu lenken. Über sie wachte jedoch der Vertreter Roms.

Ephesus gehörte neben anderen griechischen Städten zu den sogenannten freien Städten (civitates liberae) im Reich. Diese Städte konnten viele Dinge des öffentlichen

Lebens autonom regeln, und sie waren teilweise von bestimmten Steuern befreit. Mit der Zusicherung von Autonomie und bestimmten Freiheiten führte Rom griechische Traditionen fort. Größere griechische Städte legten ab dem 6./5. Jh. v. Chr. großen Wert auf ihre Freiheit – das gab dem öffentlichen Leben in Griechenland ein Fundament. Als diese freien Stadtstaaten aber Teil des Reiches Alexanders des Großen und seiner Nachfolger wurden, büßten sie vieles von ihrer Freiheit ein. Man versuchte, bestimmte Elemente der Freiheit zu bewahren, und zwar die Verwaltung der internen Angelegenheiten der Städte. Unter römischer Herrschaft wurde dies fortgeführt.

Die kaiserliche Regierung in Rom war froh, dass einige Städte ihre Angelegenheiten selbst regelten. So sparte man an Verwaltungspersonal, das ohnehin äußerst knapp war. Bestrebungen von Autonomie wurden von Rom aus diesen Gründen unterstützt, solange die Ordnung im Reich Bestand hatte und die Herrschaft Roms Anerkennung fand. Wo es nötig wurde, aus eigenem Interesse in diese inneren Angelegenheiten einzugreifen, scheuten die römischen Statthalter und der Kaiser nicht davor zurück.

Während der Regierung des Augustus war der Tempel auf der Agora seinem Adoptivvater Julius Caesar erbaut und geweiht worden. Der 44 v. Chr. ermordete Caesar war auf Beschluss des Senats von Rom zu einem Gott erhoben worden. Ihm und der römischen Stadtgottheit Dea Roma zu Ehren sollten in diesem Tempel Opfer dargebracht werden. Eine kultische Verehrung beider hatte wohl schon einige Jahre vorher auf Initiative des Marcus Antonius im Artemis-Heiligtum stattgefunden. Es ist nicht ganz klar, ob die Bürger von Ephesus diese Widmung des Tempels auf eigene Initiative hin vorgenommen haben oder ob Augustus dies befohlen hat. Die politische Situation gerade zu Beginn der Herrschaft des Augustus zwang die Stadt

Ephesus förmlich dazu, die Loyalität gegenüber Rom und seinem neuen Machthaber zum Ausdruck zu bringen. Dies war für die Bürger von Ephesus nach dem langen römischen Bürgerkrieg äußerst wichtig und nötig.

Neueste archäologische Untersuchungen zur Staatsagora zeigen jedoch, dass der Tempel höchst wahrscheinlich erst in der zweiten Hälfte der Regierungszeit des Augustus erbaut wurde. Dann wäre der Tempel nicht der Startpunkt, sondern das hervorgehobene und zentral platzierte Ergebnis eines längeren Prozesses, die Loyalität gegenüber Augustus zu demonstrieren.

Nach der Ermordung Caesars brach im römischen Reich ein über 10 Jahre dauernder Krieg um die Herrschaft im Reich aus. Zunächst kämpften der General Marcus Antonius, ein treuer Weggefährte Caesars, und sein Adoptivsohn Gaius Octavius, der spätere Augustus, gemeinsam gegen die Mörder Caesars. Nach deren Niederlage eskalierte der schon lange schwelende Konflikt zwischen Antonius und Octavius. Octavius konnte sich in der Seeschlacht bei Actium gegen Antonius und seiner Verbündeten, der ägyptischen Königin Kleopatra, durchsetzen. Während dieses Krieges war Ephesus zeitweilig der Regierungssitz des Gegners von Augustus: Marcus Antonius hielt hier mit Kleopatra Hof. Die Ankunft von Marcus Antonius (32 v. Chr.) wurde von der Stadt feierlich begangen. In den Augen des Siegers Octavius war Ephesus eine Stadt, die seinem Feind huldigte.

In den Jahrzehnten davor hatte sich Ephesus mit einem anderen Erzfeind Roms eingelassen, mit dem pontischen König Mithridates. Dieser führte mehrere für Rom verlustreiche Kriege und richtete im Jahr 88 v. Chr. ein Massaker unter den römischen Bürgern in Kleinasien an – ein antikes 9/11. Viele Einwohner Kleinasiens ließen damals ihrem Hass auf die römische Herrschaft freien Lauf und töteten auf Geheiß des Mithridates an vielen Orten unzählige Römer und ihre Familien auf brutale Art und Weise. Diese Massaker schockten Rom. Die Gegner Roms machten sogar vor den Asylgebieten der Tempel, in denen Flüchtende eigentlich sicher waren, nicht Halt. Auch im Artemis-Tempel in Ephesus fielen unzählige Menschen der Gewalttat zum Opfer. Die Menschen feierten dies als Befreiung von Rom. Diese Nichtachtung des Tempels ließ den Kampf gegen Roms Herrschaft in einem äußert schlechten Licht dastehen: Wer die alten Sitten missachtet, dem ist nicht zu trauen.

Die römische Antwort durch den General Sulla und seine Legionen fiel hart aus. Kleinasien wurde nach harten und verlustreichen Kämpfen wieder zurückerobert. Den aufständischen Städten legte der römische General harte Strafen auf: Die Provinz Asia musste 20.000 Talente Strafe zahlen, eine riesige Summe Geld. Dazu kam die Armee Roms mit einem ungeheuren Durst nach Beute – Ereignisse, die im Gedächtnis der Menschen von Ephesus haften geblieben waren.

Nachdem man 32 v. Chr. mit Marcus Antonius schon wieder die falsche Seite gewählt hatte, musste jetzt ein klarer und gewichtiger Beweis der Loyalität zu Rom her. Man musste sich dem Herrscher in Rom, der jetzt Augustus genannt wurde, als treue Untertanen präsentieren: Ein Tempel inmitten des Regierungsviertels – das konnte dies sehr gut demonstrieren. Die Bürger von Ephesus pflegten den Tempel auf der Agora und widmeten sich der Opfer für die Stadtgottheit Roms und für Caesar. Augustus selbst wurde nicht direkt geopfert. Er hielt sich dezent im Hintergrund. Aber es war klar: Die Opfer für den vergöttlichten Caesar galten indirekt auch dem Augustus.

Der Tempel wurde zu einem Ort, an dem die Beziehung zwischen dem regierenden Kaiser in Rom und den

Untertanen in Ephesus Gestalt annahm. Im Tempelkult kommunizierten die Einwohner der Städte und der Kaiser in gewisser Art und Weise miteinander. Der Kaiser hatte ja das Problem, dass er kaum im Leben der Bewohner des Reiches präsent sein konnte; zu groß war das römische Reich. Ein Tempel verschaffte dem Kaiser damals einen Ort inmitten seiner Untertanen, auch wenn er im fernen Rom weilte oder an den Grenzen Krieg führte. Der Tempel machte den Kaiser im gewissen Sinne erfahrbar. So konnte eine Beziehung zu den Bewohnern des Reichs in den vielen Provinzen geknüpft werden.

Die Menschen in Ephesus konnten ihrerseits durch die Teilnahme an den kultischen Handlungen mit dem Kaiser in Kontakt treten. So zeigten sie sich als loyale Untertanen Roms. Treue Untertanen konnten auf die Gunst und Unterstützung des Kaisers hoffen, wenn dieses notwendig war. In Kleinasien waren Städte beispielsweise nach Erdbeben auf Hilfe von außen angewiesen. Das große Erdbeben in der Asia (17 o. 23 n. Chr.) hat viele Städte, auch Ephesus, schwer getroffen. In solchen Fällen traten die Kaiser als Helfer auf und schickten Geld und Lebensmittel.

Die Loyalitätsbekundungen gegenüber Rom und dem Kaiser wurden in den folgenden Jahrzehnten fortgesetzt. Die Nachfolger des Augustus waren dabei weniger zurückhaltend als Augustus: Ihre Person rückte immer mehr ins Zentrum der Darbringung von Opfern. Viele Städte wollten, um sich in Rom beliebt zu machen, auf eigenes Betreiben Tempel direkt für den Kaiser errichten. Dies konnten sie jedoch nicht ohne Rückfrage tun, sie mussten in Rom um Erlaubnis bitten. Man legte sich mächtig ins Zeug, um sich der Gunst des Kaisers zu versichern. Es gab regelrecht Wettkämpfe um die Gunst, einen solchen Tempel in der eigenen Stadt zu bauen. Der römische Historiker Tacitus berichtet in seinem Geschichtswerk »Annalen«, dass die

Städte der Asia im Jahr 26 n. Chr. beim Kaiser um die Gunst konkurrierten, einen Tempel für ihn errichten zu dürfen (Annalen 4, 54-55).

Erfunden haben die Römer diese Art von Herrscherkult nicht. Sie erwiesen sich als gelehrige Schüler der Nachfolger Alexanders des Großen (gest. 323 v. Chr.). Diese beanspruchten oft religiöse Verehrung für sich. Sie standen beim Aufbau und bei der Stabilisierung ihrer Herrschaft allerdings vor einem gravierenden Problem: Sie stammten nicht aus einem altehrwürdigen Königsgeschlecht. Ihnen fehlte diese besondere Legitimation, so dass sie stattdessen auf ihre Fähigkeit in der Kriegsführung setzten: Demjenigen, der im Kampf Erfolg habe, gebühre die Königswürde, so lautete ihre Maxime. Erfolg zeige auch, dass die Götter auf ihrer Seite stünden Der König Antiochos I. z.B. führte nach einer siegreichen Schlacht gegen keltische Stämme (275 v. Chr.) den Beinamen Soter, was Retter bedeutet: Seine Regierung rettet die Menschen vor den wilden Feinden. Darin zeige sich der Schutz der Götter. Deswegen forderten solche selbsternannten Könige für sich kultische Verehrung. Für ihr Wohl, das Grundlage für das Ergehen aller war, mussten Opfer dargebracht werden.

## Alleiniger Herrscher Roms

Der Tempel auf der Agora repräsentierte den Kaiser inmitten der Gebäude des politischen Lebens von Ephesus.

Seine Regierungsgewalt war so in einer antiken Polis Tag für Tag gegenwärtig. Jede Entscheidung des Stadtrates wurde im Wissen darum gefällt, für wen im Tempel auf der Agora Gaben dargebracht wurden. Die Ausgestaltung der Basilike Stoa verstärkte die Ausrichtung des politischen Lebens auf Rom: Die Säulenhalle wurde im Laufe der Zeit zu einer Galerie von Kaiserstatuen der julisch-claudischen Dynastie. Die Sitzstatuen von Augustus und Livia im östlichen Sockelbau waren der Anfang dieser Form der Darstellung der Kaiser und ihrer Familie.

Die Platzierung des Tempels mitten auf der Agora zeigt sehr gut, was sich im römischen Reich durch die Übernahme der Herrschaft durch Augustus verändert hat. Ein Mann hielt jetzt die Fäden der Macht in der Hand. Im Gegensatz zu Julius Caesar richtete er aber kein Königtum auf, sondern verortete seine Herrschaft im System des alten römischen Staatswesens. Dabei veränderte er dieses System auf Dauer. Gerade der rechtliche Charakter seiner Herrschaft ist hier sehr wichtig. Auf sie reagiert auch Paulus in den Briefen in besonderer Weise.

In einem groß inszenierten Staatsakt (27 v. Chr.) gab Augustus seine Regierungsvollmachten, die er bisher vom Senat bekommen hatte, zurück. Er wollte den Anschein erwecken, dass er nicht nach der Alleinherrschaft strebte. Doch er ließ sich vom Senat sehr gezielt ganz bestimmte politische und rechtliche Vollmachten geben, mit denen er die zentralen Fäden der Macht in den Händen hatte. Er konnte Gesetzesinitiativen im Senat einbringen und setzte die Statthalter in den Provinzen ein, in denen Legionen stationiert waren. So war er auch Oberbefehlshaber über alle römischen Truppen. Es war Augustus wichtig, seiner Herrschaft ein rechtliches Fundament zu geben. Er wollte zeigen: Seine Amtsgewalten entsprechen den rechtlichen Vorstellungen des römischen Staates. Er ist kein rechtloser Gewaltherrscher. Das Ehrenschild, das der Senat an seinem Wohnhaus anbringen ließ, rühmt denn auch neben dem Einsatz für den Staat die Gerechtigkeit des Augustus.

Das Recht diente Augustus, seine im Krieg gewonnene Position zu festigen und zu sichern. Es war Herrschaftsrecht. Augustus begann im Laufe der Regierung immer mehr, in das Rechtssystem Roms einzugreifen und es seinen Bedürfnissen anzupassen. Gleichzeitig griff er mittels juristischer Akte in das Leben der römischen Bürger und in die von Rom beherrschten Provinzen ein.

Eine Form ist das Edikt. Man kennt es aus der Weihnachtsgeschichte des Lukasevangeliums. Dort geht die Volkszählung laut Lk 2,1 auf einen kaiserlichen Erlass (griechisch: dógma, lateinische Bibelübersetzung: edictum) zurück. Modern gesprochen, geht es hier um ein Volkszählungsgesetz. Mittels der Volkszählung sollte das zu erwartende Steueraufkommen berechnet werde. Dass die hochschwangere Maria nach Bethlehem muss, resultiert aus einem Gesetz des Augustus. Oder: Das Edikt des Kaisers Claudius aus dem Jahr 49 n. Chr. sorgte für eine Vertreibung der jüdischen Bevölkerung aus Rom (Apg 18,2). Die Weggefährten des Paulus, Prisca und Aquila, erlebten die Folgen dieses kaiserlichen Rechtsaktes am eigenen Leib.

Römische Kaiser wurden gerade in Hollywoodfilmen als psychisch labile und willkürliche Diktatoren dargestellt. Das waren sie in gewisser Hinsicht auch. Man übersieht dabei, dass Augustus und die späteren Kaiser ihre Herrschaft mithilfe von Gesetzen und anderen rechtlichen Akten ausübten. Sie erließen nicht einfach aus einer Laune heraus irgendwelche Befehle. Die Kaiser schufen Recht, das dauerhaft Bestand haben sollte. Sie waren Herren des Rechts und gaben so ihrer Herrschaft eine feste Grundlage. Für die Untertanen hieß das: Sie mussten den Gesetzen Roms und des Kaisers folgen. Gleichzeitig verlieh Augustus seiner Regierung eine religiöse Aura. Untertan zu sein bedeutete auch, dem göttlichen Caesar und der Dea Roma Opfer darzubringen. Wer die Nähe der Kaiser zu den Göttern negierte, wer die Autorität ihrer Gesetze nicht anerkannte, der war ein Staatsfeind.

## Gefügige Untertanen oder Staatsfeinde?

Eine derartige religiöse Aufladung der kaiserlichen Herrschaft wurde für die Messiasleute zu einem fundamentalen Problem. Die Gemeinschaften der Messiasleute waren deshalb in der Sicht der römischen Behörden und der Stadtbevölkerung Staatsfeinde. Hier liegt einer der Gründe für die immer wieder vorkommende Verfolgung der messianischen Gemeinschaften durch römische Behörden. Durch den Briefwechsel des römischen Staatshalters der Provinz Bithynien, Plinius des Jüngeren, mit dem Kaiser Trajan (um ca. 110 n. Chr.) erfahren wir einiges über die Verfolgungsmaßnahmen Roms gegen die Anhängerschaft Jesu. Wer angezeigt wurde, zu dieser Gruppe zu gehören, konnte sich nur so vor der Hinrichtung retten: Vor Bildnissen der Götter und des Kaisers musste unter Anrufung der Götter ein Opfer dargebracht werden. Danach wurden sie aufgefordert, Jesus zu verfluchen. Die Teilnahme an den Opfern für den Kaiser zeigte, wer treu zu Rom stand und die Götter verehrte. Wer dies nicht tat, wurde hingerichtet (Plinius der Jüngere, Briefe 10,97).

Das vom Kaiser geforderte Vorgehen gegen die Jesus-Leute hatte rechtliche Qualität: Die Briefe des Kaisers, in denen er solche Anweisungen gab, wurden in der kaiserlichen Verwaltung archiviert und dienten als verbindliche Grundlage für die Behandlung vergleichbarer Fälle an anderen Orten des Reichs. In den Briefen an römische Amtsträger produzierte der Kaiser neues Recht. Die Messiasleute kamen so mit dem römischen Herrschaftsrecht in Konflikt.

In den beiden Briefen an die Gemeinde in Korinth zeigt sich die Perspektive von Menschen, die von lokalen Gerichten oder von Vertretern Roms verurteilt worden sind: »Ich [...] war viel öfter im Gefängnis, bin über die

Maßen geprügelt worden, so oft in Todesnot gewesen« (2 Kor 11,23). Weswegen Paulus verprügelt oder ins Gefängnis geworfen wurde – darüber erfahren wir nichts Konkretes. Die Briefe an Philemon und an die Gemeinschaft in der griechischen Stadt Philippi schreibt Paulus auch aus dem Gefängnis, wahrscheinlich aus Ephesus. Ab dem 17. Jh. tauchen Berichte auf, dass Paulus in einem Wachturm der alten Stadtmauer, die Lysimachos, Feldherr Alexanders des Großen, hatte bauen lassen, gefangen gehalten wurde – ein Versuch, den neutestamentlichen Texten einen festen Ort in der Wirklichkeit zu geben, allerdings ohne zwingende Beweise.

In 1 Kor 4,9 wird die Situation der Verurteilten genauer benannt: Die Boten des gekreuzigten Messias sind wie Todgeweihte. Sie sind wie zum Tode Verurteilte. Man sollte vorsichtig sein und diese Formulierung nicht als Bilder verstehen. In 1 Kor 4,11 verweist Paulus auf die leidvollen Erfahrungen der Boten des Messias. Hier geht es um wirkliches Erleben, um reale Erfahrungen von Gewalt und Tod. So drohte einigen der Messiasleute sicherlich auch die Todesstrafe. Wer sich nicht an die Ordnung und Gesetze des Imperiums hielt, der hatte sein Leben verwirkt. Zu dieser Ordnung gehörte die Ergebenheit gegenüber Rom und dem Kaiser. Wo diese gefordert war, mussten die Untertanen Roms ihren Gehorsam zeigen. Viele Anhängerinnen und Anhänger Jesu ließen sich durch die drohende Todesstrafe nicht abschrecken. Im Widerstand gegen das Imperium Romanum haben sie ihren Glauben gelebt. Dort, wo sie das Opfer für den Kaiser verweigerten, da wandten sie sich gegen die Ordnung des Reiches.

Sieht man diese grundsätzliche Ablehnung Roms, so irritieren und verstören die ersten sieben Verse aus dem 13. Kapitel des Römerbriefes umso mehr: Fällt Paulus mit diesen Worten seiner eigenen Haltung in den Rücken?

»Jeder Mensch soll sich den Gewalten unterordnen, die an der Macht sind. Denn es gibt keine Macht außer von Gott. Die bestehende ist von Gott eingesetzt. Wer sich gegen die Macht stellt, widersetzt sich deshalb der Anordnung Gottes. Die, die Widerstand leisten, müssen damit rechnen, verurteilt zu werden. Die Herrschenden sind ein Schrecken – nicht für die gute Tat, aber für die böse. Wenn du nicht in Furcht vor der staatlichen Macht leben willst, dann tue das Gute. So wirst du sogar Anerkennung von ihr erhalten. Dienerin Gottes ist sie, dir zum Guten. Wenn du aber Böses tust, fürchte sie! Nicht umsonst trägt sie das Schwert. Denn Dienerin Gottes ist sie, gerechten Zorn richtet sie auf die, die Böses tun. Darum ist es Zwang, sich unterzuordnen, nicht wegen des Zorns, sondern auch wegen der eigenen Urteilskraft. Deshalb leistet ihr ja auch Zwangsabgaben. Diese stehen nämlich im Dienst Gottes. Seid stets darauf bedacht und gebt allen, wozu ihr verpflichtet seid: Wem ihr Abgaben zahlen müsst, zahlt Abgaben. Wem ihr Zoll zahlen müsst, zahlt Zoll. Wen ihr fürchten müsst, fürchtet. Wen ihr achten müsst, achtet« (Röm 13,1-7).

Zunächst lassen die Verse 1-7 wenig Zweifel am Gehorsam gegenüber dem Staat. Paulus fordert eindeutig: Das, was die Staatsmacht fordert, tut: Steuern zahlen, Zoll entrichten (Röm 13,7). Einen Steuerboykott, wie ihn jüdische Widerstandskämpfer in Israel durchführten, lehnt Paulus ab. Die staatliche Herrschaft ist für Paulus »von Gott« (Röm 13,1). Wer sich der Macht des Staates widersetzt, widersetzt sich Gott (Röm 13,2). In Röm 13,4 steigert er dies noch: Die Staatsmacht ist Gottes Dienerin. Der Eindruck erhärtet sich, dass Paulus seine Haltung zu Rom relativiert oder gar revidiert.

Beginnen wir mit der befremdlichen Aussage von Röm 13,4: Rom als Gottes Dienerin. Schaut man sich in der biblischen Literatur um, muss man feststellen: So singulär ist dieses Motiv gar nicht. Der Gott Israels bedient sich fremder Völker und ihrer Herrscher für sein Handeln. Die altorientalische Großmacht Assur ist Werkzeug des göttlichen Zorns (Jes 10,5-6). Der persische König Kyros wird gar als Gesalbter Gottes betitelt, weil er Israel aus der Gefangenschaft in Babylon befreit (Jes 45,1.4).

Diese Texte haben wie Röm 13 ein Problem: Weltgeschichtliche Vorgänge werden auf Gottes Handeln zurückgeführt und können von ihm her Legitimation erhalten. Gott rechtfertigt damit menschliche Herrschaft. Schaut man sich aber an, wie die Träger der jeweiligen staatlichen Macht sich selbst verstehen, entdeckt man das kritische Potenzial solcher Vorstellungen wie in Röm 13. Augustus, Tiberius, Claudius oder Nero hätten sich nie als Diener des Gottes Israels gesehen. Nein, Augustus und die von ihm gegründete Dynastie verdanken sich dem Willen der römischen Götter. Die Macht der Götter Roms zeigt sich in Roms Größe. Dass der Gott Israels Rom zu seinem Diener macht, widerspricht dem römischen Selbstverständnis. Die Macht der römischen Gottheiten wird bestritten. Dennoch bleibt das Problem bestehen, dass Rom Gottes Dienerin ist – den im Brief Angesprochenen zum Guten (Röm 13,4). Ist nicht Rom aber die Macht, die die ganze Welt mit Gewalt versklavt? Wie kann dies für die Menschen zum Guten sein? Macht sich Paulus damit nicht über die Opfer der Gewalt Roms lustig?

Was das Gute ist, von dem Paulus da spricht, das führt er im Folgenden aus: Wer sich den Anordnungen und Gesetzen der staatlichen Macht fügt und sie befolgt, der muss nicht mit Strafe rechnen. Wer keinen Anlass zur Strafverfolgung gibt, der wird nicht als verdächtiger Staatsfeind eingestuft. Paulus will keine Belobigung von römischen Amtsträgern, er will in Ruhe gelassen werden. Er weiß sehr genau, wozu die Staatsorgane fähig sind. Er will nicht, koste es was es wolle, wegen seines Zeugnisses für Christus ausgepeitscht oder gar hingerichtet werden. Seine eigenen Erfahrungen zeigen ihm, wie schrecklich die Konfrontation mit römischen Behörden sein kann. Wer im Gefängnis sitzt oder sein Leben verliert, der kann nicht mehr die frohe Botschaft vom Messias Jesus weitersagen. Paulus unterscheidet sich hier eindeutig vom späteren Bischof Ignatius von Antiochien (Mitte des 2. Jh. n. Chr.), der seine Hinrichtung als den schnellsten Weg in Gottes Herrlichkeit deutete (Brief an die Gemeinde in Rom 4,1). Für Paulus ist der Alltag, das tägliche Arbeiten für Christus ein vernunftgemäßer Gottes-Dienst: »Ich ermutige euch, Geschwister: Verlasst euch auf Gottes Mitgefühl und bringt eure Körper als lebendige und heilige Gabe dar, an der Gott Freude hat. Das ist euer vernunftgemäßer Gottes-Dienst« (Röm 12,1). Das kann nur stattfinden, wenn die Messiasleute sich in genannter Weise unterordnen. Darin liegt eine Art Garantie für die Verkündigung des Evangeliums vom Messias, die zu einem Akt des Widerstands wird. Das ist das Gute, von dem Paulus in Röm 13,4 spricht. Die vorsätzliche Provokation der römischen Staatsmacht ist das Gegenteil.

Rom offen anzugreifen zieht noch ein weiteres Problem nach sich: Die gewaltsame Reaktion Roms beschränkt sich nie allein auf die eine Person. Alle, die mit ihr in Kontakt stehen, sind dann in Gefahr. Prisca und Aquila haben Rom auf Druck der kaiserlichen Macht verlassen. Die jüdischen Gemeinschaften wurden 49 n. Chr. wegen eines Edikts von Kaiser Claudius aus Rom vertrieben. Sie waren als Orte der Aufruhr eingestuft worden. Schon im Jahr 19 n. Chr. ließ der Kaiser Tiberius Gruppierungen, die als Gefahr für die innere Sicherheit galten, aus Rom ausweisen. Dazu gehörten auch jüdische Gruppen. Jüdische Menschen wussten, wie es sich anfühlt, wenn Roms Macht zuschlägt. Rom war dabei nicht zimperlich oder wählerisch: Lieber ein paar mehr liquidieren, als einen Übeltäter übersehen. Es war klar: Dieser Staat darf nicht leichtfertig herausgefordert werden. Wenn jemand die Steuer nicht zahlte, so war Roms Antwort darauf verheerend. Unbeteiligte wurden in das Geschehen mithineingezogen. Den Forderungen der Behörden und Amtsträger ist Folge zu leisten.

Paulus appelliert an das Gewissen, an die Urteilskraft der Angesprochenen (Röm 13,5): Denkt daran, welchen Schaden ihr anderen zufügen könnt! Das Gewissen ist in der antiken Philosophie die Instanz im Menschen, die sein Handeln und Verhalten bewertet. In der antiken jüdischen Literatur wird diese Vorstellung vom Gewissen übernommen und in die eigene Glaubenswelt eingebaut: Das Gewissen prüft, ob das Handeln den Weisungen Gottes entspricht. Ein paralleler Begriff ist das Herz. Dies ist im jüdischen Denken nicht der Ort des romantischen Gefühls, sondern des Verstandes. Das Herz prüft, ob ein Handeln gottgemäß ist. Für Paulus ist das z.B. bei der Steuerverweigerung nicht der Fall. Das schadet den Mitmenschen. Sie zu lieben ist für Paulus die Zusammenfassung der Tora, was er in Röm 13,8-10 ausführt. Selbst auf widerfahrene Ungerechtigkeit sollen die Messiasleute mit Gutem antworten. Konkret heißt das: Steuern zahlen und keine Revolten anzetteln, deren Folgen andere miterleiden müssen. Die Messiasleute sollen sich bei ihrem Umgehen mit der staatlichen Macht genau überlegen, welche Folgen ihr Verhalten haben kann. Sie müssen ihr jeweiliges Tun mit ihrem Gewissen vereinbaren können. Ein in den Augen des Paulus verantwortungsloses Tun ist eines, das die staatliche Macht zu gewalttätigen Taten herausfordert.

Dabei bleibt Paulus aber nicht stehen. Nach Röm 13,1-7 Paulus kommt in Röm 13,8-10 sofort auf die Nächstenliebe zu sprechen, nachdem er betont hat: Zahlt die Steuern! Erweist den Amtsträgern Achtung!

»Dann seid ihr niemandem etwas schuldig – außer einander zu lieben. Denn wer andere liebt, hat die Tora erfüllt. Die Gebote: Du darfst die Ehe nicht brechen, niemanden zu Tode bringen, nicht stehlen, nicht gieren und so weiter sind in diesem einen Satz zusammengefasst: Liebe deine Nächste und deinen Nächsten wie dich selbst. Die Liebe tut den Mitmenschen nichts Böses. Die Fülle der Tora ist die Liebe« (Röm 13,8-10).

Das wirklich Entscheidende ist, nach den Geboten Gottes zu leben. Die sind für Paulus in dem einen Gebot zusammengefasst: Liebe deinen Nächsten wie dich selbst! Dieses Verständnis der Tora ist keine christliche Erfindung. Dieses Missverständnis hält sich hartnäckig. Paulus spricht hier, wie viele andere jüdische Schriftgelehrte und Ausleger. Er spricht so wie der Rabbi aus Nazareth, wie Jesus (Mk 12,29-31). Paulus steht wie Jesus im Lebensraum der Tora, er argumentiert jüdisch, er ist weiter jüdisch.

Paulus unterwirft sich zwar dem staatlichen Zwang, aber er beharrt darauf: Die Messiasleute sollen sich wie alle Jüdinnen und Juden in ihrem Alltag an der Tora Gottes orientieren. Damit stellt er das göttliche Recht über das römische Recht, das die Völker unterwirft. In einem Imperium, das sehr um die rechtlichen Fundamente des Staates bemüht ist, ist es etwas Besonderes, wenn jemand sagt: Ich unterwerfe mich zwar euren Zwangsmaßnahmen, aber für mich stehen Gottes Gebote höher als eure Gesetze. Ich spiele in der Logik eures Staates nicht mit. Ich erkenne die besondere Autorität des staatlichen Rechts nicht an. Für ihn oder sie stehen Gottes Recht, seine gute Weisung höher.

Römisches Recht dient der Sicherung und dem Ausbau von Herrschaft. Für das Recht Gottes hat aber das Wohlergehen des Nächsten und der Nächsten oberste Priorität. Paulus formuliert mit der Herausstellung des Nächstenliebegebots einen deutlichen Gegensatz zum Imperium Romanum. Für ihn werden die Messiasleute nicht von dem Streben nach Herrschaft, sondern von der Nächstenliebe bestimmt und angetrieben. In Röm 12,2 betont Paulus: Schwimmt nicht mit dem Strom, passt euch nicht dieser Zeit an! Im Leben nach den Geboten Gottes wird dies konkret.

In Röm 12,12-21 ringt Paulus um die Frage: Wie soll die Gemeinschaft reagieren, wenn Außenstehende sie bedrängen? Wie soll man sich bei Nachstellungen und Verfolgungen verhalten? »Auch wenn euch jemand Unrecht zugefügt hat, zahlt es nicht durch weiteres Unrecht zurück. Soweit es auf euch ankommt, lebt mit allen Menschen in Gottes Frieden« (Röm 12,17-18). Dies ist eine Konkretion des Gebotes der Nächstenliebe: Auch die Verfolger sind Menschen. Auf Gewalt soll nicht mit Gewalt reagiert werden.

Paulus führt den Gedankengang in Röm 13 weiter. Alles, was er über Rom, über den vernünftigen Gottesdienst im Alltag der Welt und über die Tora Gottes geschrieben hat – das will er in einer bestimmten Perspektive verstehen: »Denn jetzt ist die Überwindung der Gewalten näher als zu der Zeit, als wir zu glauben begannen« (Röm 13,11). Paulus geht davon aus, dass die neue Welt Gottes kommen und die gegenwärtigen Mächte und Gewalten überwinden wird. Damit steht er in der Tradition der jüdischen Prophetie und deren späterer Aufnahme in die jüdische Literatur: Gottes Reich wird in der Gegenwart noch von den irdischen Mächten überlagert. Noch herrschen die menschlichen Imperien. Aber das wird sich radikal ändern: Gott wird sich in dieser Welt durchsetzen. In dieser festen Hoffnung schauen Paulus und die anderen auf das römische Reich und seine gewaltige Machtentfaltung. All das wird keinen

Bestand haben, wenn Gott kommt. Diese Perspektive verhindert eine Verabsolutierung des Staates.

In der jüdischen Literatur ab dem 3. Jh. v. Chr. gibt es die Vorstellung, dass Gott die menschlichen Mächte und Gewalten noch gewähren lässt. Aber ihre Tage sind gezählt (Dan 7,25-26; Offb 13,5). Diese Texte versuchen zu zeigen: Auch wenn jetzt die menschlichen Imperien mit Gewalt herrschen – die wahre Macht liegt beim Gott Israels. Er lässt sie nur noch einen kurzen Moment gewähren. Dann bricht Gottes Reich an.

Mit Röm 13,11-14 macht Paulus im Angesicht der imperialen Machtdemonstrationen deutlich: Rom wird überwunden werden. Mit der Auferstehung Jesu hat dies bereits begonnen. In ihrem alltäglichen Tun sollen die Jesus-Leute davon Zeugnis geben. Paulus fasst dies in der Formulierung zusammen: »Zieht den Messias Jesus an, dem wir gehören« (Röm 13,14). Ihm gehören die Gläubigen und nicht dem Imperator in Rom. Trotz aller Anerkennung staatlicher Macht – dies klärt die Besitzverhältnisse. Wo der römische Staat dieses Besitzverhältnis infrage stellt und die Gläubigen zum Abfall von Gott drängen will, da fordert Paulus ein klares Bekenntnis zu dem einen Gott. Hier ist Widerstand gefordert, der Bestrafung nach sich ziehen kann. Auch wenn Paulus die Unterordnung unter Roms Anordnungen fordert, hebt er nicht die Grenze zwischen Gott und dem Staat auf. Im Konfliktfall ist Gott mehr zu gehorchen als der weltlichen Macht. Das, was der Kaiser für sich fordert, darf nicht dem entgegenstehen, was Gott gebührt (Mk 12,17).

Mit dem Wissen, dass Gott sich gegen die Gewalten dieser Welt durchsetzen wird, haben Paulus und die anderen die imperiale Machtentfaltung auf der Staatsagora in Ephesus gesehen. Vor den großen Kaiserstatuen in der Basilike Stoa stehend, war ihnen klar: Über diesen Herrschern der

Welt steht Gott. Mit Blick auf den Ort der Ratsversammlung oder den Palast des römischen Staatshalters erinnerten sie sich daran: Dem Recht, das in diesen Gebäuden in Kraft gesetzt wurde, mussten sie sich beugen, um zu überleben. Dabei durften sie auf keinen Fall die Tora, das Recht Gottes, aus dem Blick verlieren. Die Tora ist Gottes gute Weisung, die die Messiasleute zu hören, der sie im Leben und im Sterben zu vertrauen und zu gehorchen haben.

# 5. IM SCHATTEN DES REICHTUMS – WOHNEN IN EPHESUS

Beklemmung befiel Paulus, als er mit Prisca und Aquila zum ersten Mal deren Wohnung über ihrer Werkstatt betrat. In den letzten Wochen der Wanderschaft hatten sie nachts kein Dach über dem Kopf gehabt. An einem halbwegs geschützten Ort abseits der Straße hatten sie die Nacht verbracht. Nur wenige Regenschauer hatten sie durchnässt. So konnten sie nach den Mühen des täglichen Fußmarsches die klare Luft genießen. Damit war es jetzt vorbei.

Hier an der Küste hatte der Sommer schon fast Einzug gehalten. Stickige, schwülheiße Luft schlug Paulus entgegen. Zum Glück hatten Prisca und Aquila die Werkstatt, um dort zu kochen. Sonst hätte wie in so manchen Wohnungen ein Ofen die Luft mit seinem Rauch verpestet. Von draußen drang der Lärm überfüllter Straßen und der Gestank des Abfalls so vieler Menschen hinein. Für die nächsten Monate würde Paulus diesen kleinen Raum mit Prisca, Aquila und zwei anderen Messiasleuten, die in der Werkstatt mitarbeiteten, teilen. Jetzt war es zu heiß. Wenn nach dem Herbst die winterliche Regenzeit einsetzte, würde die feuchte Kälte durch das Mauerwerk in die Wohnung eindringen. Paulus würde dann wieder spüren, wie viele Jahre er auf seinem krumm geschufteten Rücken hatte.

Diese kleinen Löcher, in denen so viele Menschen in den Städten wohnen mussten, hatten nichts zu tun mit den großzügigen, lichten und luftigen Landhäusern der High-society, von denen sie auf ihren Wanderungen einige von fern gesehen hatten. Manche von den Sklavinnen, die sie später bei Prisca und Aquila trafen, gehörten reichen Herren in Ephesus. Diese bewohnten luxuriöse Stadthäuser in der Nähe des großen Marktplatzes. Die Sklavinnen erzählten hin und wieder von dem Reichtum in diesen Häusern. Wenn Paulus die winterliche Nasskälte in seinen Knochen zu spüren begann, sehnte er sich nach einem wohlig geheizten Raum, die es in solchen Häusern wohl gab.

Und hier in dieser Enge sollten sie dann mit anderen Messiasleuten zusammenkommen, um die Schriften Israels zu lesen, gemeinsam zu beten, Gott zu loben und vom Messias Jesus zu erzählen.

## Steingewordene Hierarchien

Die Ausgrabungen in Ephesus haben bisher keine verwertbaren Spuren über den Wohnraum der unteren sozialen Schichten zutage gefördert. Um sich eine Vorstellung darüber machen zu können, wie die Menschen der Unterschicht gewohnt haben, muss man Vergleiche zu anderen Städten des Reiches ziehen, wo die Situation archäologischer Spuren besser ist. Dabei bildet eher Rom als Pompeji ein Vergleichspunkt für Ephesus. Die Einwohnerzahl von Ephesus dürfte einige hunderttausend Menschen betragen haben. Das ist deutlich näher an der Millionenmetropole Rom als an der etwas beschaulicheren Stadt in Kampanien mit ihren 10.000-20.000 Einwohnern.

Der bebaubare Platz in antiken Städten konnte nicht unbegrenzt wachsen. Deswegen fing man bald an, für die Vergrößerung des Wohnraums mehrstöckige Häuser zu bauen. Dabei bildeten die Wohnungen in den verschiedenen Stockwerken die soziale Hierarchie der Gesellschaft ab. Im Erdgeschoss konnten durchaus Angehörige der oberen Schichten wohnen, ja sogar aus der Oberschicht – wenn das Haus eine gute Lage hatte. Je höher man in dem Haus stieg, desto niedriger war der soziale Stand. Unter dem Dach wohnten dann eher die gering Verdienenden. Die absolut Armen hingegen hatten in der Regel gar kein festes Quartier und wohnten an unterschiedlichen Orten, wo es so etwas wie ein Dach über den Kopf gab.

Im Erdgeschoss eines mehretagigen Hauses umfassten die Wohnungen wohl in der Regel mehrere Räume. In den darüberliegenden Stockwerken wurden sie immer kleiner. Häufig waren es Einraumwohnungen. In den weniger beliebten Stadtvierteln wohnten vermutlich keine Familien aus höheren Schichten mehr. Ganze Häuser wurden da vom Erdgeschoss bis zum Dachgeschoss von Menschen aus der Unterschicht bewohnt.

Auf Höhe der Straßen lagen in der Regel Ladenlokale und Werkstätten. Die Laden- oder Werkstattbesitzer wohnten in eingezogenen Zwischengeschossen oder in einem Raum hinter dem Geschäft – allerdings nicht immer: In den in Ostia ausgegrabenen Wohnblöcken haben wohl nur ca. 50% der Läden oder Werkstätten hinter oder über den Gewerberäumen einen Wohnraum gehabt. Das heißt: Ungefähr die Hälfte der Gewerberäume waren gleichzeitig auch Wohnräume. Menschen lebten zwischen ihren Werkzeugen und den Geräten, mit denen sie arbeiteten.

Je kleiner die Wohnungen waren, desto geringer war die Möglichkeit, den gesamten Raum in unterschiedliche Bereiche aufzuteilen. Es gab häufig nicht einmal Platz für eine eigene Küche. Um etwas Warmes zu bekommen, mussten die in solchen Behausungen lebenden Menschen Garküchen aufsuchen und dort Essen kaufen – eine zusätzliche Belastung für die Armen. Zubereitetes Essen war natürlich teurer als selbst gekochtes. Aber selbst wenn man eine Küche hatte, musste man Holz für den Herd kaufen, keine Kleinigkeit in einer Großstadt wie Ephesus, wo die Nachfrage nach Feuerholz hoch sein konnte.

Das wirft die Frage auf, was auf dem Speiseplan der Mehrheit der Stadtbevölkerung stand. Klar war: Es musste vor allem günstig sein. Damit war der Speiseplan wenig abwechslungsreich. Fleisch gab es nur in Ausnahmefällen. Dadurch fiel ein wichtiger Energie- und Nähstofflieferant für die ärmere Bevölkerung, die körperlich hart arbeiten musste, aus. Getreide, vor allem Gerste, wurde in verschiedenen Formen zubereitet und gegessen. Ansonsten war die Ernährung aus heutiger Sicht beinahe vegan: Gemüse, Hülsenfrüchte und vor allem Oliven füllten die Teller und Schüsseln der übergroßen Mehrheit der Bevölkerung. In Ephesus, einer Stadt am Meer, dürften Fische die Ernährungssituation für alle deutlich verbessert haben. Auch neutestamentliche Texte zeigen, dass Fisch zu den Nahrungsmitteln der Armen zählte. Das hört sich gar nicht so schlecht an. Das Problem war nur, dass von all dem nicht immer genug existierte. Und in der Regel war frischer Fisch für die Armen zu teuer. Sie mussten sich mit getrocknetem Fisch begnügen.

Ein weiteres gravierendes Problem in den antiken Städten war die Hygiene. Heutige Touristen bestaunen gern die gewaltigen römischen Aquädukte, die die Städte des Imperiums mit Wasser versorgten, und malen sich aus, wie gut römische Haushalte mit Wasser versorgt waren. Wenige Kilometer östlich von Ephesus kann man auch heute noch das Aquädukt sehen, das von Sextilius Pollio unter der Herrschaft des Augustus geplant und finanziert wurde. Dieser Bau verbesserte die Wasserversorgung der Stadt erheblich. Man geht davon aus, dass diese Wasserleitung bis zum Nymphaeum, eine große Brunnenanlage südlich der Staatsagora, reichte. Von dort wurde das Wasser durch Rohre in andere Stadtteile verteilt. Überreste dieser Rohre sind überall in den Ausgrabungsstätten zu sehen. An den zahlreichen Brunnen in der Stadt konnten

Wasserrohre (Reste der zahlreichen Wasserleitungen)

sich Einwohner Wasser holen, die über keinen Hausanschluss verfügten.

Der Stiefsohn des Pollio, Ofilinius, ließ deswegen später zu Ehren des ruhmreichen Stiefvaters ein großes Denkmal errichten. Die Stadt stellte dafür den Baugrund am westlichen Rand der Staatsagora zur Verfügung. Antike Städte waren darauf angewiesen, dass reiche Mitbürger solche Infrastrukturmaßnahmen aus ihrer eigenen Tasche bezahlten. Es gab beinahe so etwas wie eine Pflicht, solche Projekte zu finanzieren, wenn man die Mittel dafür hatte. Es winkten einem öffentliche Ehrungen, wie etwa ein Denkmal.

Insgesamt war die Versorgung der Bevölkerung vieler Städte mit Frischwasser gut, gerade im Vergleich mit späteren Zeiten, in denen die Wasserleitungen nicht mehr in Stand gehalten wurden. Die Menschen in den Städten konnten in der Regel über die vielen Brunnen ihren Bedarf an Trinkwasser decken. In Rom soll es zum Ende des 1. Jh. n. Chr.

591 Brunnen gegeben haben. Ein spätantikes Verzeichnis zählt dann sogar 1352. In vielen Erdgeschosswohnungen finden sich Wasseranschlüsse. Das ist aber nicht unbedingt die Regel gewesen. In manchen ausgegrabenen Stadthäusern lassen sich archäologisch keine Wasserzuleitungen finden.

Es wurde viel Wissen und Arbeitskraft dafür aufgewandt, Wasser in die Stadt hineinzubringen. Wie das verbrauchte Wasser hinauskommt, darauf wurde nicht so viel Mühe verwandt. Das lag natürlich auch an dem fehlenden Wissen um die gesundheitlichen Gefahren des Abwassers. Es gab hier und da Abwasserleitungen. Die antiken Baustoffe stießen mit Blick auf die Dichtigkeit der Abwasserkanäle an ihre Grenzen. Schmutzwasser versickerte im Erdreich und verschmutzte Grundwasser und Böden. In vielen Häusern gab es Latrinen und Gruben für Fäkalien. Ein archäologischer Befund aus Pompeji ist aus heutiger Sicht höchst merkwürdig: Innerhäusliche Latrinen lagen häufig neben den Küchen. So konnten Krankheitserreger leicht in die Nahrung gelangen. In den großen Wohnhäusern sind in der Regel keine Toiletten nachgewiesen worden. Die öffentlichen Latrinen hatten deswegen große Bedeutung. Sie waren allerdings nicht kostenlos, so dass viele Menschen in den Städten ihre Notdurft anderweitig verrichteten. Für menschlichen Urin gab es mit Gerbern und Wäschern gewerbliche Abnehmer. Sie stellten in der Nähe ihrer Werkstätte Bottiche auf, in die Passanten urinieren oder ihre Nachttöpfe entleeren konnten. Der im Urin enthaltene Ammoniak war ein für verschiedene Gewerbe begehrter Rohstoff. Nachttöpfe und ihr Inhalt bildeten andererseits ein großes Ärgernis in der antiken Stadt – wurden sie doch, trotz zahlreicher Strafandrohungen, einfach in der Öffentlichkeit entsorgt. Viele Plätze in und vor der Stadt wurden gewissermaßen zu wilden Latrinen: Warnhinweise, gerade auf Grabstellen, wünschten denjenigen, die diesen oder jenen Ort als Toilette missbrauchten, alle möglichen Übel an den Hals.

Auch die Beseitigung von Müll jeder Art stellte ein massives Problem für die Städte dar. Wenn es Abwasserleitungen und -kanäle gab, wurde der Abfall häufig über diesen Weg entsorgt, was das Abwasser zusätzlich verdreckte und auch häufig zu Verstopfung und daraus resultierenden Überflutungen der Kanalisation führte. Das Abwasser verteilte sich dann in den Straßen der Stadt. Antike Städte waren alles andere als saubere und wohlriechende Orte. Heutige Slums geben einen Eindruck, wie sich große Teile einer antiken Metropole wie Ephesus »anfühlten«.

Ein weiteres Element, was die Lebensqualität in den städtischen Wohnquartieren nachhaltig einschränken konnte, war das fehlende Tageslicht. Gern wird ja immer wieder darauf verwiesen, dass die Römer die Glasfertigung deutlich verbessert haben. Das führt aber nicht dazu, dass es viele Glasfenster gab. Glas war für viele Menschen schlicht zu teuer. Die vielen glaslosen Fenster mussten bei ungünstiger Witterung mit Fensterläden geschlossen werden. So versank der Wohnraum in ein Dämmerlicht. In eng bebauten Stadtvierteln verhinderten die Nachbargebäude, dass in die unteren Stockwerke Tageslicht kam. Es könnte sein, und manche antike Quelle scheint das zu bestätigen, dass viele Menschen durch Lichtmangel unter gesundheitlichen Problemen litten.

## Eine Luxusadresse in Ephesus

Bei den Ausflügen der Kreuzfahrtschiffe, die in der Stadt Kuşadası vor Anker gehen, bleibt in der Ausgrabungsstätte des antiken Ephesus für den Besuch der Hanghäuser kaum Zeit. Dabei verpassen heutige Touristen eine archäologische Besonderheit: Es sind die Wohnungen und Häuser der Oberschicht im Stadtzentrum von Ephesus, am unteren Ende der Kuretenstraße. Da diese Wohnkomplexe am unteren Hang des Bülbül Dağ liegen, hat sich die Bezeichnung Hanghäuser eingebürgert. Das Hanghaus 2 ist in einem wesentlich besseren Zustand als Hanghaus 1. Vieles von dem, was heutige Besucher in den jeweiligen Wohneinheiten sehen, stammt aus dem 2. und frühen 3. Jahrhundert n. Chr. Die wirtschaftliche Blüte dieser Zeit verhalf der Oberschicht zu größerem Einkommen, das sie für den luxuriösen Um- und Ausbau der Wohnungen nutzten. Die Hanghäuser dürften aber schon im 1. Jh. v. Chr. gebaut worden sein. In der Größe, der Lage und der Ausgestaltung der Häuser materialisierten sich die gesellschaftlichen Hierarchien der Antike.

Betrachtet man im Vergleich zu bisher geschilderten Wohnverhältnissen die Hanghäuser, so kann man durchaus den Eindruck haben: Die oberen Schichten wohnten auf einem anderen Planeten. Allein schon die Größe der einzelnen Wohnhäuser ist beeindruckend und auch für heutige Verhältnisse äußerst großzügig. Die Wohneinheit 2 umfasst 549 $m^2$, die Einheit 7 520$m^2$. Die Fläche der Einheit 6 betrug zunächst 620$m^2$. Sie wurde im 2. Jh aber auf 950 $m^2$ ausgebaut, eine Stadtvilla größeren Ausmaßes. Die Wohneinheiten lagen auf drei Terrassen und hatten jeweils ein Obergeschoß und waren sog. Peristylhäuser. Das sind Gebäude, in deren Zentrum ein von Säulen umgebender Innenhof liegt. Von diesem Innenhof aus konnte man in die unterschiedlichen Räume des Hauses gelangen. Diesen zentralen Innenhof erreichte man entweder durch einen schmalen Zugang oder von einem vorgelagerten, kleineren Hof aus. Der Innenhof war Repräsentationsraum, Licht- und Luftquelle und der Ort für kühlende Wasserbrunnen in einem. Dieser Hof nahm auch eine große Fläche des

Hauses ein. Bei der Wohneinheit 2 umfasst er eine Fläche von 148m$^2$.

Die Räume in den Häusern unterteilten sich in Wirtschaftsräume, Empfangsräume für Gäste und in Räume, die eher den Bewohnern zur privaten Nutzung vorbehalten waren. Nur in Häusern dieser Größenordnung konnte es eine Trennung zwischen privat und öffentlich geben. Nur in solchen Häuser konnten Frauen sich in private Gemächer zurückziehen – oder genauer: Hier hatte man Räume, die zeigten: Frauen sollten sich eher im Haus aufhalten. Das Haus und seine Belange – das war der gesellschaftlich anerkannte Ort, an dem Frauen wirken konnten.

Diese Häuser waren prunkvoll ausgestattet. Das zeigt sich schon in der Auswahl Baumaterialien. Marmor war auch hier ein bevorzugter Baustoff. Die Böden der einzelnen Räume waren häufig mit aufwändigen Mosaiken ausgelegt. Malereien schmückten die Wände. Die Einrich-

tungsgegenstände waren häufig ebenso aufwändig gestaltet und aus kostbaren Materialien hergestellt. Der schon erwähnte Marmor spielte hier eine wichtige Rolle. Aufwändige Keramik wurde als Dekoration eingesetzt, ebenso wie Elfenbein.

Bevor all dies noch einmal an einzelnen Beispielen genauer in den Blick genommen wird, lohnt es sich, einen Blick auf die Haustechnik zu werfen. Die Häuser hatten z.T. Wasseranschlüsse direkt im Haus. Es gab Latrinen, die eben nur für die Hausbewohner da waren. Und in der kühlen Jahreszeit wurden die Häuser durch die allseits bekannten Bodenheizungen erwärmt – ein nicht zu unterschätzender Wohnkomfort. Für das Zubereiten von Nahrung gab es hier auch Küchen, Küchen, in denen die verschiedensten Speisen von nah und fern zubereitet wurden. In diesen Räumen konnte ein anderes Leben geführt werden als im 5. Stock eines antiken Hochhauses.

Wandbemalung in Hanghaus 2

Die Ausstattung der Häuser war geprägt vom Grundsatz: ›Zeig deinen Reichtum, damit deine Besucher dich bewundern können.‹ Die öffentliche Prachtentfaltung fand so ihr Pendant in Häusern der Reichen. Zentrale Räume der Häuser dienten dem Empfang von Gästen. Ihre Ausgestaltung und Ausstattung sollten nicht nur den Besitzern gefallen. Den Gästen musste der erlesene Geschmack des Gastgebers und seiner Gattin präsentiert werden.

In der Wohneinheit 2 grenzt direkt an den Innenhof eine Art Grotte, die in den Felsen geschlagen war. Ihr Gewölbe, die Wände und der Boden schmücken verschiedene Mosaike, z.T. mit Motiven aus der griechischen Götterwelt. Eines stellt den Gott Dionysos mit seiner Frau Ariadne dar. Die Figuren werden von einem paradiesisch anmutenden Weingarten gerahmt – die Darstellung einer glücklichen Scheinwelt. Diese Grotte war ein perfekter Ort zu Bewirtung von Gästen. Sie bot den Gästen mit ihrer Ausgestaltung und ihrem Bildprogramm die Illusion einer heilen Welt, in der man unbeschwert den Luxus genießen konnte, mit dem Gott Dionysos als Vorbild. All das geschah, während in den Wirtschaftsräumen die Sklavinnen und Sklaven ihre Arbeit verrichteten, während draußen in der Stadt die Körper vieler unter der Last der harten Arbeit litten, um die Reichen noch reicher zu machen.

Das Interieur der Häuser war aber auch politisch und trug so die Propaganda des Imperiums in die Wohnzimmer der Stadt. In Hanghaus 2 wurde eine Elfenbeinarbeit gefunden, die auf einem 108 cm x 20 cm großen Fries die Siege des Kaisers Trajan pries. Es entstammt dem Anfang 2. Jh., aus der Zeit, als Trajan Arabien erobern ließ und Armenien wieder unter römischen Einfluss brachte. Es zeigt zum einen Trajan inmitten seiner Truppen und eine Gesandtschaft von sog. Barbarenvölkern: Die fremden Völker unterwerfen sich dem siegreichen Kaiser. Im Fries tauchen zwei weibliche Figuren auf. Es sind Personifikationen von Armenien und Arabien. In der Antike war es üblich, unterworfene Völker und Länder als Frauen darzustellen. Ein prominentes Beispiel ist die Sesterz-Münze, die Kaiser Vespasian zum Sieg über Israel 70 n. Chr. prägen ließ. Auf der Münze ist eine Frau zu sehen, die trauernd unter einer Palme sitzt. Daneben steht der triumphierende Kaiser. Die Aufschrift lautet: Judaea Capta – Judäa ist eingenommen.

Solche Darstellungen spiegeln nicht nur die Beziehungen zwischen Rom und den unterworfenen Provinzen wider. Sie eröffnen auch einen Blick auf die Geschlechterbeziehungen. Die Verhältnisse zwischen Männern und Frauen sind von Gewalt geprägt. Was Männlichkeit ist, das zeigt sich in der Unterwerfung von anderen. Ein Mann wird zum Mann, indem er andere Männer und insbesondere Frauen unterwirft. Dazu gehört auch die eigene Ehefrau. Frauen haben dies zu ertragen – das erwartet zumindest die Gesellschaft der Männer von ihnen.

Die sexuelle Verfügbarkeit von Frauen und ebenso von jungen Männern zeigt sich auch in anderen Bildern der Hanghäuser, so z.B. im sog. Theaterzimmer der Wohneinheit 1. Ein Bild dieses Zimmers stellt Dienerinnen und Diener dar, die Gäste mit Girlandenschmuck und Getränken empfangen. Ihre Körper werden kaum verhüllt dargestellt. Es handelt sich hierbei nicht einfach um eine erotische Szene. Es zeigt, dass die Körper der dargestellten Frauen und jungen Männer den Herren prinzipiell zur Verfügung standen. Das Bild macht deutlich: Nicht nur Frauenkörper waren für Männer in der Antike Lustobjekte – auch die von jungen Männern.

In den Hanghäusern fanden sich auch Bildnisse römischer Kaiser. Am bekanntesten ist die große Büste des Kaisers Marc Aurel (161-180 n. Chr.). Der Fund dieser Büste hat die Diskussion ausgelöst, ob auch in den Häusern eine

Art privater Kaiserkult stattfand. Das ist keine reine Spekulation. Die Häuser waren auch Orte, in denen die Götter verehrt wurden. Es gab kleine Hausaltäre, wo außerdem kleine Büsten oder Statuen der eigenen Ahnen ihren Platz hatten. Hier wurden rituelle Handlungen vollzogen, so dass es durchaus denkbar ist, dass auch den Kaisern im häuslichen Rahmen gehuldigt wurde. In Wohneinheit 7 fanden sich Büsten des Kaisers Tiberius (14-37 n. Chr.) und seiner Mutter Livia. Diese dürften aus der Zeit der Erbauung des Hauses stammen. Bemerkenswert ist, dass man diese Bildnisse über die Jahrhunderte bis zur endgültigen Zerstörung der Wohneinheit gegen Ende des 3. Jh. n. Chr. durch zahlreiche Erdbeben als Einrichtungsgegenstand nutzte. Die Büste von Marc Aurel ist also kein Einzelfall gewesen.

Die Wandmalereien der Häuser zeigten nicht nur den Reichtum der Hausbesitzer, sondern spiegelten auch ihre kulturelle Prägung wider. Die Idylle des Weingartens um Dionysos und Ariadne zeigt, in welche Wunschwelten man sich flüchtete. Insgesamt sind viele Motive aus der griechisch-römisch mythologischen Literatur in den Wohneinheiten der Hanghäuser zu finden. Ein Hausbesitzer wollte damit seine Bildung unter Beweis stellen. In Wohneinheit 5 findet sich eine Darstellung von Sokrates. Wenn man die Schriften der Philosophen auch nicht unbedingt studierte – man schmückte sich zumindest damit. Auch der Artemis-Kult durfte hier natürlich nicht fehlen. In Wohneinheit 4 fand sich eine Artemisstatue, die über einen sehr langen Zeitraum den Innenhof des Hauses Glanz verlieh.

Die Ausgrabungen in den Hanghäusern ermöglichen übrigens auch einen recht guten Einblick in den Speiseplan der Bewohner. Nicht nur die Reste der verarbeiteten und verspeisten Tiere zeugen von der Vielfalt und Extravaganz der Ernährung der Oberschicht. Es fanden sich auch einige Einkaufs- und Abrechnungslisten, die über die

Speisegewohnheiten Auskunft geben. Natürlich wurde ein Großteil der Nahrungsmittel aus dem Umland von Ephesus herbeigeschafft. Gerade das nahe Meer bereicherte den Speiseplan. Aber einiges wurde aus weiter entfernt liegenden Regionen eingeführt. Der Transport machte das Lebensmittel wertvoll. So konnte ein Gastgeber in Ephesus sein Ansehen steigern, wenn er seinen Gästen Wein aus Italien ausschenkte. In den Häusern fanden sich auch Wasserbecken. Man geht davon aus, dass sie zur Aufbewahrung von lebend gefangenen Fischen genutzt wurden, die dann frisch aus dem Becken serviert werden konnten. Die vielen gefundenen Knochen zeigen, wie selbstverständlich Fleisch zur Ernährung gehörte. Was die Armen aufgrund ihrer harten Arbeit eigentlich nötiger gebraucht hatten, verzehrten die Reichen im Übermaß.

Die Hanghäuser mit ihrem Luxus machen deutlich, wie groß die Schere zwischen Arm und Reich in einer antiken Stadt war. Während in den Hanghäusern prachtvoll gelebt und gefeiert wurde, lebten viele in den großen Wohnblöcken der Stadt in bitterer Armut. Auf dem Weg zur Arbeit im Hafen oder auf der Tetragonos-Agora kamen viele der Armen an den Wohnquartieren der Reichen vorbei. Die Pracht der Luxusvillen machte ihnen klar: Hier wohnen die Reichen und Mächtigen. Und man selbst ist ein Nichts und Niemand.

## Mittelschicht oder Arme am Rand des Existenzminimums?

Die Schilderung der unterschiedlichen Wohnverhältnisse wirft die Frage auf, zu welcher sozialen Gruppe die Messiasleute gehörten. Das lässt sich nicht einfach beantworten. Deswegen ist ein Blick in die Geschichte der Erforschung des Themas, welcher sozialen Schicht die Jesus-Leute angehörten, notwendig.

Zu Beginn des 20. Jh. arbeitete der Berliner Theologe Adolf Deissmann heraus, dass die neutestamentlichen Texte aus den unteren gesellschaftlichen Schichten stammten. Lange Zeit regte sich gegen dieses Ergebnis kein Widerspruch – da man sich für die Frage der sozialen Zugehörigkeit der Anhängerschaft Jesu gar nicht interessierte. Erst ab den 1970er-Jahren wurde darüber intensiver diskutiert. Dabei wurden Stellen wie 1 Kor 1,26 (»Da sind nicht viele Weise im irdischen Sinne, nicht viele Mächtige, nicht viele Vornehme«) so verstanden: Die Mehrheit der frühen Christen gehört der Unterschicht an. Aber es gibt eben Mächtige und Angesehene, wenn auch wenige. Diese erfüllten, so z.B. die Sicht von Gerd Theißen, die wichtige Aufgabe, mit ihrem, wenn auch bescheidenen Besitz die Gemeinschaften zu unterstützen. Gerade ihre größeren Häuser oder Wohnungen boten den Christinnen und Christen den Raum für ihre Versammlungen und Gottesdienste. Ihr Geld finanzierte das gemeinschaftliche Leben. Diese Mächtigen verstand man als typische Vertreter einer Mittelschicht in der griechisch-römischen Gesellschaft. Es waren Menschen, die durch ihren wirtschaftlichen Erfolg aus der Schicht der Armen aufgestiegen waren. Sie besaßen etwas mehr, als sie für den alltäglichen Bedarf nötig hatten.

Die Existenz einer solchen Mittelschicht wurde im weiteren Verlauf der wissenschaftlichen Debatte infrage gestellt. Neuere Studien gehen davon aus, dass die Gesellschaft des römischen Reichs zu ca. 95-99% aus Armen und zu ca. 5-1% aus den Mächtigen und Reichen bestand. Eine kleine Oberschicht der Reichen stand also der übergroßen Mehrheit der Armen gegenüber. Die frühen Gemeinden gehörten zu dieser Gruppe der Armen. Weitere Studien versuchten, diese große Gruppe der Armen differenzierter zu betrachten. Dabei wurde die Frage, inwieweit die Menschen in der Lage waren, durch eigene Arbeit das Existenzminimum zu sichern, zum wichtigen Unterscheidungsmerkmal: Relativ Arme sind Menschen, die durch eigene Arbeit ihre Existenz sichern können. Mehr aber ist nicht drin. Absolut Arme sind Menschen, die z.B. auf Almosen angewiesen sind, um überleben zu können.

Steven J. Friesen interessierte sich für Abstufungen von Armut in der antiken Gesellschaft und begann, sie zu erforschen. Das Problem bei solchen Forschungen ist: Man hat vergleichsweise wenig Daten zur Beschreibung und Analyse der gesellschaftlichen Wirklichkeit der Antike. Friesen griff hier auf Untersuchungen und Wirtschaftsdaten europäischer Staaten zwischen dem 15. und 18. Jh. zurück. Diese Staaten waren noch nicht durch die industrielle Revolution geprägt. Die Ständegesellschaft dieser Zeit war noch recht nah an der Antike. Auch die Größe der frühneuzeitlichen und der antiken Gesellschaft sind durchaus vergleichbar.

Friesen hat seine Ergebnisse in Zusammenarbeit mit dem Historiker Walter Scheidel differenziert und verfeinert. Für unseren Zusammenhang ist daran Folgendes wichtig. Beide versuchen, genau zusagen, wieviel Menschen erwirtschaften müssen, um am oder kurz über dem Existenzminimum leben zu können. Ein Mensch in der römischen Antike muss für das Existenzminimum jährlich den Wert von ca. 320-490 kg Getreide erwirtschaften. Damit konnte man die Kosten für seine Nahrungsmittel, seine notwendige Kleidung und für eine einfache Wohnung decken. Friesen und Scheidel gehen davon aus, dass zwischen 55-60% der Bevölkerung so viel erwirtschaften konnte. Die weiteren gesellschaftlichen Gruppen innerhalb des römischen Reiches setzen sie ins Verhältnis zum Leben am Existenzminimum. Zwischen 8 und 20% der

Bevölkerung konnten zum Existenzminimums ½ bis doppelt so viel hinzuverdienen. Erst in diesem Bereich können Menschen Produktionsmittel wie Tiere, Werkzeuge oder Werkstätten erwerben und auch unterhalten. Dazu gehörten wohl Prisca und Aquila, die einen Handwerksbetrieb unterhielten. Mehr als die Hälfte der Bevölkerung des Reiches war dazu wirtschaftlich nicht in der Lage. Ihre tägliche Arbeit war darauf ausgerichtet, das Lebensnotwendige zu verdienen. Mehr war nicht drin. Der Alltag war ein Kampf ums Überleben.

Es gab in der Gesellschaft des römischen Reiches eine Mittelschicht, aber die dürfte nur ca. 10% der Bevölkerung ausgemacht haben. Ihr Einkommen betrug drei- bis viermal mehr als das Existenzminimum. Sie hatten im Rahmen ihres erwirtschafteten Einkommens ein wenig Bewegungsfreiheit. Ihre Entscheidungen, wofür sie den Verdienst einsetzten, waren nicht allein vom Überleben bestimmt. Zwischen 10-20% der Bevölkerung hingegen lebten in absoluter Armut. Ihr Einkommen, wenn man das überhaupt so nennen kann, reichte nicht zum Überleben. Sie waren auf Hilfe angewiesen, Betteln war ihre einzige Überlebensmöglichkeit. 1% der Bevölkerung verfügte über ein Einkommen, das das Existenzminimum um mindestens 600% überstieg – die Reichen bis Superreichen. Neuerdings hat Scheidel herausgearbeitet, dass im römischen Reich die Privatvermögen dieser Gruppe sich von der Mitte des 2. Jh. v. Chr. bis ins 1. Jh. n. Chr. um den Faktor 80 vergrößerten.

Folgt man den Zahlen von Friesen und Scheidel, kann zur Anzahl von Angehörigen der Mittelschicht bei den Messiasleuten Folgendes gesagt werden: Die Mittelschicht im römischen Reich ist recht klein. Damit die messianische Gemeinschaften durchweg von Menschen aus der Mittelschicht hätte unterstützt werden können, hätte diese Mittelschicht überproportional in der Jesusbewegung vertreten sein müssen. Davon ist nicht auszugehen. Sicherlich hat es solche Personen gegeben, die mit ihrem wirtschaftlichen Überschuss die Jesus-Gruppe finanziert und ihren größeren Wohnraum für Versammlungen zur Verfügung gestellt haben. Der Normalfall wird das nicht gewesen sein. Was Theißen und andere beschreiben, ist eher die Ausnahme. Die Regel war, dass Menschen, die geradeso über die Runden kamen, die überwiegende Mehrheit bei den Messiasleuten bildeten. Sie teilten ihr Leben und ihren wenigen Besitz miteinander und bestritten so ihr Leben in der römischen Stadt Ephesus.

Einen archäologischen Befund aus Pompeji interpretiere ich als einen Hinweis dafür, dass die wirtschaftliche Kraft und die Rücklagen von antiken Menschen nicht allzu groß waren: Die Geldmenge, die bei den durch den Vulkanausbruch (79 n. Chr.) zu Tode Gekommenen in Pompeji gefunden wurde, überstieg im Durchschnitt kaum den Wert von 7 Denaren. In Mt 20,2 wird der Tageslohn von Saisonkräften in der Landwirtschaft mit einem Denar angegeben. Mit einer finanziellen Rücklage von so wenigen Denaren konnte eine Person wohl nur einige Tage ihr Leben bestreiten. Aussagen über die Kaufkraft antiker Münzen sind immer mit Vorsicht zu betrachten, da das Datenmaterial zur Berechnung der Kaufkraft sehr gering ist. Durch die Münzfunde in Pompeji wird jedoch deutlich: So viel hatten Menschen im Jahr 79 n. Chr. nicht an Geld zur Verfügung, dass sie es für andere einsetzen konnten. Natürlich können auch Naturalien für Unterstützungsleistungen eingesetzt werden. Darüber sagen die Funde in Pompeji natürlich nichts aus, da sie den Vulkanausbruch nicht überstanden haben.

Die Münzfunde zeigen ein für die Menschen gravierendes Problem auf: Bei einem vollständigen Verdienstausfall durch Krankheit oder Unfall konnten sich Menschen nicht allzu lange über Wasser halten. Wenn die finanziellen Reserven aufgebraucht waren, drohte das Abrutschen in die absolute Armut. Bei der Diskussion über die Größe und die wirtschaftliche Kraft der Mittelschicht wird eines zu wenig berücksichtigt: Die antike Gesellschaft kannte keine institutionellen Mechanismen, die einen sozialen Abstieg infolge von Notlagen aufhalten oder wenigstens abfedern konnten. Es gab keine Arbeitslosenversicherung. So etwas wie die Lohnfortzahlung im Krankheitsfall konnte man sich im antiken Wirtschaftssystem nicht einmal vorstellen. Wer nicht arbeitete, bekam keinen Lohn. Das war nicht nur bittere Realität, sondern wurde auch in der antiken Gesellschaft ideologisch gestützt und untermauert. Die Armen Roms, die teilweise arbeitslos waren, wurden von Schriftstellern der Oberschicht gern als verkommene, vergnügungssüchtige und faule Masse diffamiert.

Das Leben in der Antike beinhaltete so viele Tücken und Gefahren, gegen die der Besitz von Familien in der Mittelschicht kaum helfen konnte. Antike Menschen wandelten in gewisser Weise stets am Abgrund: Arbeitssicherheit in Werkstätten und auf Baustellen waren ein absolutes Fremdwort. Ein herabfallender Stein auf einer Baustelle konnte einen Bauarbeiter so schwer verletzten, dass er lange Zeit arbeitsunfähig war. Die hygienischen Bedingungen an vielen Orten einer antiken Großstadt waren so desaströs, dass Infektionskrankheiten eine ständige Gefahr waren. Die Liste ließe sich fortsetzen. Vielleicht reflektiert das Gleichnis vom reichen Kornbauer (Lk 12,16-21), der glaubt, wegen einer äußerst erfolgreichen Ernte Ruhe für seine Seele zu haben, genau dieses Problem: ›Auch wenn du noch so viel hast – es bewahrt dich nicht vor den Gefahren und Widrigkeiten des Lebens.‹ Angehörige der Mittelschicht, wie alle anderen auch, lebten mit der ständigen Bedrohung des gesellschaftlichen Abstiegs, da sie nicht wissen konnten, welche Krankheit, welcher Unfall ihr sicher geglaubtes Leben bedrohte.

Ich denke, dass wir uns die Messiasleute als eine Gruppe von Menschen aus der Unterschicht vorstellen sollten. Sie verdienten in der Regel so viel, dass sie ihren Lebensunterhalt, vielleicht mehr schlecht als recht, mit eigener Arbeit bestreiten konnten. Einige waren so arm, dass sie auf materielle Unterstützung angewiesen waren. Wieder andere hatten Anteil am wirtschaftlichen Wachstum und verdienten mehr, als sie brauchten. Allerdings konnten sie sich nicht darauf verlassen, dass dieses immer so blieb. Den Glauben an den Gott Israels und seinen Messias – sie lebten ihn in prekären Umständen. Sie teilten dieses Leben und ihren wenigen Besitz miteinander und bestritten so ihr Dasein in der römischen Stadt Ephesus.

## Im Glauben versammeln

Der gemeinsame geteilte Glaube – er wurde in diesen schwierigen und oft auch erbarmungslosen Verhältnissen gelebt. Es gab keine Kirchengebäude oder Gemeindehäuser, in die man sich vor der eigenen häuslichen Armut, vor der Enge, dem Lärm und den Schmutz der antiken Hochhäuser fliehen konnte. Die Wohnquartiere der Armen waren der Ort, wo gemeinsam das Mahl zur Erinnerung an den Messias Jesus gehalten wurde, wo sie Gottesdienst feierten, zusammen beteten und Lieder sangen. Es wird natürlich in der Theologie und der Geschichtswissenschaft diskutiert, wo die Versammlungsorte der frühen Gemeinden waren, denn die uns bekannten Kirchen gab es ja noch nicht. Und es war noch nicht einmal daran zu denken, dass es so etwas einmal geben würde. Gerade im mediterranen Klima dürften Gottesdienste unter freiem Himmel, vielleicht sogar außerhalb der Stadt, außerhalb des Lärms und des Gestanks stattgefunden haben. Dafür musste man aber längere Wege in Kauf nehmen. Ob das immer machbar war, kann bezweifelt werden. So ist es viel wahrscheinlicher, dass sie sich meist in den Wohnungen oder gar Häusern einzelner Messiasleute trafen. Die erste archäologisch nachgewiesene Kirche überhaupt ist die Hauskirche in Dura Europos, einer Stadt an der östlichen Reichsgrenze, im Grenzgebiet zu Parthien. Das vormals normale Wohnhaus wurde wohl im Jahr 232/33 zu einer Kirche umgebaut.

Überlegungen, dass messianische Gruppen für ihre Treffen öffentlich Räume angemietet haben könnten, sind zwar bedenkenswert, aber man muss sich fragen: Konnten diese Gruppen ihren Glauben so öffentlich leben, indem sie Räume anmieteten? Bei ihrem äußerst gespannten Verhältnis zur griechisch-römischen Gesellschaft ist das schwer vorstellbar. Der Statthalter Plinius kennzeichnet den Glauben der messianischen Gruppen als minderwertigen fremden Kult (Briefe 10,96). Sie sind in seinen Augen dafür verantwortlich, dass in den Tempeln kein Fleisch aus kultischen Schlachtungen verkauft werden kann. Eine äußerst zwielichtige und für die Ordnung der Gesellschaft gefährliche Gruppe. Solche Leute konnten nicht in angemieteten Örtlichkeiten ihre Versammlungen abhalten.

Die Gottesdienste und Gemeindeversammlungen fanden in den Räumen des Alltags statt. Was die Messiasleute tagtäglich umtrieb, davon wurde die Anbetung Gottes nicht abgeschottet. Es blieb nicht vor der Kirchentür. Das normale Leben wurde bei den Versammlungen in Worte gefasst. Auch die sozialen Rollen der antiken Gesellschaft dürften präsent gewesen sein. Wir sprachen schon davon: In der Antike gab es klare Vorstellungen, was Männer und

Frauen jeweils tun und lassen sollten. Bis in die Zeit der neutestamentlichen Texte hinein hält sich bei den männlichen Autoren aus den höheren sozialen Schichten die Vorstellung, dass der für die Frau vorgesehene Ort das Innere des Hauses war. »Das weibliche Geschlecht soll das Haus hüten und daheim bleiben. [...] Die Frau soll sich also um weiter nichts kümmern als um die Obliegenheiten der Haushaltung.« So schreibt der jüdische Philosoph und Schriftsteller Philo von Alexanderien in seinen Auslegungen der Tora (3,169ff).

Dieser Text möchte eine Wirklichkeit für das Leben von Frauen herstellen; er will vorschreiben, wie die Realität des Lebens und Arbeitens von Frauen sein sollte: Die Frau bleibt im Haus und geht dort ihren häuslichen Tätigkeiten nach. Der Mann hingegen sorgt draußen dafür, dass der Unterhalt der Familie gesichert ist. Philo schreibt dazu weiter: »Der Lebensverkehr durch Wort und Tat unter freiem Himmel in Krieg und Frieden eignen sich nur für die Männer«. Das ist keine reale Abbildung des Alltags von Frauen und Männern. Mit Blick auf das Leben von Menschen aus der Unterschicht kann man klar sagen: So konnte das Leben von Familien aus diesem Bereich der Gesellschaft nicht funktionieren. Frauen mussten wie Männer für Einkommen und damit für das Überleben der Familie arbeiten. Es fällt schwer, da von Gleichberechtigung zu sprechen. Der notwendige Kampf ums Überleben sorgte dafür, dass beide Geschlechter Erwerbsarbeit nachgingen. Inwieweit Frauen- und Männerarbeit gleich bezahlt wurde, das ist nicht ganz klar. Einige antike Quellen legen es nahe, dass Frauenarbeit geringer geachtet und bezahlt wurde. Auf der anderen Seite gibt es viele Tätigkeiten in verarbeitenden Gewerben, die in der Regel von Frauen ausgeführt wurden und für deren Bezahlung es keine Vergleichsgröße gibt.

Männer wie Frauen führten den Kampf um die tägliche Ernährung. Beide schlugen sich mit den Widrigkeiten des Lebens im römischen Reich herum. Deshalb werden sie auch beide ihre Erfahrungen aus dem Alltag mit in die Gemeindeversammlung gebracht haben. Frauen und Männer werden diese Zusammenkünfte geprägt und gestaltet haben. In den neutestamentlichen Briefen finden sich die Namen von Frauen und Männern: Persis, Rufus, Philologus und Julia, Nereus und Olympas – um einige weniger bekannte Anhängerinnen und Anhänger von Jesus aus der Grußliste in Röm 16 zu nennen. Phoebe erhält die Aufgabe, einen wichtigen Brief der Gruppe um Paulus zu den Geschwistern nach Rom zu bringen. Sie sollte diesen Brief dort vorlesen, vorstellen und in theologischen Gesprächen erklären und verteidigen. Die zugewiesene Rolle einer antiken Frau hatte sie in mancher Hinsicht hinter sich gelassen.

## Gotteslob im Elend der Welt

Wir müssen es uns vielleicht so vorstellen, dass in der Wohnung von Prisca und Aquila sich wöchentlich eine Gruppe von Messiasleuten traf, um gemeinsam Gottesdienst zu feiern. Diese Gottesdienste haben sich in gewisser Weise an die jüdischen Vorbilder angelehnt. Von den jüdischen Synagogengottesdiensten aus der Zeit, als der Tempel in Jerusalem noch stand und das kultische Zentrum Israels bildete, weiß die Forschung leider nur Bruchstückhaftes. Die öffentliche Lesung der Schriften, insbesondere der Tora, spielte eine wichtige Rolle. Die jüdische Literatur aus dieser Zeit (1. Jh.) enthält viele Gebetstexte. Sie dürften nicht nur in den jüdischen Familien, sondern auch bei den gottesdienstlichen Versammlungen gebetet worden sein.

Synagogen wurden nicht umsonst außerhalb Israels Gebetshäuser genannt.

Die unterschiedlichen Texte aus der jüdischen Tradition haben eine wichtige Rolle bei den Zusammenkünften der Messiasleute gespielt. Paulus schreibt in 1 Kor 4,6, dass für die Bearbeitung von Glaubensfragen und für die Regelung von Konflikten die Schrift die alleinige Basis bildet. Und Schrift bedeutet hier die jüdische Bibel und nicht, wie heutige Leserinnen und Leser vielleicht glauben, das Neue Testament. Die Tora, die Propheten und in besonderer Weise die Psalmen haben in den Gemeindeversammlungen sicherlich eine große Rolle gespielt. Die Psalmen werden als Gebetbuch Israels verstanden, und sie waren auch das Gebetbuch der messianischen Gemeinden. Sie bildeten neben anderen jüdischen Gebeten den Fundus für die Gebete und Lieder der Messiasleute. Die Briefe des Paulus und der anderen zeugen davon. Sie nehmen die Psalmen Israels auf und stellen sie in ihre Lebenssituation hinein.

Eine bewegende Aufnahme der Psalmen Israels findet sich in Röm 3,10-18. In einer Kollage von Texten aus den Psalmen und den prophetischen Schriften wird eine grundlegende Charakterisierung der Menschheit formuliert. Paulus macht das Ganze auch als Zitat aus der jüdischen Bibel kenntlich (Röm 3,10). Es ist keine nüchterne Beschreibung der Menschheit und ihres Tuns. Satz für Satz werden die Verbrechen und Untaten von Menschen aufgezählt, teilweise in drastischen Bildern (Röm 3,13-16). Diejenigen, die so etwas tun, sind nicht nur Einzelne. Nein, alle sind an diesen Gewalttaten beteiligt, niemand kann sich davon ausnehmen. Der Textabschnitt bringt zur Sprache, was das menschliche Miteinander ausmacht. Da ist keine Güte in den menschlichen Handlungen zu finden. Kein Verstand leitet das Tun zum Besseren. Es regiert die nackte Gewalt. Röm 3,10-18 setzt sich mit dem Leben der Messiasleute im römischen Reich auseinander, das sie als einen gewalttätigen und lebensfeindlichen Ort erleben: Sklavinnen und Sklaven werden an die alltägliche Gewalt gedacht haben, der sie ausgesetzt sind. All die, die, um zu überleben, hart arbeiten müssen, sehen ihren geschundenen und gebeugten Körper. Die, die von korrupten Richtern unrechtmäßig verurteilt worden sind, spüren die Bestrafungen an ihrem Leib. Der Text fasst das alles in Worte, Worte, die über den Zustand der Welt klagen, Worte, die sagen, wie die Welt ist. Sie benennen deutlich, dass alles von Gewalt beherrscht wird. Klage, Anklage und eine Form von gesellschaftlicher Analyse finden hier zusammen.

Röm 3,10-18 teilt die Welt und die Menschheit nicht in die Leidenden und die Klagenden auf der einen Seite und in die Täter auf der anderen Seite ein. Da ist kein Gerechter, auch nicht einer. Die hier Klagenden reihen sich in die Gruppe der Täter ein. Damit machen die Klagenden klar: Auch wir sind an diesem Gewaltsystem beteiligt. Auch wir üben Gewalt aus. Das ist eine besondere Stärke dieses Textes. Er denkt nicht Schwarz-Weiß. Hier die Guten, dort die Bösen. Er bringt das Thema Mittäterschaft zur Sprache. Natürlich sind Angehörige der Unterschicht in besonderer Weise Opfer von Gewalt. Aber dabei bleibt Paulus nicht stehen. Das römische Reich funktioniert, weil so viele in ihrem Alltag das System von Herrschen und Beherrschtwerden mit Leben erfüllen. Sklaven z.B. befehligen über andere Sklaven und üben im Namen ihrer Herren Gewalt aus. Wer sich weigert, dies zu tun, riskiert sein Leben. Auf Baustellen und in Betrieben drängen Arbeiter andere zu größerer Eile. Sie geben den Druck von Chefs und Auftraggebern weiter. So provozieren sie Überlastung und Unfälle.

Innerhalb ihrer Gottesdienste bringen die Messiasleute ihre Klage über die Welt vor Gott. Dabei stellen sie sich nicht als die reinen Gottesfürchtigen dar, sondern sehen sich als Mittäter in einer Welt voller Gewalt. Da ist kein Gerechter, nicht einer. Der Gottesdienst ist der Ort, an dem sie ihr Leiden an der Welt, ihr Leiden an ihrem Versagen vor Gott bringen können. Sie legen all das Gott ans Herz, in der Hoffnung, dass er diesem Leid ein Ende setzen wird.

In Röm 8,35-36 führt Paulus seine Klage und seine Gesellschaftsbeschreibung in kürzeren Worten fort. Hier steht das Ergehen der Messiasleute im Vordergrund: Sie werden ausgegrenzt, bedrängt und verfolgt, von der Gesellschaft und den Staatsorganen. Sie erleiden Hunger, weil im römischen Reich Mangel an Nahrungsmitteln zur Tagesordnung gehört. Missernten in wichtigen landwirtschaftlichen Zentren konnten die Versorgung ganzer Regionen gefährden. Arme haben oft genug nicht genügend Kleidung. Ihre materielle Armut verhindert, dass sie sich angemessen kleiden können.

Das Zitat aus Ps 44,23 in Röm 8,36 fasst diese Erfahrungen zusammen: »So steht es geschrieben: Um deinetwillen werden wir getötet Tag für Tag, als Schlachtvieh werden wir angesehen.« Die Messiasleute fühlen sich in ihrem Alltag, in dieser Gesellschaft, dem gewaltsamen Tod geweiht. Sie leben in einem Tod bringenden System. Genau dieses Lebensgefühl haben sie im Beten der Psalmen bei ihren Gottesdiensten vor Gott gebracht. Da sie mitten im Alltag zu ihren Versammlungen zusammenkamen, konnten sie beinahe gar nicht anders, als genau das zu tun.

In Röm 8 steht dies aber in einem bestimmten thematischen Zusammenhang, der auch mit zentralen Inhalten der Psalmen zu tun hat. In Röm 8,31 wird die Passage des größeren Abschnittes Röm 8,1-39 mit einer uneingeschränkten Vertrauensaussage eingeleitet: »Ist Gott für uns, wer mag wider uns sein?« In Ps 118,6 heißt es: »Gott ist für mich. Ich fürchte mich nicht. Was können Menschen mir tun?«

Das ist ein Thema, das sich durch das ganze Buch der Psalmen zieht: Die Beterinnen und Beter wissen sich von Gott getragen und gehalten. Gott ist der Grund ihres Lebens. Paulus und die anderen Messiasleute stimmen in diese Worte mit ein. Für sie zeigt sich in der Auferweckung des gekreuzigten Messias, dass Gott Halt gibt. In den Gottesdiensten bringen sie ihr Vertrauen auf den einen Gott zum Ausdruck. Weil dieser Gott, der Jesus von den Toten auferweckt hat, der Grund ihres Lebens ist, können sie die alltägliche Gewalt überhaupt ertragen. »Denn ich verlasse mich darauf: Weder Tod noch Leben, weder himmlische noch staatliche Mächte, weder die gegenwärtige Zeit noch das, was auf uns zukommt, weder Gewalten der Höhe noch Gewalten der Tiefe, noch irgendein anderes Geschöpf können uns von der Liebe Gottes trennen, die im Messias Jesus lebendig ist, dem wir gehören« (Röm 8,38-39).

Der Messiasleute setzen ihr ganzen Vertrauen auf den Gott Israels und seinen Messias. Dies bezeugen sie bei ihren Zusammenkünften. Damit machen sie aber auch klar, wer der Grund des Lebens nicht sein kann: all die Größen, auf die die Stadt Ephesus baut, all das, worauf das Imperium Romanum sein Vertrauen setzt, z.B. auf die mächtigen Kaiser in Rom, die mit Inschriften und Bauten geehrt werden.

Dies gipfelt gewissermaßen in 1 Kor 15,25: »Der Messias soll nämlich Macht ausüben, bis Gott ihm alle diese feindlichen Gewalten unter seine Füße wirft.« Hier wird Ps 110,1 aufgenommen: Gott legt im Psalm die Feinde des Messias als Schemel unter dessen Füße. Die Macht des Messias wird auf Gottes Herrschaft bezogen und ist nur von Gott her zu verstehen. Das gilt auch für die neutestamentliche Aufnahme des Psalms. Der Messias Jesus ist zunächst gescheitert und den elenden Tod am Kreuz gestorben. Gott hat ihn aber von den Toten auferweckt.

Dass der Messias über den Tod hinaus eine Zukunft hat, gründet in der schöpferischen Macht des Gottes Israels. Dies ist aus der Perspektive des Paulus ein Akt in der Vergangenheit. Es ist der Beginn von etwas Neuem. Die Aufnahme von Ps 110 richtet nun den Blick auf die Gegenwart der Messiasleute in Ephesus, Korinth und anderswo. Jetzt sitzt der Messias zur Rechten Gottes. Er ist bei Gott und übt Macht aus. Für die Zukunft erhofft 1 Kor 15,25, dass Gott die feindlichen Gewalten unter die Füße des Messias werfen wird. Wenn die Messiasleute diesen Psalm sprechen oder singen, dann bringen sie damit eines zum Ausdruck: Alle Mächte und Gewalten, sogar der Tod, werden ein Ende finden. Alles wird entmachtet – das heißt für Paulus: alles, nur Gott selbst nicht. Und schlussendlich wird auch der Messias Gott seine Macht übereignen – dann ist Gott alles in allem (1 Kor 15,28). Es ist bemerkenswert, dass Paulus für den Endpunkt der Geschichte keine Begriffe oder sprachliche Bilder aus dem Bereich ›Macht und Herrschaft‹ verwendet. Das macht deutlich: Die von Gott bestimmte Zukunft ist frei von jeder Art von Herrschaft, jeder, auch einer messianischen Herrschaft über die Feinde Gottes.

Mit der Aufnahme von Ps 110,1 sagen die Messiasleute den gegenwärtigen Imperien das Ende an. Mit diesem Psalm sagen sie auch, welche Bedeutung der Messias Jesus für sie hat, jetzt nach seiner Auferstehung. Darüber können sie nur mit Hilfe der alttestamentlichen Psalmen sprechen, anders wäre dies für sie kaum möglich. Schon die Auferweckung Jesu, dieses grundstürzend neue Ereignis, können sie eigentlich nur mit Hilfe ihrer Bibel zum Ausdruck bringen: Jesus ist gemäß der Schrift am dritten Tag auferweckt worden (1 Kor 15,4). Jetzt, wo Jesus nicht mehr, auch nicht in Erscheinungen als Auferstandener, erfahrbar ist, da brauchen seine Anhänger ihre Bibel, um zu sagen, wo Jesus jetzt ist. Ps 110,1 gibt die Richtung vor, wie sie nach der Auferstehung die Anwesenheit Jesu denken und aussagen können. Sie stellen keine wilden Spekulationen an. Von ihrer Bibel her kommen sie zu der Aussage: Der Messias sitzt zur Rechten Gottes und hat Anteil an Gottes Macht. Das Alte Testament dient hier nicht der Illustration der Bedeutsamkeit Jesu. Alttestamentliche Texte geben die Richtung vor, wie von Jesus gesprochen werden kann: als Messias, der von Gott Macht erhält.

Dies ist aber nur in gewisser Weise indirekt zu erleben. Die menschlichen Imperien üben ihre Gewalt weiterhin aus und unterdrücken die Völker. Christus ist mitten in diesem Weltchaos erfahrbar gegenwärtig, und zwar wenn die Messiasleute beim gemeinsamen Essen ihre Mittel zum Leben teilen, wenn sie sich mit Anerkennung und Solidarität begegnen, wenn sie gemeinsam beten und von Gottes Macht singen. All dieses Tun zeigt gewissermaßen gleichnishaft, von welcher Qualität die Herrschaft des Messias ist. Sie beginnt da Wirklichkeit zu werden, wo Menschen genug zu essen haben, wo miteinander geteilt wird, wo sie Anerkennung und Wertschätzung spüren. Damit bietet die Gemeinschaft der Messiasleute ganze andere Erfahrungen als der Alltag in den viel zu engen, zu dunklen und ungesunden Wohnungen der Wohnblocks der antiken Großstadt. Im Alltag sind die Mittel und der Raum zum Leben knapp, die Erfahrungen von Gewalt und Erniedrigung allgegenwärtig. Dem setzen die Messiasleute etwas entgegen, in der solidarischen Gemeinschaft und in den Bildern der Hoffnung auf ein Leben ohne Mangel und Gewalt.

# 6. ÜBERREGIONALE VERNETZUNGEN – DER HAFEN

Immer wieder machten sich Paulus, Prisca oder Aquila auf in Richtung Hafen. Dort gab es vieles von dem zu kaufen, was sie für die Werkstatt brauchten. Diese nicht versiegende Versorgungsquelle hielt ihr Gewerbe am Laufen und sorgte so für ein Auskommen. Ein klein wenig fiel auch für die Finanzierung ihrer Arbeit für den Messias Jesus dabei ab. Beim ersten Gang zum Hafen wurden bei Paulus Erinnerungen an die Ankunft in Ephesus vor einigen Jahren geweckt. Damals kamen sie mit dem Schiff in dieser Metropole der Asia an.

Dort im Hafen trafen sie Glaubensgeschwister, Sklaven, die hier schuften mussten. Zahlreiche Schiffe lagen hier vor Anker. Scharen von Sklaven löschten ihre Fracht oder beluden sie für eine neue Fahrt. Die Peitsche der Aufseher hielt sie auf Trapp. Die Angst vor Schlägen spornte sie so lange zur Eile, bis die Erschöpfung sie zu einem anderen Tempo zwang. Schiffe erhielten neue Ausrüstungen, Taue wurden ersetzt, schadhafte Segel repariert, einzelne neue Ruder brachte man an Bord. In den großen Gebäudekomplexen rund um den Hafen fanden intensive Verhandlungen über den Kauf und Verkauf der angelandeten Waren und Handelsgüter statt. Ganze Schiffsladungen wechselten dort den Besitzer.

Der Hafen war nicht nur die Versorgungsquelle für ihre kleine Werkstatt. Warenströme unermesslichen Ausmaßes wurden von hier in die Weiten des Reiches geschickt. Große Mengen an Güter für die zahlungskräftige Kundschaft der Asia wurde hier an Land gebracht. Ohne solche Häfen wäre das alles nicht möglich gewesen. Die schieren Mengen an

Menschen und Gütern – sie schüchterten die Messiasleute immer wieder ein. Hier wurden sie gewahr, wie groß und reich das Imperium war, und wie klein dagegen ihre Gruppe.

## Das Tor zum Reich

Schaut man heute auf die Landkarte der westtürkischen Küste, so wundert man sich, dass Ephesus eine Hafenstadt war. Das Ruinenfeld der antiken Stadt liegt mehrere Kilometer von der Küstenlinie entfernt. Die Wasser des Küçük Menderes, der in der Antike Kaystros hieß, hat über die Jahrhunderte Unmengen an Kalk und anderem Sedimentgestein aus den Bergen an die Küste transportiert, wo es sich im Mündungsgebiet ablagerte. Dies war schon in der Antike ein großes Problem: Der Hafen von Ephesus drohte ständig zu versanden. Immer wieder musste das Hafenbecken und die Fahrrinne vom Hafen zum Bett des Kaystros von den Ablagerungen befreit werden. Gerade die Kaiser wurden hier bei diesen aufwändigen Projekten um Hilfe gebeten. Diese traten dann wahrscheinlich alles andere als unwillig in ihrer Funktion als Wohltäter der Menschen im Reich auf.

Wie der Hafen zur Zeit des Paulus ausgesehen hat, lässt sich heute sehr schwer sagen. Das Hafenareal ist bisher archäologisch nicht in größerem Umfang erkundet worden. Auf jeden Fall ist das Hafenbecken mit Kaianlagen nachweisbar. Die Schiffe konnten an festen Kaimauern anlegen. Das erleichterte das Be- und Entladen der Schiffe. Schätzungen zufolge soll es neben den steinernen Hafenmauern im Hafenbecken hölzerne Anlegestellen für vielleicht 2500 Schiffe gegeben haben.

Des Weiteren hat man zwei große dreischiffige Hallen ausgegraben. Sie sind 25m x 60m bzw. 120m groß. Die Hallen weisen innerhalb des Baus keine Zwischenwände auf. Sie unterscheiden sich aber von den im römischen Reich ausgegrabenen Speicherbauten. Die archäologischen Fachleute gehen deswegen davon aus, dass es keine Lagerhallen waren, sondern große Markthallen: In ihnen wurden die im Hafen ankommenden Waren weiterverkauft. Lagerhallen muss es aber gegeben haben. Bis jetzt sind allerdings keine Überreste gefunden worden.

Das Hafenareal wurde von prachtvollen Torbauten begrenzt. Es ist aber nicht klar, ob diese Bauten schon im 1. Jh. n. Chr. standen. Die steinernen Relikte stammen aus späteren Zeiten. Solche Gebäude hatten kaum einen praktischen Nutzen und dienten der Repräsentation der gesellschaftlichen Stellung ihrer Erbauer und Finanziers.

Die Provinz Asia und ihre Hauptstadt waren vom regionalen und überregionalen Handel geprägt. Im Hafen von Ephesus kamen nicht nur Touristen aus fernen Provinzen des Reiches an, die unbedingt zum Tempel der Artemis wollten. Viele Waren ganz unterschiedlicher Art wurden hier umgeschlagen und mehrten den Reichtum der Stadt.

Marmor, in ganz unterschiedlicher Form verarbeitet, Keramikprodukte in allerlei Gestalt, Wein aus Ephesos und der Stadt Metropolis – das waren Güter, die von Ephesus aus in andere Gegenden des Imperiums verkauft und verschifft wurden. Rings um Ephesus sind viele Marmorsteinbrüche zu finden. Durch die rege Bautätigkeit im 1. und 2. Jh. n. Chr. wurde viel Marmor in Ephesus selbst gebraucht. Archäologische Funde zeigen, dass verarbeiteter Marmor aus Ephesus z.B. in Form von Sarkophagen exportiert wurde. Die besondere Qualität des ephesinischen Marmors, weiß mit schwarzen Einsprengseln, machte ihn zum begehrten Baumaterial. Im römischen Reich gab es eine Käuferschicht, die solch teure Luxuswaren kaufen wollte und konnte.

Ein weiteres hochwertiges Handelsgut war der Wein. Der antike Reiseschriftsteller Strabo hebt die Qualität der Weine aus der Region in seinen Schriften hervor (in: Geographie 14,1,5). Der mineralhaltige Boden des Kaystrostals bot dem Weinanbau beste Bedingungen. Der Artemis-Tempel mit seinen zahlreichen und großen Festen nahm bedeutende Mengen an Wein ab. Vielleicht ließ sich der eine oder andere betuchte Tempeltourist eine Amphore Wein nach Hause schicken, zur Erinnerung an Artemis und die Feste in ihrem Tempel. Es gibt auf jeden Fall Hinweise, dass Wein aus dieser Gegend ein gutes Exportgut war. Auch dies ist ein Produkt für die zahlungskräftige Kundschaft. Der Transport auf Schiffen über viele Seemeilen hinweg machte aus Wein ein teures Produkt. Im »Gastmahl des Trimalchio« (76) von Petronius lesen wir: Der Wert von fünf Schiffen mit einer Ladung edlen Weins von 5 Schiffen betrug 30 Millionen Sesterzen. Auch wenn man die Kaufkraft eines Sesterz nicht genau ermitteln kann: 30 Millionen sind eine sehr große Summe!

## Zeige den Reichtum und kauf Luxusgüter!

Hier im Hafen von Ephesus waren die Auswirkungen des völlig ungleich verteilten Reichtums mit Händen zu greifen. Die Kaimauern, die Lager- und Verkaufshallen rings um den Hafen, die Handelsschiffe und die vielen Menschen – all das wäre nicht hier, wenn es nicht die Reichen und Superreichen gegeben hätte, die für teure Waren Geld ausgeben konnten und wollten. Häufig wird der Grund für Handelsaktivitäten darin gesehen, dass Menschen einen Bedarf an bestimmten Produkten nur über den Tausch von Gegenständen decken konnte. Bedürfnisbefriedigung ist hier die Triebfeder. Die Erklärung ist wichtig. Sie greift aber für das Entstehen des Handelns im großen Stil, insbesondere des überregionalen Handelns, überhaupt nicht. Nicht der allgemeine Bedarf nach diesem oder jenem Gut führte dazu, dass Handelsschiffe viele Waren über große Entfernungen transportierten, dass Händler aufbrachen, um im fernen Osten Güter wie Seide aufzukaufen.

Der Grund hierfür liegt im schlichten Vorhandensein einer kaufkräftigen Oberschicht im römischen Reich. Die vielen Eroberungen hatten den Mächtigen in Rom große Reichtümer gebracht. Auch viele Jahre nach dem Einbringen der riesigen Kriegsbeute füllten vielfältige Einnahmen aus den Provinzen die Geldbeutel und Konten der römischen Oberschicht. Dieses Geld wollte ausgegeben werden. Eine Möglichkeit, dieses zu tun, war der Erwerb von Luxusgütern. Diese kaufte man jedoch nicht, um das viele Geld zu verschleudern. In der griechisch-römischen Gesellschaft war es wichtig, den Reichtum, den man hatte, auch zu zeigen. Das fing an bei der Ausstattung des eigenen Hauses. Die Kleidung und der Schmuck gehörten dazu, genauso wie die Ausrichtung prunkvoller Feste im Haus. Reichtum musste präsentiert werden, damit man gesellschaftliche Anerkennung bekam. Das Wissen um ein sehr gut gefülltes Bankkonto machte einen Römer, der etwas auf sich hielt, nicht zufrieden. Er brauchte die Bewunderung der anderen, er brauchte den Applaus für das, was er geschaffen hatte. Ohne die Anerkennung war all das nichts wert. So erwarben die Mächtigen Dinge, die dazu dienten, den Reichtum zu zeigen: Kleidung, Nahrungsmittel, besondere Hölzer, Schmuck – alles, was die Sehnsucht nach präsentablem Reichtum begehrte. Solche Dinge lieferten ihnen die Händler, deren Schiffe und Karawanen von Ferne Waren herbeibrachten.

Kleidung war eine der Möglichkeiten, auch außerhalb des eigenen Hauses das Vermögen zu repräsentieren. Die

Purpurstreifen auf der Toga eines wohlhabenden Mannes in Rom zeigte seinen Rang als Senator an. Mit Purpur und Gold wurde Kleidung ausgestaltet und verziert. Diese Materialien waren die Kennzeichen luxuriöser Kleidung. Wildseide aus der Ägäis kannte man schon länger. In römischer Zeit wurde begonnen, chinesische Seide einzuführen. Römisches Geld gelangte so bis China. Seide wurde zum Inbegriff der Extravaganz. Kleinasien insgesamt war für seine hochwertige Textilproduktion bekannt. Im Gebiet der heutigen Türkei wurde in der Antike viel Wolle produziert. Da das technische Know-how vor Ort sehr gut war, wurde die Wolle hier sofort weiterverarbeitet. Städte im Umfeld von Ephesus, wie Milet, Laodicea, Thyatira und Kolossä galten als Hochburgen der Textilproduktion. Plinius der Ältere lobte die hohe Qualität der Wolle aus Milet (Naturkunde 8,190). Auf hohem technischen Niveau produzierte man teure Kleidungsstücke für die Oberschicht im gesamten Reich. So manches Stück aus den Werkstätten in und rund um Ephesus wurde über den Hafen in die Weiten des Imperiums verschifft.

Die fiktive Episode vom Volksaufstand gegen Paulus, der von den Silberschmieden angezettelt worden sei (Apg 19,8-41), zeigt, dass sich im Umfeld des Artemis-Heiligtums hochwertiges Handwerk ansiedelte. Schmiede fertigten Silberschmuck an, der gerade in auswärtigen Besuchern gute und zahlreiche Abnehmer fand. Handwerksbetriebe produzierten nicht nur Gegenstände für den Alltagsgebrauch, sondern teuren Schmuck und dekorative Einrichtungsgegenstände.

Der bereits erwähnte Marmor war im griechischen Osten schon lange ein bekannter und viel verwendeter Baustoff. Durch die Herrschaft des Augustus war Marmor allerdings so richtig in Mode gekommen. Augustus trat als tatkräftiger Unterstützer und Diener der alten römischen Götter auf. Eine Vielzahl von Tempel ließ er restaurieren, und zwar mit Marmor. Die Verehrung der Götter vollzog sich durch Renovierung der Tempel mit den unterschiedlichsten Marmorsorten. Damit setzte der Imperator bauliche und dekorative Standards, die auch in den Provinzen Verbreitung fanden. Marmor wurde zum heißbegehrten Baustoff, dessen schwieriger Transport ihn aber auch zu einem nicht gerade günstigen Material machte. Ein Kubikmeter Marmor schlägt mit 2,75 Tonnen Gewicht zu Buche – ein wahrlich schwerer Brocken, der aber in vielfältiger Weise und mit hohem Sachverstand bewegt und transportiert wurde. In Ephesus hat man lange den eigenen Marmor verbaut, aber für die Zeit ab dem 2. Jh. n. Chr. ist auch Importmarmor nachweisbar.

Der Reichtum der imperialen Oberschicht brachte den überregionalen Handel in Gang und hielt ihn lange am Leben. Es war eine Bedürfnisbefriedigung ganz besonderer Art, die Wirtschaft und Handel Dynamik verlieh. Dies ist keine römische Besonderheit, sondern ein Charakteristikum der Geschichte antiker Imperien. Dabei ist es wichtig, dass nicht nur die Oberschicht im Zentrum des Reiches so agierte. Das hätte nie und nimmer ein solche Dynamik nach sich gezogen. Nicht nur die Oberschicht in Rom wollte mit ihrem Reichtum luxuriöse Dinge erwerben. Auch die Oberen in den verschiedenen Städten des Reiches hegten ähnliche Wünsche. Wenn Aelius Aristides (gest. 181 n. Chr.), griechischer Rhetor und Schriftsteller, davon spricht, dass Warenströme aus aller Herren Länder nach Rom gelangen (Romrede 11), ist das nur die halbe Wahrheit. Auch andere Großstädte wie Alexandria, Antiochia, Ephesus und Karthago waren Ziel vieler Händler und ihrer Waren. Die lokale Oberschicht in den Provinzen hatte Anteil am imperialen Reichtum und konnte auf die Ressourcen der verschiedenen Provinzen zurückgreifen. Erst so war es möglich, dass das römische Reich über einen so langen Zeitraum Bestand hatte. Die Oberen in den Provinzen, auch wenn sie im 1. Jh. häufig noch nicht römische Bürger waren, profitierten von den wirtschaftlichen Strukturen ihrer Zeit. Sie konnten Waren aus fernen Gegenden des Reiches kaufen. Ihre Häuser schmückten Kunsthandwerk aus Ländern östlich der arabischen Wüste. Sie konnten so zeigen, wie reich sie sind. Deswegen war es für sie in vielerlei Hinsicht vorteilhaft, Teil des Imperium Romanum zu sein.

## Was sonst noch verschifft wurde

Natürlich wurden im Hafen von Ephesus nicht nur Luxusartikel umgeschlagen. Die Keramikfunde im Hafengebiet verweisen auf Waren für den Alltag, die mit Handelsschiffen auf die Reise gingen. Tongeschirr, das in großen Mengen recht einfach hergestellt werden konnte, hatte sich im Laufe der Antike als Alternative zu Schalen und Tellern aus Metall etabliert. In römischer Zeit waren Tonwaren zu einem Massenartikel geworden. Es gab in den Provinzen einzelne Zentren der Töpferei, wo die Massenproduktion von Tongeschirr möglich war. Auch in Ephesus und im Umland gab es große Produktionsstätten für Keramik.

Ein weiteres wichtiges Massengut war Getreide. Viele Städte, natürlich insbesondere Rom, hatten eine Größe erreicht, dass das Umland nicht ausreichte, die Stadtbevölkerung mit Nahrungsmitteln zu versorgen. Die Ursachen für das beträchtliche Anwachsen der Städte im römischen Reich sind vielfältig. Ein Grund war die Konzentration von Landbesitz in den Händen der Reichen. Riesige Latifundien verdrängten kleinbäuerliche Betriebe. Die kleinen Höfe waren der Konkurrenz, die durch den massiven Einsatz von Sklaven deutlich billiger produzieren konnte, nicht mehr gewachsen. Ihre Besitzer gaben auf.

Die kleinbäuerlichen Familien zogen in die Städte, in der Hoffnung, dort neue Erwerbsmöglichkeiten zu finden. Das Wachsen der Städte, die konstant hohe Bautätigkeit, die Verarbeitung und der Transport von Waren – auch das alles bot eine neue berufliche Perspektive und zog so Menschen an, die auf der Suche nach Arbeit und Brot waren. Auch Ephesus dürfte so gewachsen sein.

Für die immer größer werdende Bevölkerung musste Getreide in riesigen Mengen aus weiter entfernten Gegenden herbeigebracht werden. Für Rom gibt es folgende grobe Modellrechnung: Die Bevölkerung Roms zur Kaiserzeit wird auf ca. 1 Million Menschen geschätzt. Dabei geht man von einem Weizenbedarf von 150.000t pro Jahr aus. Für Ephesus hieße das, bei einer angenommenen Bevölkerung von 250.000 Menschen: Die Stadt hatte dann 37.500 t Weizen nötig. Selbst wenn die Hälfte des Getreides im Umland produziert werden konnte (die Provinz Asia war eine für die Landwirtschaft geeignete Gegend), mussten knapp 19.000t von Ferne herbeigeschafft werden. Athen hatte im 5. Jh. v. Chr. seine Versorgung mit Weizen aus dem Schwarzmeerraum sichergestellt. Für die Asia dürfte auch das eine Möglichkeit gewesen sein. Im Jahr mussten dann ungefähr 125 Schiffe, die ca. 150t Ladekapazität hatten, den Hafen an der Kaystrosmündung anlaufen. Römische Handelsschiffe konnten entsprechend den vielfältigen archäologischen Funden im Mittelmeer 60-300t Ladung aufnehmen. Die Größe von 100-150t ist am häufigsten gefunden worden. Auch für diese Schiffe mit der so wichtigen Fracht brauchte man einen derart gut ausgebauten Hafen. Für die Versorgung der Stadt war es unerlässlich, dass der Zugang zum Hafen immer wieder von Ablagerungen des Flusses befreit wurde.

Die Herrschenden (vom Kaiser in Rom bis zu den Oberen in den Städten) sahen es als ihre Aufgabe an, die Bevölkerung halbwegs ausreichend mit Grundnahrungsmitteln zu versorgen. Das geschah nicht aus purer Menschenliebe, sondern sie wollten sich als Regierende zeigen, die ihr Volk versorgen konnten. Sie wollten demonstrieren, dass sie zu Recht die Herrschaft ausüben. Menschen, die erlebten, dass die Regierung sie nicht versorgen kann, waren bereit zur Revolte. Die Regierenden der großen Städte mussten somit Sorge dafür tragen, dass Getreide auf Schiffen herbeigeschafft wurde. Die Waren im Hafen waren im gewissen Sinne Mittel zur Herrschaftssicherung.

## Rom verdient mit

Monumentum Ephesium – eine Inschrift des Zollgesetzes der Asia (62 n. Chr.)

Wie heute schaute der Staat beim geschäftigen Handel nicht einfach nur zu. Er verdiente mit. Handelswaren wurden damals wie heute mit Abgaben oder Gebühren belegt. In Ephesus wie in anderen Hafenstädten wurden für die Anlandung von Waren im Hafen Gebühren verlangt. Durch den Fund des Zollgesetzes der Provinz Asia in Ephesus haben wir einen recht konkreten Einblick in diesen Bereich antiker Wirtschaft. Das Zollgesetz aus der Regierungszeit Neros, genauer aus dem Jahr 62 n. Chr., nimmt rechtliche Regelungen aus dem 1. Jh. v. Chr. auf und schafft verlässliche Standards für seine Zeit. Das Zollgesetz wurde bei seinem Inkrafttreten öffentlich im Hafen aufgestellt, so dass alle wussten, wofür Gebühren zu entrichten waren. Das Eintreiben solcher Einfuhrzölle lag lange Zeit in den Händen von Privatleuten, die für den römischen Staat die Gebühren und auch Steuern eintrieben. Sie wirtschafteten natürlich in die eigene Tasche, indem sie den Leuten mehr Geld, als vom Staat vorgesehen, abnahmen. Das Wirken von privaten Zollgesellschaften und Abgabenpächtern war einer der Gründe, warum in der Asia so viele dem Aufstand unter der Führung von Mithridates gegen Rom folgten (88 v. Chr.). Das Zollgesetz unter Nero sollte hier Klarheit und im weitesten Sinne für Rechtssicherheit sorgen. Die Bevölkerung sollte nicht völlig willkürlich ausgeplündert werden.

Wichtig ist, dass das Gesetz bestimmte Waren von Zöllen ausnahm: Alle Güter, die für das römische Volk bestimmt waren, waren zollfrei. Auch auf Metalle, die zur Münzprägung dienten, wurden keine Gebühren erhoben. Die Produktion von Geld sollte nicht verteuert werden. Sklaven für den privaten Gebrauch waren ebenfalls befreit; die menschlichen Maschinen, die vieles im Reich am Laufen hielten, wurden so staatlich subventioniert. Gleichzeitig legte das Gesetz fest, dass Tiere für den Eigenbedarf zollfrei waren. Das zeigt noch einmal, welchen Stellenwert Sklavinnen und Sklaven hatten. Wer sie zum Verkauf einführte, musste natürlich dafür zahlen. Zollfrei waren auch z.B. Bücher, Schreibwaren, Schuhwerk und andere Dinge für den persönlichen Bedarf.

Die Gebühr betrug für zu verzollende Waren 2,5% des Warenwertes. Eine Ausnahme bildeten auch hier wieder Sklaven, genauer junge Sklaven: Für jede/n war pauschal 5 Denare zu zahlen. Auch daran sieht man, wie wichtig Sklaven in der Sicht des Staates für die Wirtschaft waren. Wer seine Ware nicht ordnungsgemäß an den Zollstellen im Hafen anmeldete, der musste nicht, wie heute, nachträglich den Zoll entrichten und ein Bußgeld zahlen. Man verlor die Ware: Die Zollstelle zog alles ein, eine nette Nebenerwerbsquelle für die Zöllner.

## Reichtum durch Sklaverei

Das Be- und Entladen der Schiffe, der Transport der Waren vom oder zum Hafen und auch der Bau und Unterhalt der vielen Schiffe brauchten die Arbeit unzähliger Hände, Hände von Menschen, die nicht entlohnt wurden: Menschen, die von den Oberen der Gesellschaft gar nicht als Menschen anerkannt wurden. Sklavinnen und Sklaven arbeiteten überall in der griechisch-römischen Gesellschaft. In vielen Bereichen stellten sie das Rückgrat der wirtschaftlichen Abläufe dar. Über die wirtschaftliche Bedeutung der Arbeit von Sklavinnen und Sklaven ist in der Geschichtswissenschaft viel gestritten worden. Es bleibt ein grundlegendes Kennzeichen antiker Wirtschaft, dass billige Arbeitskräfte im Überfluss zur Verfügung standen. Sklavinnen und Sklaven, die große Anzahl von Menschen in Städten, die im unteren Bereich der sozialen Leiter ihr Dasein fristeten, stellten für den Arbeitsmarkt einen unermesslichen Pool an Arbeitskräften dar, der ausgebeutet werden konnte. Der Nachschub an Sklavinnen und Sklaven konnte nach Ende der großen Eroberungsfeldzüge im Laufe des 1. Jh. v. Chr. nicht mehr aus der Kriegsbeute gedeckt werden. Versklavte Frauen brachten Kinder zur Welt, die mit der Geburt versklavt waren. Darüber hinaus darf die Möglichkeit eines Sklavenhandels mit den Völkern jenseits von Rhein, Donau und dem Schwarzen Meer nicht außer Achtgelassen werden. Auch in Ephesus wurde lebendige Ware angelandet und weiterverkauft.Die Bestimmungen im Zollgesetz verweisen auf die gängigen Handelsgüter.

Der Hafen von Ephesus war ein Ort, der entstehen konnte, weil Arbeitskraft in Hülle und Fülle da war. Billige Arbeitskräfte ermöglichten den Warentransfer über weite Strecken. Ein großes Warenvolumen konnte deswegen überhaupt im bezahlbaren Rahmen umgeschlagen werden.

## Vernetzte Wirtschaft

Der Hafen einer antiken Großstadt steht für ein vernetztes Wirtschaftssystem: Handel wird über größere Entfernung hin betrieben. Waren ganz unterschiedlicher Art werden von einem Ort zu einem anderen gebracht, auch über viele hundert römische Meilen hinweg. Weit entfernte Gegenden standen so im wirtschaftlichen Austausch miteinander. Auch über die Grenzen des Imperiums hinweg erstreckten sich Handelsbeziehungen. Dieser Austausch von Waren und Geld fand aber nur statt, weil einige wenige über Mittel verfügten, die diversen Güter zu erwerben. Oder der überregionale Getreidehandel fand statt, weil gesellschaftliche Umbrüche die Städte so anwachsen ließen. Die vernetzte Wirtschaft ist damit Ausdruck des Lebens im Imperium: Ohne die große Machtentfaltung Roms hätte es die wirtschaftlichen Mittel und Notwendigkeiten für diese Form von Handel nicht gegeben. Die Handelsschiffe brachten zum Teil Waren, die niemand wirklich brauchte. Aber man wollte sie unbedingt haben. Für das Vermögen und die Macht, diesen Willen umzusetzen, steht der Hafen.

## Sammeln für Jerusalem – Leben in Beziehung

Paulus und all die anderen arbeiteten während ihres Aufenthaltes in Ephesus an einem Netzwerk ganz anderer Art, das Menschen über weite Entfernungen miteinanderverband.

In 1 Kor 16,1-4 spricht Paulus von einer Geldsammlung für die Heiligen. Damit ist die Jesus-Anhängerschaft in Jerusalem gemeint. Für sie soll und wird in den unterschiedlichen Gemeinschaften außerhalb Israels Geld gesammelt. In 1 Kor 16,1 ist von den Gemeinden in Galatien die Rede. Ihnen wurde genau gesagt, wie die Sammlung durchzuführen ist: Am ersten Tag der Woche soll etwas für Jerusalem zurückgelegt werden. So soll auch in Korinth gesammelt werden. Im 2. Brief nach Korinth kommt Paulus noch einmal differenziert auf das Projekt ›Sammeln für Jerusalem‹ zurück. Er befindet sich hier schon auf dem Weg nach Korinth, wahrscheinlich in Mazedonien. In 2 Kor 8-9 wird für die Kollekte Werbung gemacht. Paulus stellt hier dar, warum die Sammlung so wichtig ist.

In 2 Kor 8,1 spricht Paulus die Menschen in Korinth als »Brüder« an. Dies ist nicht einfach bildhafte Sprache, mit der man zeigen will, wie nahe man sich ist. Es geht hier um eine theologische Begründung der Beziehung zwischen den Menschen in den Gemeinden. Nach 2 Kor 6,16-18 sind für Paulus die Messiasleute Söhne und Töchter Gottes: »Ich werde unter ihnen wohnen und mit ihnen gehen. Ich werde Gott sein für sie, und sie werden mein Volk sein.« Dies sind sie, weil Gott einen Bund mit ihnen schließt.

Paulus zitiert hier die sog. Bundesformel aus dem Alten Testament (vgl. Jer 24,7; 31,1; Ez 37,27 u.ö.). Damit geht Gott eine intensive Verbindung zu den Menschen ein und verpflichtet sich, diese Bindung zu bewahren und für die Menschen einzutreten. Ihrerseits sollen die Menschen auch in der Beziehung zu dem einen Gott bleiben. Der Bundesschluss macht die Menschen zu Geschwistern, da sie alle Söhne und Töchter Gottes sind. Geschwister sind – so die alttestamentliche Vorstellung – zur gegenseitigen Solidarität verpflichtet. Dies ist eine wichtige theologische Grundlage des Werbens für die Geldsammlung.

Für 2 Kor 8-9 ist das Wort Mangel (griech.: hystérema) von Bedeutung. Mangel charakterisiert häufig die wirtschaftliche Situation von sozial Deklassierten, die das Lebensnotwendige entbehren müssen. Ihre Armut, ihr Mangel war häufig das Ergebnis der Ausplünderung durch Mächtigere (vgl. Mk 12,40-44). Der Mangel auf Seiten der Geschwister in Jerusalem soll durch die zu sammelnden Spenden beseitigt werden. »In dieser Stunde soll euer Überfluss ihren Mangel füllen« (2 Kor 8,14).

Die Situation sozial Deklassierter zu verbessern oder gar vollständig zu ändern entspricht in keiner Weise den Zielen, die frühe Theoretiker für wirtschaftliches Handeln formuliert hatten. Die Erfahrung von Mangel (hier häufig griech.: chreía) ist in der Sicht griechischer Philosophen die Triebfeder, weswegen Menschen ganz allgemein kulturelle Tätigkeiten entwickeln. Der Mangel an einem wärmenden Fell z.B. zwang die Menschen förmlich, Kleidung herzustellen. Wirtschaftliche Tätigkeiten gehören in diesen Bereich menschlichen Tuns. Es sollte den Mangel an bestimmten Gütern beseitigen. Aristoteles zeigt dieses an den wirtschaftlichen Prozessen einer Stadt auf. Hier gibt es Menschen, die unterschiedliche Dinge produzieren. Sie brauchen deswegen verschiedene andere Dinge, die sie selbst aber nicht herstellen (Nikomachische Ethik 1133a). Ein Bäcker hat zwar Brot, aber er stellt keine Schuhe her. Der Schuster kann zwar Schuhe anfertigen, er schmiedet aber nicht die Metallwerkzeuge, die man dafür braucht. Zur Behebung des Mangels tauschen Menschen ihre Produkte und Fertigkeiten. Dadurch wird wirtschaftliches Handeln in Gang gesetzt. Es soll den Mangel bei den Menschen beseitigen.

Schaut man sich den Aufstieg des römischen Reiches an, zeigt sich: Diese an sich klugen Überlegungen wurden von der gesellschaftlichen Entwicklung völlig überholt. Wenige Reiche standen einer riesigen Gruppe von Armen gegenüber. Wie oben erwähnt: Die Reichen trieb nicht der Mangel an. Für das alltägliche Leben der Menschen aus der Unterschicht ist Mangel ein beherrschendes Merkmal: Mangel an Essen, an sauberen und ausreichend großen Wohnraum, an einer verlässlichen Einkommensquelle. Das konnte nicht einfach, wie Aristoteles sich das vorstellte, durch den Tausch von Gütern und Fertigkeiten beseitigt werden. Zu viele litten darunter, dass ihnen dasselbe fehlte. Sie hatten einfach nichts zum Tauschen.

In 2 Kor 8 wird versucht, etwas gegen diesen Mangel zu tun. Die Armen warten nicht auf Wohltätigkeiten der Reichen, sondern werden selbst aktiv. Paulus versucht, eine Begründung für das solidarische Handeln zu finden. Er findet sie in Ex 16,18 (vgl. 2 Kor 8,15), der Erzählung von der Ernährung Israels in der Wüste. Alle haben in der Wüste genug zu essen, unabhängig davon, wieviel sie jeweils gesammelt haben. Die Ernährung hängt nicht vom Leistungsvermögen ab. Auch eine Vorratshaltung ist nicht nötig und möglich (Ex 16,19-20). Nur am 6. Tag kann für den 7. gesammelt werden. Am Sabbat reicht die von Gott kommende Nahrung ebenfalls für alle – das ist ein wichtiges Thema von Ex 16. Diese Geschichte von Gottes Handeln an Israel in der Wüste ist für Paulus eine Lerngeschichte für die Beziehung zwischen den vielen messianischen Gemeinschaften. So wie Gott den Mangel Israels gestillt hat, sollen die Messiasleute in Korinth und anderswo versuchen, den Mangel der Geschwister in Jerusalem zu stillen. Die alte Geschichte vom Manna in der Wüste bezieht Paulus auf die Erfahrungen von Mangel in der römischen Gesellschaft. Die alte Geschichte aus der jüdischen Tradition, der Tora, wird zur Inspirationsquelle für soziales Handeln in der Gegenwart. Die Tora bildet hier die Basis für solidarisches Handeln.

Die Kollekte will dafür sorgen, dass im Sinne von Ex 16,18 der Mangel der Armen in Jerusalem beseitigt wird, ohne dass die Sammlung zum Mangel bei den Spenderinnen und Spendern führt. Die Gabe für Jerusalem sorgt für einen Ausgleich (2 Kor 8,13). Die Armen bekommen Anteil an dem, wovon eigentlich genug für alle da ist. Durch den Verweis auf Ex 16 werden die im Brief Angesprochenen daran erinnert, dass in Gottes Welt für alle genug zum Leben vorhanden ist. Da aber in der gegenwärtigen Gesellschaft die Güter zum Leben so ungleich verteilt sind, bekommen die Menschen den Auftrag, das Vorhandene so zu teilen, dass es für alle ausreicht.

In 2 Kor 9,7 greift Paulus auf einen weiteren Toratext zurück (Dtn 15,7-14) – einen Text, in dem versucht wird, durch einen regelmäßigen Schuldenerlass den Verwerfungen des Wirtschaftslebens entgegenzuwirken: »Ihr sollt alle sieben Jahre einen Schuldenerlass durchführen« (Dtn 15,1). Schulden sind zwar nicht das Thema in 2 Kor 8-9, aber die von Paulus Angesprochenen sollen ermutigt werden, großzügig von dem, was sie haben, abzugeben. In Dtn 15,10 heißt es dazu: »Gib ihnen reichlich und sei nicht berechnend, wenn du ihnen gibst. Ja, das wird der Grund sein, warum Adonaj, deine Gottheit, alle deine Unternehmungen segnen wird, wonach auch immer du deine Hand ausstreckst.« Vergleichbar denkt Paulus in 2 Kor 9,10:

»Gott gewährt den Säenden Saatgut und Brot zur Speise und wird so auch euch Saat geben und vermehren.«

Es lohnt sich, einen Augenblick bei folgendem Gedanken zu verweilen: Paulus veranstaltet hier keine Charity-Gala, bei der er versucht, von den Betuchten von Korinth, Ephesus oder Pergamon Geld für seine sozialen Aktionen zu bekommen. Nein, die Armen, die Verachteten der Gesellschaft warten nicht darauf, dass Reiche ihnen Geld geben. Sie nehmen die Sache selbst in die Hand und teilen ihre wenige Habe. Dies ist für antike Gesellschaften eigentlich eine Ungeheuerlichkeit. In den Augen der Oberschicht waren die Armen Nichtsnutze, moralisch zweifelhafte Elemente, die nur auf ihren eigenen Vorteil aus sind und über keine Anlagen zu guten und ehrenhaften Taten verfügen. Die Armen – das ist der Mob auf den Straßen, der nur Brot und Spiele will. Paulus und Co. lassen sich, das zeigen ihre Briefe, davon nicht beeindrucken. Von den Vermögenden können sie nur Verachtung erwarten. Deswegen werden sie selbst aktiv, im wahrsten Sinne des Wortes – notgedrungen. Dabei sind ihnen die Schwierigkeiten voll bewusst. Die Armen können ihre spärliche Habe nicht über Gebühr durch die Spendensammlung strapazieren. »Es geht doch nicht darum, dass andere aufleben, während ihr in Not geratet, sondern um einen Ausgleich« (2 Kor 8,13).

Die Sammlung der Armen von Korinth und Mazedonien für Jerusalem ist ein Versuch, den Strukturen der Ausbeutung ein solidarisches Beziehungsnetz entgegenzusetzen und den Geschwistern in Jerusalem ein Leben ohne Mangel zu ermöglichen. Dieses Beziehungsnetz wird im besonderen Maße von den Geboten der Tora getragen (Ex 16; Dtn 15). Die Tora erinnert an das von Gott gewollte solidarische Leben, das innerhalb der ungerechten Strukturen der antiken Klassengesellschaft Gestalt gewinnen soll.

Diese so ausgelegten Weisungen der Tora dienen der Gestaltung der Beziehungen zwischen den Gemeinschaften, die über das östliche Mittelmeer verteilt sind. Männer und Frauen aus Korinth knüpfen Beziehungen zu Menschen aus Jerusalem. In der theologischen Konstruktion des Paulus, welche auf der Bundesvorstellung der Tora basiert, sind sie Geschwister. Über hunderte Kilometer hinweg, unter den Kommunikations- und Reisebedingungen der Antike, gestalten sie diese Bindungen.

Für das Beziehungsnetz zwischen den Geschwistern ist ein weiterer Vorstellungskomplex von höchster Relevanz. Er hängt mit dem griechischen Wort cháris zusammen, das gemeinhin mit Gnade übersetzt wird: »Wir möchten euch nur von der charis Gottes berichten, die den Gemeinden in Mazedonien geschenkt wurde« (2 Kor 8,1). »So gebt auch reichlich für diese charis« (2 Kor 8,7).

Marlene Crüsemann hat noch einmal darauf aufmerksam gemacht, dass cháris jedoch nicht einfach nur Gnade ist.

In den Texten des antiken Judentums, die griechisch geschrieben sind, nimmt cháris die Bedeutung der hebräischen Worte chäsäd und chen auf: Diese Worte umschreiben und charakterisieren freundliche und solidarische Handlungen, die grundsätzlich unverdient und nicht mit Zwang herstellbar sind. Das spricht für die Übersetzung mit Gnade. Gleichzeitig betonen die Worte Gegenseitigkeit einer Beziehung. Die Rollen beim Erweisen einer freundlichen Tat können prinzipiell getauscht werden. Sie sind nicht festgelegt. Ein Gnadenerweis impliziert immer ein Gefälle. Wer Gnade vor Recht ergehen lässt, steht über dem Adressaten dieser Handlung. Dieses Beispiel zeigt auch, dass Gnade in unserer Alltagssprache meist im rechtlichen Sinne gebraucht wird: Wem Gnade zuteil wird, der hat etwas falsch gemacht. Der wohlwollende Aspekt von chäsäd und chen geht hier dann völlig verloren.

Die solidarische Sammlung der Messiasleute geht von einer solchen Gegenseitigkeit aus (2 Kor 8,14): Die Gabe für Jerusalem ist kein herablassender Gnadenerweis, sondern die freundliche Zuwendung von Menschen, die in einer vergleichbaren Situation sind. Die Geschwister in Korinth, Mazedonien und anderswo sind auch wie die in Jerusalem arm. Sie haben nur ein wenig mehr als die in Jerusalem, aber davon geben sie etwas ab.

Paulus sieht die freundliche Zuwendung zu den Geschwistern in der cháris Gottes gegründet (2 Kor 8,1). Diese göttliche Gabe, die Menschen empfangen haben, erfüllt ihren Zweck erst, wenn sie mit anderen geteilt wird. Die Gabe ist die Befähigung, sich anderen solidarisch zuzuwenden. Wem Gott sich freundlich zuwendet, der ist in der Lage, sich auch anderen gegenüber so zu verhalten. Paulus betont die Fülle dieser cháris: »Gott hat die Macht, all die freundliche Zuwendung (griech.: cháris) bei euch überfließen zu lassen, so dass ihr in allem, allezeit, alles zur Genüge habt und dazu noch Überfluss zu jeder guten Tat.« (2 Kor 9,8) In allem, allezeit, alles – diese Übersetzung hebt diese Fülle besonders hervor. Sie steht im Kontrast zum alltäglich erfahrenen Mangel, der im antiken Wirtschaftssystem nicht behoben werden kann.

Schon in 2 Kor 8,14 ist klar: Das Ganze ist keine Einbahnstraße. Hier die Geber – dort die Empfänger. Grundsätzlich geht Paulus davon aus, dass die Armen in Jerusalem einmal denen in Korinth oder anderswo helfen können und werden: »In dieser Stunde soll euer Überfluss ihren Mangel füllen, damit ihr Überfluss später auch eurem Mangel hilft« (2 Kor 8,14). Diese Gegenseitigkeit wird auch auf die Beziehung zu Gott übertragen. Von ihm kommt die cháris, er empfängt sie in den Liedern und Gebeten der Menschen, die an ihn gerichtet sind – ein wahrhafter Kreislauf der cháris.

Straße vom Großen Theater zum Hafen

Diese Gegenseitigkeit der Freundlichkeit unterscheidet den zweiten Brief nach Korinth von den hierarchischen Beziehungen der römischen Gesellschaft. Die Lebensmittel, die über Straßen des Imperiums und auf den Schiffen die Städte des Reiches erreichten, sollten auf keinen Fall den Mangel der Armen so weit beheben, dass sie im Überfluss haben. Sie sollten nur so weit satt werden, dass es keine Hungerrevolten gibt. Sie sicherten das Fundament des Herrschaftssystems. Die wirtschaftlichen Vernetzungen wurzeln im Überfluss der Reichen und dienen ihrem unersättlichen Konsumwillen. Die Schiffe auf dem Mittelmeer bringen die Konsumgüter zu den Wohlhabenden, die ihren gesellschaftlichen Status durch ihren Konsum unterstreichen und demonstrieren wollen. Anders das von cháris geprägte Beziehungsnetz: Arme Menschen trauen sich, getragen und bekräftigt von Gottes Freundlichkeit, zu, einander zu helfen. Sie arbeiten an einem Beziehungsnetz, in dem es nicht mehr die ewige Hierarchie von oben und unten gibt.

## Versklavte bei den Messiasleuten?

Das Miteinander in den Gemeinschaften reagierte auch auf ein weiteres Phänomen, das im Hafen mit Händen zu greifen war: den Handel mit Menschen. Für die Antike war dies eine völlig normale Sache. Menschen konnten zum Eigentum anderer Menschen werden, vorübergehend oder dauerhaft. Das Alte Testament kennt die Schuldsklaverei, d.h. Menschen verlieren durch Verschuldung ihre Freiheit: Um Schulden zurückzuzahlen, werden sie versklavt. Die Geschichte des antiken Israels ist von unzähligen Versuchen geprägt, diesen Weg in die Unfreiheit umzukehren oder gar aufzuhalten. Viele scheiterten an den ungünstigen Machtverhältnissen. Die herrschende Klasse profitierte von Sklavenarbeit und war nicht bereit, darauf zu verzichten.

In Griechenland und besonders in Rom wurden Menschen in Folge von Kriegszügen versklavt. Die unzähligen Eroberungskriege brachten Massen von Sklavinnen und Sklaven nach Rom und in andere römische Städte.

Sklavinnen und Sklaven waren in den unterschiedlichen Bereichen der Gesellschaft tätig. Nicht immer mussten sie harte körperliche Arbeit auf den Feldern von Landgütern oder in Bergwerken verrichten. Nicht wenige arbeiteten in den Häusern der Oberschicht, waren als Hauslehrer oder Verwalter von Gütern tätig. Ganz egal, was ihre Aufgabe war – das ändert nicht ihren rechtlichen und gesellschaftlichen Status: Sie waren nach römischem Recht eine Sache, die jemand anderem gehörte. Das Zollgesetz der Asia nennt Sklaven und Tiere beinahe in einem Atemzug.

Das römische Gesetz »Senatus consultum Silanianum« aus dem 1. Jh. n. Chr. ordnete an, dass, wenn ein Sklave seinen Herren tötete, sämtliche Sklavinnen und Sklaven, die zur Tatzeit im Hause ihres Herren waren, zur Aufklärung der Bluttat gefoltert werden konnten, und zwar bis zum Tode. Allen, so die Logik des Gesetzes, sollte mit Gewalt gedroht werden, da sie ihrem Herrn nicht zur Hilfe geeilt waren. Dies ist nur ein Beispiel für den brutalen Umgang mit Versklavten im römischen Imperium. Aber schon nach dem Senatsbeschluss zu diesem Gesetz regte sich in der Oberschicht Widerstand dagegen. Im Kontext der stoischen Philosophie hatten einige begonnen, in den Sklaven nicht nur Sachen zu sehen: »›Sie sind Sklaven!‹ Vielmehr sind sie Menschen. ›Sie sind Sklaven!‹ Vielmehr Hausgenossen. ›Sie sind Sklaven!‹ Vielmehr sind sie Freunde aus einem niedrigen Stand.« So schreibt der römische Philosoph Seneca (Briefe an Lucilius 47) beinahe zeitgleich zu Paulus.

Gerade für Frauen konnte das Ergehen als Sklavin besonders schwer sein. Sie wurden von einigen Herren als Prostituierte gehalten, die sie in Bordellen dem männlichen Publikum anboten. Viele Reiche machten ihre Sklavinnen zu ihren persönlichen Sexspielzeugen, die sie benutzen konnten, wie sie wollten.

Paulus kann in den Briefen, das sollte uns klar sein, nicht wie die Abolitionistinnen in den USA für die rigorose Abschaffung der Sklaverei kämpfen. Sklavenaufstände, wie der von Spartacus (73-71 v. Chr.), wurden brutal niedergeschlagen. Überlebende Aufständische nagelten die römischen Truppen ans Kreuz. Es war schon gefährlich genug, dass die Messiasleute sich auf einen Mann beriefen, der von Rom standrechtlich hingerichtet wurde. Ein Blick in den Philemon-Brief zeigt, wie Paulus und Timotheus mit dem Problem der Versklavung von Menschen umgingen. Er könnte in Ephesus geschrieben worden sein.

Anlass des Briefes ist die Flucht des Sklaven Onesimus von seinem Besitzer Philemon, der zu den Messias-Anhängern in Kolossä gehört. Onesimus ist zu Paulus gekommen. Gefängnisse waren in der Antike nicht so hermetisch abgeriegelt wie heute. Man konnte zu Gefangenen gelangen, um ihnen das Lebensnotwendige zu bringen. Aber hinaus konnten die Gefangenen nicht. Paulus und Timotheus wenden sich per Brief an Philemon, damit er Onesimus nach dessen Flucht wieder in sein Haus aufnimmt. Vom römischen Recht her hätte Philemon den entflohenen Sklaven schwer bestrafen können. Solche Strafen sollten andere davor abschrecken, selbst fliehen zu wollen. So soll Philemon – das wollen die beiden mit dem Brief erreichen – mit Onesimus nicht verfahren. Er soll Onesimus als Bruder aufnehmen (Phlm 16). In 2 Kor 6, 8-9 können wir sehen, welche Bedeutung die Verwandtschaftsbegriffe in diesen Briefen haben. Sie zeigen enge Solidaritätsbeziehungen an. Onesimus soll für Philemon wie ein Bruder sein. Er soll nicht als Herr und Besitzer mit ihm umgehen, sondern so, wie es Geschwister im Sinne der Tora tun. In Phlm 20 betonen Timotheus und Paulus, dass sie alle zu Christus gehören. Hier spielen sie auf Gal 3,26-29 an. In Gal 3 zitiert Paulus eine Taufformel: Wenn Menschen sich taufen lassen, gehören sie zu Christus (Gal 3,29), sie sind dann »in Christus« (Gal 3,28). Die in den Gemeinschaften versammelten Gläubigen werden als Verkörperung des Messias verstanden. Sie alle miteinander stellen Christus dar. Wenn man »in Christus« ist, gehört man zur Gemeinschaft und wird bestimmt von dem, was sein Wirken und seine Botschaft ausmacht. Konkret heißt das in Gal 3,28: Die gesellschaftlichen Unterschiede zwischen Männern und Frauen, Juden und Griechen – Sklaven und Freien haben in Christus keine Bedeutung. Sie gelten hier nicht. Die messianische Gemeinschaft ist im besten Sinne eine Parallelgesellschaft. Daran erinnern sie Philemon. In

Christus gelten die Gesetze des römischen Reiches nicht, nach denen Philemon seinen Sklaven bestrafen könnte. Hier wird das Miteinander von etwas ganz anderem bestimmt.

Paulus und Timotheus schreiben ihren Brief nicht als Privatbrief an Philemon. Sie richten Grüße von verschiedenen Personen aus, die in ihrer Nähe sind (Phlm 23). Die Adressatenangabe (Phlm 1-2) nennt nicht nur Philemon sondern auch Aphia, Archippus und alle aus der messianischen Gemeinschaft, zu der Philemon gehört. Es ist also keine Privatangelegenheit des Philemon, wie er sich entscheidet. Er muss sie alle in seinen Entscheidungsprozess einbinden. Vor seinen Geschwistern muss er sich rechtfertigen. Nicht umsonst wird Aphia, die Schwester, als zweite Adressatin genannt.

Der Raum der messianischen Gemeinschaft wird zu einem Ort, an dem andere Regeln gelten. Während im Hafen Sklaven schwere Lasten schleppen, Sklavinnen und Sklaven zum Kauf präsentiert werden und gegen Geld den Besitzer wechseln, sind hier Sklavinnen und Sklaven Geschwister. Sie sind vollwertige Glieder der Gemeinschaft. Sie tragen die Gemeinde mit. Ihr rechtlicher Status hat sich nicht geändert, aber sie erleben in der messianischen Gemeinschaft etwas anderes.

Nur ein oder zwei Generationen später kann man sehen, dass in vielen christlichen Haushalten Sklaven wieder Sklaven sind. Zwar sollen sie mit Respekt behandelt werden. Das ist im Hinblick auf manche Sklavenhaltung schon ein Fortschritt. Aber es bleibt der hierarchische Unterschied zwischen Herrn und Sklaven. »Ihr Sklavinnen und Sklaven, gehorcht in allem denen, die auf Erden Herrschaft über euch ausüben« (Kol 3,22). Genau diesen Unterschied wollten Paulus und Timotheus aufheben. Bis zum christlichen Kampf für die Abschaffung der Sklaverei und anderer Formen der Leibeigenschaft ist es noch ein weiter Weg.

# 7. EPHESUS UNTER DEM SCHUTZ EINER GOTTHEIT – ARTEMIS

Heutige Reste des Artemis-Heiligtums in Ephesus

Paulus und die anderen waren sicherlich von den anderen vorgewarnt worden. Anfang Mai sollte wie jedes Jahr der Geburtstag der Artemis in Ephesus gefeiert werden: ein großes Fest am Tempel der Artemis und in der Stadt, eine große Prozession vom Artemis-Heiligtum außerhalb der Stadt quer durch Ephesus. Dann zeigte sich die Macht dieser fremden Götter, die es doch eigentlich gar nicht gibt, im vollen Ausmaß. Sie bewegte die Massen und riss alle aus ihren alltäglichen Dingen heraus.

Als es dann soweit war, übertraf es alle Befürchtungen. Alle waren auf den Beinen und huldigten der Artemis. Für die Messiasleute blieb eigentlich nur, sich in ihren Häusern zu verbergen. Aber ging das? Machten sie sich nicht verdächtigt, wenn sie den Feierlichkeiten für Artemis fernblieben? Was würden die Nachbarn sagen? Vielleicht sollten sie wenigstens am Straßenrand die Prozession beobachten oder bei einem der vielen Feste auf den öffentlichen Plätzen nur einmal vorbeischauen. Sich nur sehen lassen, damit sie nicht ins Gerede kamen, Gerede, das tödlich enden konnte. Aber war das nicht ein Abfall zu den fremden Gottheiten, vor dem die Zehn Worte eindringlich warnten? »Für dich soll es keine anderen Gottheiten geben« – so steht es doch in der Tora (Dtn 6,7). Dieses Gebot galt für die Messiasleute. Die Götterbilder in den Wohnungen und Häusern waren schon ein Problem, mit denen Paulus und die anderen umgehen mussten. Aber die Feierlichkeiten für Artemis, die die ganze Stadt auf die Beine brachte, waren ein Ereignis von ganz anderer Qualität. Artemis – das war Ephesus.

## Ephesus und Artemis

Wie sah der Kult um Artemis, mit dem Paulus und die anderen konfrontiert worden, genau aus? Antike Texte und archäologische Zeugnisse präsentieren ein detailliertes Bild von der Verehrung der Artemis. In einem Reisebericht aus dem Jahr 29 v. Chr. gibt der griechische Geograph Strabo die Mythen, auf denen der Artemis-Kult beruhte, kurz wieder:

»Es wird dort jedes Jahr ein Fest abgehalten, bei dem nach einem bestimmten Brauch die jungen Männer sich hervortun (sie legen es besonders auf die glänzende Gestaltung der dortigen Festschmäuse an); bei dieser Gelegenheit veranstaltet auch die Körperschaft der Kureten Trinkgelage und vollzieht gewisse geheime Opfer« (Strabo, Geographie 14,1,20).

Die sog. »Schöne Artemis«, eine Statue aus der Zeit Kaiser Hadrians (117-138 n. Chr.)

Der Ort Ortygia, von dem Strabo spricht (»dort«), liegt nur wenige Kilometer südwestlich von Ephesus entfernt. Dort im Kenchreiostal wurden in der Antike kultische Feiern für Artemis durchgeführt, und zwar anlässlich ihres Geburtstages. Die Verehrung der Artemis war zunächst an Ortygia gebunden. Der große Tempel in direkter Nachbarschaft der Stadt Ephesus kam später hinzu.

Die Geburt der Artemis findet, so berichtet Strabo weiter, unter großen Gefahren statt: Die schwangere Göttin Leto will ihre Kinder Artemis und Apollo zur Welt bringen. Aber die Göttin Hera, die Gattin des Göttervaters Zeus, trachtet den zur Welt kommenden Gottheiten nach dem Leben. Hier kommt eine Gruppe von Männern ins Spiel. Sie greifen rettend ein: Die Kureten (zur Bedeutung dieses Wortes unten mehr) veranstalten einen ungeheuren Lärm. Sie schlagen mit Schwertern auf ihre Schilde. Das lenkt Hera ab. Artemis und ihr Bruder Apollo bleiben unversehrt. Menschen greifen ein, damit die neue Generation der olympischen Gottheiten zur Welt kommt.

Es fällt auf, dass der Geburtsort der Artemis nicht der Standort des großen Artemis-Tempels, des Artemesions, ist. Dieser Tempel, eines der sieben Weltwunder in der Antike, geht auf ein Heiligtum zurück, das wohl bereits im 8. Jh. v. Chr. existiert hat. Bedeutsam wird die Verehrung der Artemis in einem Krieg gegen den sagenumwobenen lydischen König Kroisos (gest. 547 v. Chr.): Ephesus hatte sich der Göttin Artemis geweiht. Damit gehörte das Stadtgebiet zum Tempelbezirk, und das Tempelasyl galt so für die ganze Stadt. Wie auch heute Menschen in Kirchen Asyl finden können, so waren schon in der Antike Tempel Schutzorte für Verfolgte und Bedrängte. So entging die Stadt der Zerstörung durch die Truppen des Kroisos. Das erzählt Herodot in seiner Geschichte der Perserkriege (Historien 1,26,1-2). Dieser Akt zeigt: Die Existenz der ganzen Stadt war an Artemis gebunden worden.

Ephesus übersteht unter dem Schutz der Göttin einen Krieg. Die Göttin hingegen überlebt ihre Geburt, weil Menschen die Feindin Hera ablenken können. Beide sorgen wechselseitig füreinander, sie verdanken sich einander. Guy McLean Rogers spricht mit Blick auf Ephesus von einer sacred identity, von einer geheiligten, von der Gottheit bestimmten Identität. Ephesus war durch und durch von ihrer Beziehung zu Artemis geprägt.

Historisch betrachtet, bekam der Artemis-Tempel durch den König Kroisos seine überregionale Bedeutung. Kroisos hatte wohl erkannt, wie wichtig ein über sein Reich hinausstrahlendes Heiligtum war. Dem Orakel in Delphi konnte man natürlich keine Konkurrenz machen. Aber auf den Rängen dahinter war durchaus noch Platz für ein bedeutendes Heiligtum. Deswegen unterstützt er den Ausbau und den Betrieb des Artemesions nach Kräften. Der Tempel der Artemis sollte den Glanz seiner Herrschaft noch strahlender machen.

Heute ist vom antiken Weltwunder nicht mehr viel übrig geblieben. Im Laufe der wechselvollen Geschichte wurde es zerstört. Seine Trümmer wurden in anderen Gebäuden verbaut oder sie versanken im Schlamm des Flusses Kaystros. Heute erinnern einige wenige Steine und eine wieder aufgerichtete Säule, auf der meist ein Storchenpaar seinen Nachwuchs großzieht, an den so mächtigen Tempel der Antike.

Ein erster Artemis-Tempel ging 356 v. Chr. in Flammen auf. Die Stadt bemühte sich, den Tempel mit eigenen Kräften wieder aufzubauen und zu unterhalten. Ein großzügiges Hilfsangebot Alexanders des Großen wies der Stadtrat zurück. Man wollte in den Dingen, die Artemis betreffen, selbstständig bleiben. Diese Episode zeigt beispielhaft, wie interessant das Heiligtum und der Kult der Artemis für die Mächtigen waren. In der Nachfolge Alexanders traten immer wieder verschiedene Diadochenherrscher als Unterstützer und Förderer des Tempels auf; von Lysimachos war schon die Rede. Dies ging so weiter, bis Augustus die Bühne der Weltgeschichte betrat. Als er im Winter 29 v. Chr. in Ephesus weilte, um die politischen Zustände im Osten des Reiches neu zu ordnen, griff er auch in den Vollzug des Artemis-Kultes ein. Zunächst machte er einen Beschluss seines Erzfeindes Marcus Antonius rückgängig. Dieser hatte das Asylgebiet des Tempels massiv ausgeweitet. Augustus stutzte dieses gewaltig zurück. Des Weiteren sorgte er mehrere Jahre später für die Umsiedlung der Kureten vom Tempel der Artemis auf die Staatsagora neben die Regierungsgebäude des Rates. Die von Strabo erwähnte Gruppe der Kureten, die im Mythos eine wichtige Bedeutung hatten, wurde zum Gegenstand der Politik.

Die Bezeichnung dieser Männer hat mit dem griechischen Wort kóuretes (junger Mann) zu tun. Nach der mythischen Überlieferung war es eine Gruppe junger Männer, die sich um die Verehrung der Artemis sorgten und sie beschützten. Die Reisenotiz des Strabo sagt auch, dass die Kureten kultische Handlungen für Artemis gerade zur Feier ihrer wundersamen Geburt vollzog: »Bei dieser Gelegenheit veranstaltet auch die Körperschaft der Kureten Trinkgelage und vollzieht gewisse geheime Opfer.« Die alljährliche Feier der Mysterien stellte eine Wiederholung der Geburt der Artemis dar. Immer wieder neu wurde sie in Szene gesetzt. Damit blieb die Bedeutung der Kureten in Erinnerung: Sie trugen dazu bei, dass die nächste Generation der Götter, Apollo und Artemis, am Leben blieb und ihre Herrschaft zum Erhalt der göttlichen Ordnung antreten konnte. Die kultischen Feiern gaben der Erinnerung eine Gestalt.

Die Inschriften der Stadt Ephesus aus der hellenistischen Zeit verraten wenig über die Kureten. Eine Inschrift aus dem Jahr 302 v. Chr. zeigt aber die Bedeutsamkeit dieser Gruppe (IvE 5,1449). Es geht um die Verleihung des Bürgerrechts an einen Mann namens Euphronius. Mit den Tempeldienern nehmen die Kureten dazu Stellung und unterstützen das Vorhaben. Die Kureten haben eine wichtige Funktion im Artemis-Kult und genießen ein hohes Ansehen in der Stadt. Diejenigen, die in einem bestimmten Bereich für eine angemessene Anbetung der Göttin sorgen sollen, haben ein nicht unerhebliches Mitspracherecht in politischen Entscheidungen.

## Artemis und Augustus

Zu Beginn der Herrschaft des Augustus erfolgen umfassende Veränderungen in Bezug auf den Kult der Artemis, die vom Princeps selbst veranlasst werden. Augustus ist hier zunächst ganz souveräner und großzügiger Staatsmann. Er unterstützt das Artemesion und fördert die Artemis-Verehrung. In diesem Zusammenhang ordnet er den Umzug der Kureten ins Prytaneion (ein zentrales Verwaltungsgebäude) auf der Staatsagora an. Diejenigen, die die Artemismysterien vollziehen, werden in das neu entstehende Gebäudeensemble der Stadtregierung einbezogen. Rat und Kureten wohnen jetzt quasi Wand an Wand. Beide sind damit aber auch auf den Tempel Caesars hin ausgerichtet. Die Kureten verbinden nun die Stadtregierung mit dem Tempel der Artemis außerhalb der Stadtmauern.

Die Verehrung der Artemis wird so in das politische Zentrum der Stadt gerückt. Dies macht deutlich, wie wichtig Artemis für die Existenz der Stadt ist. Ihr göttlicher Schutz soll so nahe wie möglich am Rat der Stadt sein. Es demonstriert aber auch die Macht des Augustus. Dieser sah sich schon ab 36 v. Chr. unter dem besonderen Schutz des Apollos. Deswegen ordnet er zum Wohl der Stadt die Angelegenheiten des Kultes für die Apollo-Schwester Artemis neu. Hier zeigt sich noch einmal beispielhaft das Selbstverständnis kaiserlicher Herrschaft. Er regelt wichtige Angelegenheiten direkt vor Ort. Er gestaltet lokale Besonderheiten, wenn sie überregionale Bedeutung haben. Der Eingriff in den Artemis-Kult ist bei Augustus kein Einzelfall. Er rühmt sich in seinem Tatenbericht, den »Res gestae«, dass er zahlreiche Tempel wieder aufgebaut und restauriert habe, insbesondere auch in der Provinz Asia (Tatenbericht 19-21.24). Die Götter richtig und angemessen zu verehren – das sorgt für Wohlergehen und für gutes Leben, für den Einzelnen und für das Gemeinwesen. Deswegen sieht Augustus es als seine Aufgabe an, im ganzen Reich, wo es nötig ist, die Verehrung der Götter zu unterstützen, zu fördern und umzugestalten. So soll die heilvolle Ordnung der olympischen Götter Bestand haben. Der Umzug der Kureten auf die Staatsagora ist nur ein Teil eines kompletten Umbaus des Zentrums der Stadt. Ephesus wird zu einer römischen Stadt mit einer römischen Ordnung. Für ihre Aufgabe wird den Kureten vom Kaiser ein Platz in dieser neuen Ordnung zugewiesen. Die Kureten sind gewissermaßen die Repräsentanten der Stadt im Artemis-Kult. Hier zeigt sich überdeutlich, dass Religion in der Antike keine Privatangelegenheit, sondern eine öffentliche Sache war. Eine solche öffentliche Aufgabe war ein typisches Betätigungsfeld eines antiken Mannes der Oberschicht.

Indem die Kureten als Angehörige der Oberschicht die Stadt und das öffentliche Leben im Sinne Roms gestalteten, partizipierten sie an der Macht des Imperiums. Dies war für die römischen Kaiser sehr wichtig: Rom war weit entfernt. Der Kaiser und seine Beamten konnten nicht überall präsent sein. Die Kureten als Teil einer loyalen Oberschicht in Ephesus bildeten eine Art Stellvertretung für den Kaiser und halfen so mit, das Reich zu festigen. Die Verehrung der Artemis verhalf ähnlich wie der Herrscherkult dem Kaiser zur Präsens in der Provinz. Gleichzeitig konnten Angehörige der Oberschicht im Vollzug des Kultes ihre Beziehung zum Kaiser darstellen und pflegen.

Männer waren dazu geboren, solche wichtigen öffentlichen Aufgaben wie die Pflege des Artemis-Kultes wahrzunehmen. Frauen konnten in dieser Zeit nicht in die Gruppe der Kureten aufgenommen werden. Frauen wie Tullia (Ende des 1. Jh. n. Chr.) waren aber im öffentlichen Kult der Stadt Ephesus tätig (IvE 1063,8). Die Aufgabe von Frauen in solchen Feldern unterschied sich aber von den Tätigkeiten der Männer. Frauen wachten wie im Haus darüber, dass das Feuer im Herd nicht ausging. In Bezug auf die Stadt ging es um das Feuer der Göttin Hestia. Dies durfte nicht erlöschen, sonst drohte der Stadt Unheil.

Im Prytaneion finden sich die Listen der Kureten ab der Regierung des Tiberius. Was unter Augustus eingeleitet wurde, war bei Tiberius etabliert. Diese Listen bilden ein Teil des Stadtgedächtnisses ab. Hier wurden öffentlich die Namen genannt, die sich um die Verehrung der Artemis kümmerten. Ihr Einsatz für das Wohl der Stadt wurde so anerkannt und geehrt. Diese Ehrung blieb in der Zukunft bestehen. Wer die Listen der Kureten zur Zeit des Paulus sah, las die Namen derer, die in den zurückliegenden Jahren zu dieser Gruppe gehört hatte.

## Eine Stiftung für Artemis

Wie schon erwähnt: Für Artemis wurden große Umzüge gemacht. Dabei wurden große Statuen der Göttin auf einem Prozessionsweg, vom Heiligtum ausgehend, durch die Stadt getragen. Kleinere Ausgaben dieser Bildnisse sind heute noch im Museum von Selçuk zu sehen.

Was neben den Statuen der Artemis bei solchen Festumzügen mitgeführt wurde, darüber gibt eine Inschrift aus dem Jahr 104 n. Chr. Auskunft. Auf ihr geht es um eine Stiftung des Vibius Salutaris zugunsten des Artemis-Kultes. Die Inschrift war im großen Theater aufgehängt worden, in ihr wird der Zweck und Umfang der Stiftung genau erläutert. Für diese Stiftung bedurfte es eines Beschlusses des Stadtrates. Das Ganze hatte somit rechtlichen Charakter. Salutaris gehörte dem Ritterstand an und bekleidete zahlreiche politische Ämter im ganzen Reich. Er stammte aus einer angesehenen Familie und hatte Kontakte zur Familie des Kaisers Trajan. Im Laufe seiner politischen Karriere ließ er sich in Ephesus nieder und nahm am gesellschaftlichen Leben teil. Was Salutaris tat, das dürften auch schon einige Jahrzehnte früher angesehene Bürgern der Stadt gemacht haben: Er stiftet der Verehrung der Artemis Geld und Statuen für Festumzüge zur Ehren von Artemis. Die Statuen waren zunächst Bildnisse der Göttin Artemis. Darüber hinaus wurden 5 Statuen von Kaiser Trajan und eine von seiner Ehefrau gestiftet. Ein gestifteter Geldbetrag von 20.000 Denaren wurde angelegt. Aus den erwirtschafteten Stiftungsgewinnen wurden jährlich Zahlungen an einzelne Bürger geleistet. Die Vergabe richtete sich streng nach hierarchischen Kriterien. Die oberen Schichten bekamen mehr als die niedrigen. Die Zuwendungen wurden nach den gesellschaftlichen Statusgruppen getrennt ausgelost. Deswegen war die Chance, an ein klein wenig Geld zu kommen, für die niederen Gruppen deutlich geringer als z.B. für die Angehörigen des Stadtrates. Die Menschen, die zu den unteren Gruppen gehörten, waren zahlmäßig einfach deutlich mehr als die Oberschicht. Es handelte sich bei den Zahlungen somit nicht um soziale Maßnahmen. Hier ging es um die Demonstration von Macht. Vibius Salutaris verfügte über so viel Geld, dass es alljährlich zu diesen Geldausschüttungen kam. Auch die Statuen zeigten bei jeder Prozession seine Macht.

Die Mächtigen und Reichen benötigten für ihre Macht eine Bühne und ein Publikum, das ihre Macht anerkannte und ihnen Ehre erwies. Ohne diese Anerkennung wäre alles beinahe wertlos. Für Salutaris waren die Prozessionen und die Verehrung der Artemis eine solche Bühne. Deswegen wurde die Inschrift an prominenter Stelle veröffentlicht, im Theater von Ephesus. Auf dieser Bühne befanden sich die ehrbaren Bürger in einem Wettstreit um die Ehre und Ehrerbietung. Auch darauf nimmt die Inschrift direkt Bezug: »Männer, deren Ehrgeiz darauf gerichtet ist, für die (Stadt) etwas zu tun, und die in (allem) die Anhänglichkeit echter Bürger (zeigen, sollen) dafür auch entsprechende (Ehren erhalten); so kommen einerseits diejenigen, die (der Stadt bereits) Gutes getan haben, in den Genuß (dieser Ehren) und winken diese Ehren andererseits als Preis allen, die in einen Wettbewerb um (ähnliche Ziele) eintreten wollen; (zudem) gehört es sich, daß Männer, die bestrebt waren, die größte Göttin, Artemis, (zu ehren, von der) allen die schönsten Gaben zuteil werden, in der Stadt (zu Ruhm kommen).« (IvE 27,8-13, Übersetzung: www.theatrum.de/991.html)

Die Verehrung der Herrin Artemis war der Ort, an dem Männer der Oberschicht ihren Wettkampf um Ruhm und Ehre austragen konnten. Der Text der Inschrift zeigt, wie Männlichkeit im Kontext des Artemiskultes rollenkonform gelebt wurde.

Bürger einer Polis zu sein war eine Ehre. Gleichzeitig erwarben sich die Bürger durch bestimmtes Handeln Ehre und Prestige, das dem Ansehen der Stadt zugute kam. Die Bürger mussten sich in ihrem Handeln für die Stadt als würdig erweisen. Das konnte von der Polis mit Ehrungen bedacht werden. Die Ehrungen, wie hier in Form einer Inschrift, zeigen so das Bild des Idealbürgers: Geehrt wurden diejenigen, die für die Stadt eintraten, sei es in politischen Ämtern oder als Wohltäter. Wer sein Ansehen steigern wollte und nach solchen Ehrungen trachtete, der musste sich in den Dienst des Gemeinwesens stellen. So standen die Bürger einer Stadt auch in einem Konkurrenzkampf um Ehre und Ansehen.

Bei der schon erwähnten Tullia, eine Priesterin der Hestia, wurde nicht das aktive Streben nach Ehre gelobt. Vielmehr wurde ihre Keuschheit gewürdigt (IvE 1063, 4). Männer müssen, um richtige Männer zu sein, auf der offenen Bühne um die Ehre wetteifern. Frauen hingegen haben sich defensiv zu verhalten. Sie sollen keusch sein.

Eine wichtige Gruppe, die an der von Salutaris gestifteten Prozession teilhatte, war die der Epheben. Es waren junge Männer aus der Oberschicht, diejenigen, die in Zukunft die herrschende Klasse in Ephesus bildeten. Diese trugen in der Prozession die Statuen. Sie wurden durch die Teilnahme an den Prozessionen in die Verehrung der Artemis und die sacred identity der Stadt eingeführt.

Die Wohlhabenden in einer Polis wurden im Ephebeion und auf dem Gymnasion auf ihre Rolle als politisch tätige Bürger vorbereitet. Das waren die Ausbildungsstätten der Jugendlichen, die später einmal die Geschicke der Stadt bestimmen sollten. Dort lernten die Heranwachsenden ehrenhaftes Handeln für die Stadt. Gleichzeitig wurden sie in Wettkämpfen an Konkurrenzsituationen herangeführt. Der Drang zu siegen, der Wille, Erster zu sein, wurden hier kultiviert und für die Tätigkeit in der Politik kanalisiert. Die jungen Männer traten für den Dienst am Gemeinwesen in Konkurrenz zueinander. Der Wettstreit um Anerkennung wurde hier institutionalisiert. Gleichzeitig wurden Eigenschaften trainiert, die das öffentliche Auftreten betrafen. Die Erziehung der zukünftig herrschenden Schicht unterlag so massiv der sozialen Kontrolle. Egoisten ohne Sinn für das Gemeinwesen wären zum Schaden der Polis gewesen.

In hellenistischer Zeit war die Ausbildung der Epheben im stärkeren Maße zu dem Ort geworden, an dem Wissen über die Kulte der Stadt überliefert wurde und wo die männliche Jugend der Polis sich in ihre kultischen Aufgaben einüben konnte. Die Teilnahme der Epheben an den Feiern für Artemis ist dafür ein gutes Beispiel. Im Vollzug der Rituale wurden sie in die Verehrung der Artemis und in die geheiligte Existenz der Stadt eingeführt. So wurde für die Ausbildung des Nachwuchses der Träger dieser Identität gesorgt. Gleichzeitig vergegenwärtigte die Prozession den Mythos der Artemis von Ephesus jedes Jahr aufs Neue.

## »Ergreift die Flucht vor der Anbetung fremder Gottheiten!«

Dieser Satz aus 1 Kor 10,14 kann als eine Reaktion auf diese Verehrung der Artemis gelesen werden. Es steht dort ausdrücklich: die Anbetung fremder Gottheiten. Es geht um die religiösen Praktiken, die sich um diese Gottheiten herum entwickelt haben. Diese sollten die Messiasleute unbedingt meiden. Wie an der Verehrung der Artemis in Ephesus gezeigt werden konnte: Die Anbetung dieser Gottheiten war auf das engste mit den politischen Machtstrukturen des Reiches verwoben. An diesem Punkt zeigt sich wieder eines sehr klar: Das, was heute allgemein Religion genannt wird (in der Antike sprach man u.a. von der Anbetung der Götter), war unabdingbarer Bestandteil des öffentlichen Lebens. Eine Trennung von Religion und Öffentlichkeit war hier unvorstellbar. Wenn Sosthenes und Paulus hier schreiben: »Ergreift die Flucht ...«, dann hatte das immense Konsequenzen für ihr Verhältnis zu dem Gemeinwesen, für das diese angebeteten Götter von so großer Bedeutung waren.

Neben der Warnung vor den fremden Göttern bietet 1 Kor auch eine Gegenerzählung zu diesen Kulten. Davon leitet sich die Identität der Messiasleute ab. Ihre sacred identity ist eine gänzlich andere. 1 Kor 10,1 verbindet die Angesprochenen in Korinth, obwohl sie mehrheitlich nicht-jüdisch waren, mit der Exodus-Generation. Diese aus Ägypten Befreite sind die Väter und Mütter derjenigen, an die sich der Brief richtet. Damit sind auch die Messiasleute in den griechischen Städten des römischen Reiches von Gott gerettete und befreite Menschen. Das behaupten Sosthenes und Paulus im Angesicht der römischen Machtentfaltung.

Der Gedankengang ab 1 Kor 10,1 wird von Beginn an unter das Thema der Befreiung aus der Sklaverei in Ägypten gestellt: »Unsere Väter und Mütter waren alle unter Wolke, und alle sind durch das Meer gezogen.« Meer und Wolkensäule – zwei zentrale Motive der Exoduserzählung erinnern an die Gefahr und an die Rettung, an die Gegenwart Gottes auf dem Weg der Befreiung. Des Weiteren taucht auch das Manna-Motiv auf (1 Kor 10,3: »Alle haben dieselbe geistliche Speise gegessen«) – die Speise auf dem Weg in die Freiheit.

In 1 Kor 10,7 wird dann klar, warum das Exodus-Motiv hier so wichtig ist: »Betet nicht ... fremde Götter an.« Die Alleinverehrung Gottes ist im Alten Testament eng an die Erfahrung der Befreiung aus der ägyptischen Sklaverei gebunden (vgl. Ex 20,2-3): Weil Israels Gott sein Volk aus der Sklaverei befreit hat, soll Israel keine anderen Gottheiten anbeten. Nur bei seinem Gott findet das Volk Freiheit. Nur im Leben nach seiner Weisung (Tora) kann Israel die von Gott geschenkte Freiheit bewahren. Paulus legt dies für seine Gegenwart aus.

1 Kor 10,10 (»Murrt auch nicht, wie es einige von ihnen taten«) reagiert auf existenzielle Konflikte in den Gemeinschaften. Der von Paulus und Sosthenes geforderte Weg bedeutete in letzter Konsequenz die Abkehr und Trennung vom öffentlichen Leben der Stadt, in der man wohnte. Für Ephesus hieß das: Wer sich nicht an den Opfern für Artemis beteiligte, wollte nichts für das Wohlergehen der Stadt tun. Wer nicht bei den Festlichkeiten für Artemis dabei war, galt als Feind des von Artemis erhaltenen Gemeinwesens. So konnten die Messiasleute schnell in die Isolation geraten: Wer wollte mit solchen Leuten noch Geschäfte machen? Wer wollte ihre Werkstätten betreten? Wer stellte sie als Handwerker ein? Vor den fremden Göttern zu fliehen und nur den einen Gott anzubeten zog immense

Nachteile und Belastungen nach sich. Ihre Entscheidung für den einen Gott bedeutete Not und Leid. Deswegen ist das Murren kein Nörgeln oder Meckern. Es ist die Reaktion auf den von außen kommenden Druck. Einige der Messiasanhänger fragen sich, warum sie dies für den Glauben an Gott und seinen Messias erleiden müssen. Es geht um den verständlichen Verlust von Vertrauen auf den Gott Israels angesichts der Macht der Mehrheit in der Stadt, die die Minderheit der Messiasleute ausschloss. Es geht aber auch um die Angst vor der Macht des widergöttlichen Imperiums, das nur die an den wirtschaftlichen Prozessen teilnehmen lässt, die dessen Macht anerkennen und anbeten (vgl. auch Offb 13,16-17). Häufig wird die Messiasleute die Frage umgetrieben haben: Sind Artemis und die anderen Götter nicht doch mächtiger als unser Gott? War es richtig, sich von den alten Göttern zu verabschieden?

Deswegen spricht Paulus in 1 Kor 10,11 vom Ende der Zeiten (griech. aiónes). Diese Zeiten »sind die Mächte, die den Messias gekreuzigt haben« (1 Kor 2,8). Paulus und die anderen Messiasleute konnten diese Mächte jeden Tag erfahren, wenn sie Abgaben und Gebühren entrichten mussten, wenn Herren ihre Sklaven misshandelten, wenn Rom öffentlich Gehorsam einforderte. Der Messias Jesus selbst musste die Macht Roms am eigenen Leib erfahren, als er unter der Statthalterschaft von Pontius Pilatus gefoltert und hingerichtet wurde. Die zentrale Botschaft der Messiasleute aber war: Der gekreuzigte Messias Jesus ist von den Toten auferstanden. Der römische Statthalter hat es nicht geschafft, Jesus zum Schweigen zu bringen. Roms Macht ist von Gott eine Grenze gesetzt worden. Das Sprechen und Erzählen von Jesu Auferstehung entfalten hier ihre besondere Wirkung

In 1 Kor 10,1-13 werden so die Befreiung Israels aus der Sklaverei und die Auferweckung Jesu aufeinander bezogen:

Wie der Exodus ist auch die Auferweckung Befreiung von den versklavenden Mächten, aus der Macht der Gewalt und des Todes.

Ab 1 Kor 10,14 steht die griechisch-römische Opferpraxis im Gegenüber zur messianischen Mahlgemeinschaft. Die religiösen Handlungen zu Ehren der fremden Götter bedeuten für Paulus, Gemeinschaft mit ihnen zu haben (1 Kor 10,20). Wer Artemis opfert, erkennt sie als Schutzgottheit an – und damit auch die Macht, die hinter Artemis steht: Rom. So unterwirft man sich denen, die den Messias Jesus und viele andere ermordet haben. Das Opfer für die andere Gottheit ist kein isolierter religiöser Akt. Es schließt die Anerkennung und Anbetung Roms mit ein.

Mit Blick auf Mahlzeiten in den Gemeinden deuten Paulus und Sosthenes das Trinken aus dem Becher des Segens als Gemeinschaft mit dem Messias Jesus (1 Kor 10,16). Auch das Essen des einen Brotes stiftet ein Verbundensein mit Jesus. Die Messiasleute, die gemeinsam das Mahl feiern, haben Gemeinschaft mit dem Messias, durch dessen Auferstehung die versklavenden und todbringenden Gewalten ihre Macht verloren haben. Die Bezeichnung dieser Menschengruppe als Leib bzw. Körper Christi zeigt: Sie verkörpern und repräsentieren Jesus Christus. Ihre Identität wird durch den befreienden Gott Israels und den gekreuzigten und auferstandenen Messias geprägt. Das schließt die Teilhabe an den Kulten, in denen andere Mächte und Gewalten Gestalt gewinnen, aus.

Diese Textpassage aus 1 Kor 10 steht nicht im Widerspruch zu Röm 13. Dort fordert Paulus ja zur Unterordnung unter die staatliche Obrigkeit auf. Die Menschen in den Gemeinden sollen Steuern zahlen und sich den rechtlichen Entscheidungen beugen. Aber: Von einer Anbetung der staatlichen Macht ist dort nicht die Rede. In 1 Kor 10 formulieren Sosthenes und Paulus eine Grenzlinie dem Gehorsam Rom gegenüber. Die fremden Götter dürfen bei öffentlichen Feiern nicht angebetet werden. Deswegen ist eine Teilnahme an den Feierlichkeiten zum Geburtstag der Artemis unmöglich: »Ihr könnt nicht beides, den Kelch des Befreiers und den Kelch dämonischer Mächte trinken« (1 Kor 10,21).

Der Becher des Segens und das Essen des einen Brotes verweisen selbstverständlich auf das, was heute allgemein Abendmahl genannt wird, auf die Mahlzeit der Messiasleute, die sie zur Erinnerung an Jesus gemeinsam feierlich veranstalten. In dieser Mahlzeit wird ihre sacred indentity fassbar, die nicht mit der der Stadt Ephesus vereinbar ist.

## Korinthische Verhältnisse

»In der Nacht, in der er übergeben wurde, nahm der, dem wir angehören, Jesus, das Brot. Er sprach den Segen, brach das Brot und sagte: ›So ist mein Leib für euch; das tut zur Erinnerung an mich.‹ Nachdem die Mahlzeit beendet war, nahm er ebenso den Becher mit den Worten: ›Der neue Bund durch mein Blut ist mit diesem Becher da. Das tut, sooft ihr trinkt, zur Erinnerung an mich.‹ Denn: Immer wenn ihr dieses Brot esst und aus dem Becher trinkt, verkündet ihr den Tod des Befreiers, bis er selbst kommt.«

Zweimal taucht in diesem kurzen Text aus 1 Kor 11,23-26 die Formulierung »zur Erinnerung an mich« auf. Es geht bei diesem besonderen Mahl um die Erinnerung an den Messias Jesus. Der letzte Vers hebt besonders den Tod Jesu hervor: Durch die gemeinsame Mahlzeit wird der Tod Jesu verkündet. Für die antike Erinnerungskultur war es höchst ungewöhnlich, das man sich an so einen wie Jesus immer wieder erinnerte. Er war als Aufrührer und Verbrecher von Rom hingerichtet worden. Solch ein Tod diente allein als mahnendes Beispiel dafür, dass dies ein völlig verfehltes Leben war. So einer taugte nicht zu einem ehrenvollen Gedächtnis. Erinnerungswürdig waren die ruhmreichen Feldherren und Soldaten, die Roms Größe begründet hatten. Die Taten der Politiker, die sich um das Ansehen und das Wohlergehen der Stadt und des Gemeinwesens gekümmert hatten, mussten im Gedächtnis des Volkes bleiben. Dafür sorgten die vielfältigen Denkmäler in den Städten. Die neutestamentlichen Texte hingegen sind von einer gänzlich anderen Erinnerungskultur geprägt. Sie erinnern an die Opfer der menschlichen Gewaltgeschichte. 1 Kor 11,23-26 gibt dem ein Gedächtnis, der wegen seines Lebens für Gott und die Menschen von den Mächtigen umgebracht wurde. Jesu solidarische Praxis, sein Leben mit und für die Armen dieser Welt, war den Machthabern ein Dorn im Auge. Das störte ihre Herrschaftsordnung. Deswegen musste er beseitigt werden.

Die Messiasleute vergaßen den qualvollen Tod am Kreuz nicht einfach. Mit ihren rituellen Handlungen stifteten sie diesem Opfer menschlicher Gewalt ein Gedächtnis. Dabei war ihnen klar, dass Jesu Kreuz nur eines unter vielen im römischen Reich war. Mit der Erinnerung an Jesu Tod gedachten sie auch der vielen anderen Menschen, die von Rom und seinen Vasallen getötet wurden. All das sollte und durfte nicht vergessen werden. Die Macht Roms, die Menschen und die Erinnerung an sie einfach auslöschen wollte, sollte nicht siegen.

Das gemeinsame Mahl wird in 1 Kor 11 aber auch als Fest der Auferstehung Jesu verstanden. Jesus ist in der Feier der versammelten Gemeinschaft gegenwärtig. Wie sich Paulus diese Präsens konkret vorstellt, das zeigt 1 Kor 11,24: »So ist mein Leib für euch.« Oder: »Dies ist mein Leib für euch.« In vielen christlichen Traditionen wird das Brot mit dem Körper Jesu identifiziert. Luise

Schottroff zeigt jedoch klar, dass dieses Verständnis vom griechischen Text her problematisch ist. Touto (griechisch dies) ist Neutrum, artos (griechisch Brot) jedoch Maskulinum. Das touto muss sich auf etwas anderes beziehen, und zwar auf das gesamte Geschehen der gemeinsamen Mahlzeit – auf die verschiedenen Menschen, auf ihre konkreten Körper, auf ihr gemeinsames Essen dieses Brotes, auf das Teilen dieses grundlegenden Lebensmittels. All dies ist der Leib Christi. Auch das Wort über dem Becher (1 Kor 11,25) meint nicht ausschließlich den Wein im Becher, sondern bezieht sich auf das gemeinsame Trinken aus dem einen Becher, auf das gemeinsame Teilen dieses Mittels zum Leben.

Die so versammelte Gemeinschaft ist der Leib Christi. Sie repräsentiert den Messias Jesus in ihrer Gegenwart. Da, wo Menschen im Namen Jesu diese Mahlzeit gemeinsam feierlich begehen, ist der auferstandene Jesus erfahrbar. Dies ist die Spitze der sacred identity der Messiasleute: Rom konnte Jesus nicht ausschalten. Gott hat ihn von den Toten auferweckt. In den Gemeinschaften seiner Anhängerinnen und Anhänger ist er lebendig.

In Ephesus wird alljährlich die Geburt der Artemis in den Feiern der Mysterien vergegenwärtigt. Die Stadt versteht Artemis als die sie schützende Macht. Die Messiasleute geraten ins Abseits, da sie Artemis die Ehrungen und Opfer verweigern. Im Vertrauen auf die Gegenwart Jesu und Gottes lebensbringende Kraft versuchen sie, in dieser sie bedrängendenLage zu überleben. Das gemeinsame Mahl kann man wohl auch als eine Gegeninszenierung zu den Kulten der fremden Götter verstehen. In Ephesus ist Artemis das bedrohende Gegenüber.

Das Abendmahl ist zentral für gemeinsames Leben und Überleben in einer bedrohlichen Umwelt. Deswegen wundert es nicht, dass Paulus und Sosthenes so heftig auf konkrete Vorgänge bei den Mahlfeiern in Korinth reagieren (1 Kor 11,27-34). Jesusleute, die etwas mehr besitzen, scheinen sich besseres Essen mitgebracht zu haben, das sie nicht mit den Ärmeren teilen wollen. Oder sie warten mit dem Essen nicht auf die, die wegen der Arbeit erst später kommen. In beiden Fällen werden die Armen beschämt. Die, die mehr haben, beharren auf dem Eigenen. Dadurch beanspruchen sie eine besondere Position und stellen sie zur Schau.

So imitieren sie in gewisser Weise das Handeln der ephesinischen Oberschicht, die im Wettkampf um Ehre ihr Vermögen öffentlich präsentieren. Die Gastmähler der Reichen dort funktionierten nach einem bestimmten ungeschriebenen Regelwerk. Durch die Sitzordnung und das Anbieten besonderer Speisen wurden bei den Mahlzeiten die Rangordnung und Hierarchien unter den Gästen deutlich. Hochgestellte Gäste bekamen einen Ehrenplatz und besonders wertvolle Speisen vorgesetzt. Weniger wichtige Gäste mussten sich mit anderem Essen zufriedengeben und hatten einen Platz weiter weg vom Gastgeber. Antike Gastmähler waren ein Ort, an dem gesellschaftliche Unterschiede offensichtlich wurden. Das gemeinsame Mahl der Messiasleute hat eine andere Programmatik. Die von Gott gebotene Solidarität soll alles gemeinschaftliche Zusammensein durch und durch prägen.

Wenn eine Imitation gesellschaftlicher Regeln für Gastmähler das solidarische Beziehungsnetz der Messiasleute schädigte, dann hatte das gravierende Konsequenzen. Im solidarischen Miteinander der Glieder des Leibes Christi ist Christus für die Menschen gegenwärtig erfahrbar. Wenn einige diese Solidarität verweigern, kann Christus in seiner heilvollen Fülle nicht mehr erlebbar sein. Wer die Gemeinschaft kaputtmacht, gefährdet den Erfahrungsraum für Gottes und Jesu Zuwendung. Das solidarische Miteinander nimmt Schaden. Sosthenes und Paulus schärfen den korinthischen Geschwistern noch einmal ein: »Wenn ihr euch versammelt, übernehmt Verantwortung füreinander« (1 Kor 11,33).

Nach den klaren Worten zu den korinthischen Zuständen entwickeln die beiden Briefschreiber ihre Vision von der Gemeinschaft in Christus. Das Bild vom Leib Christi wird hier noch einmal zugespitzt: »Denn wie der Körper eine Einheit ist und doch viele Teile hat, alle Teile des Körpers also die Einheit des Körpers ausmachen, so verhält es sich auch mit Christus« (1 Kor 12,12).

Dieser Text basiert auf einer in der Antike weit verbreiteten Vorstellung: Eine soziale Gruppe ist wie ein lebendiger Körper , dessen Teile die einzelnen Glieder der Gruppe sind. In der römischen Literatur wird dieses Sinnbild aber hierarchisch verstanden: Um einen Volksaufstand zu verhindern, verwendet der römische Politiker Menenius Agrippa (gest. 493 v. Chr.) in einer Rede an das Volk ein vergleichbares Bild. Die Glieder eines Körpers lehnen sich gegen den angeblich nichtsnutzigen und faulen Magen auf. Sie beschließen, seine Versorgung einzustellen, da er auf ihre Kosten lebte. Gesagt, getan – »Im Nu ließen ihre Kräfte nach, und bald verfiel der ganze Körper! Da lernten sie schnell einsehen, dass der Magen nicht untätig und unnütz sei; ebenso wie er sich selbst nähren lasse, sei er ja selber ein Helfer des Ganzen. Sehr schnell leuchtete den Gliedern ein, dass der Mensch die Kräfte, durch die er lebt und gedeiht, durch die stille Arbeit des Magen erhält, und sie beeilten sich, mit dem Quell ihrer Körperkraft sich wieder auszusöhnen« (Livius Römische Geschichte 2, 32). Die Geschichte sieht im Magen, der untätig ist, ein Bild für die Oberen des Staates: Nur sie können das Gemeinwesen am Leben erhalten. Und dafür müssen die andere Körperteile ihn durchfüttern – genauso wie die Bürger die regierende Oberschicht.

Paulus und Sosthenes drehen diese Vorstellung komplett um. Innerhalb der Gemeinde Jesu gibt es keine Unterschiede zwischen den einzelnen Körperteilen, die eine Über- oder Unterordnung rechtfertigen. Vielmehr sind die einzelnen Glieder aufeinander bezogen, und zwar so, dass sie nicht ohne die Beziehung zu den anderen leben können. Füreinander da zu sein – darin besteht die Bedeutung der Gemeinschaft. Diese Solidarität ist ihr Wesen und ihr Erkennungszeichen.

Inmitten des Trubels der Feste für Artemis war es schwierig, das alles im Blick zu behalten. Die Pracht der Feierlichkeiten war überwältigend, sie zeugte von der Macht der Artemis und der Bürger von Ephesus. Die Messiasleute hingegen waren ein kleiner unscheinbarer Haufen, von dem Paulus und Sosthenes aber dennoch schreiben: »Die Geringen und die Verachteten der Welt hat Gott erwählt« (1 Kor 1,28).

# 8. STRASSEN VON RUHM UND EHRE

Die Straße von der Oberen Agora hinab zur Tetragonos-Agora, der Embolos, war gerahmt mit Inschriften, in denen wichtige und verdiente Bürger geehrt wurden. Ein ähnliches Bild bot sich Paulus und den anderen auf der Straße zwischen dem Theater und der Rennbahn: »Der wohlwaltenden Schicksalsgöttin geweiht. Die Silberschmiede der ersten und größten Metropole Asiens stellten Valerius Festus diese Inschrift auf, der in der Tradition seiner Vorfahren Gründer vieler Bauwerke in Asia und Ephesos war nach dem Heros Antonius, der den Hafen größer machte als Kroisos, ihrem Retter und Wohltäter in allen Belangen.« (SEG 34,1094) Überall das Herausstellen der Verdienste dieser wichtigen Männer, überall die Prahlerei mit dem, was man geleistet hat. Befremdlich für die, die sich auf einen Mann beriefen, der am Kreuz hingerichtet wurde. Gleichzeitig erlebten Paulus und die anderen immer wieder, dass ihre Erzählungen vom gekreuzigten Jesus Kopfschütteln hervorrief. Kein Wunder: Eine Gesellschaft, die so auf Erfolg, Ruhm und Ehre getrimmt war, die konnte mit einem Verlierer wie Jesus nicht viel anfangen. So hatten sie mit ihrer Botschaft häufig keinen Erfolg.

## Inschriften all über all

Gruppen von Bürgern drückten mit Inschriften, Stelen, Statuen und anderen kleineren Aufbauten ihren Dank gegenüber vermögenden und freigebigen Wohltätern aus. Solche Inschriften verweisen auf ein wichtiges Element antiker Kultur im Allgemeinen hin, wie es uns schon bei der Stiftungsinschrift des Vibius Salutaris begegnet ist.

Es ist der Wettstreit der angesehenen Männer um Ehre. Seinen eigenen Namen auf vielen solcher Tafeln in der Öffentlichkeit zu sehen, das unterstrich die gesellschaftliche Bedeutung einer Person der Öffentlichkeit und deren Ansehen in besonderer Weise. In dieser Hinsicht waren diese Straßen im inneren Bereich von Ephesus Orte von Ruhm und Ehre. Hier wurde Ansehen und Anerkennung zur Schau gestellt. Ohne diese Präsentation war alles, was man für die Stadt tat, viel weniger wert.

Diese Inschriften an den Straßen dienten aber nicht nur dem Ansehen der prominenten Bürger. Auch diejenigen, die sie aufhängen oder aufstellen ließen, versprachen sich etwas davon. Etwas von dem gesellschaftlichen Glanz der Mächtigen sollte auch auf sie abstrahlen.

Wer waren diese Menschen, die solche Denkmäler finanzierten und aufstellten? In vielen Städten des römischen Reichs, und gerade in wirtschaftlich pulsierenden

Die sog. Kuretenstraße

Hafenstädten traten berufliche Vereinigungen als Stifter solcher Ehreninschriften hervor. Auch Anwohner in bestimmten Stadtvierteln taten sich zusammen, um in der Öffentlichkeit aufzutreten. Für Letzteres ist eine Inschrift zur Ehren einer Artemis-Priesterin am unteren Ende des Embolos in der Nähe der Hanghäuser ein Beispiel. Diese Straße wird heute allgemein Kuretenstraße genannt. Hier fand man Säulenfragmente mit den Kureteninschriften von der Staatsagora, was zu der eigentlich falschen Bezeichnung führte.

Eine Art Nachbarschaftsverein vom Embolos ließ eine Ehreninschrift für eine Artemis-Priesterin aufhängen oder aufstellen (IvE 3059). Die Inschrift war an der Prozessionsroute für Artemis platziert. Damit wird auch der Zweck der Inschrift deutlich. Mit der Ehrung einer Artemis-Priesterin setzte man sich für die Förderung der Artemis-Verehrung ein. Die Inschrift verweist auf einen heiligen Ort, eine kleine Kultstätte, am Rande der Straße, über die die große Artemis-Prozession zog. An diesen Kultstätten dürften bei den Feierlichkeiten für Artemis kleine Opferhandlungen vollzogen worden sein. Der Weg durch die Stadt wurde so für die Gottheit feierlich ausgeschmückt. Die Vereinigung der Anwohner des Embolos zeigten sich so öffentlich als treue und gewissenhafte Verehrerin der Artemis. Zum Wohl der ganzen Stadt übernahmen sie in ihrem Viertel religiöse Aufgaben. Dazu gehörte neben dem Vollzug der Opferhandlungen sicherlich auch die ganzjährige Pflege des heiligen Ortes. Mit diesem besonders gestalteten Ort und der Inschrift präsentierte sich die Vereinigung vom Embolos als gute Bürger der Stadt: »Wir gehören zu der Stadt, die Artemis geweiht ist.« Die Pflege des heiligen Orts war eine Möglichkeit, sich in die Polis zu integrieren und das auch zu zeigen. Auch die Ehrung der Artemis-Priesterin demonstrierte: »Wir ehren die, deren Beruf die Pflege des Artemis-Kultes ist. Wir haben damit Anteil an der geheiligten Identität unserer Stadt.«

Im 2. Jh. n. Chr. trat die Familie der Vedier als große Sponsorin für Angelegenheiten der Stadt in Erscheinung. Deren Mitglieder errichteten riesige Bauten wie das Vedius-Gymnasium, in der Nähe der Rennbahn. Auch die Erweiterung des Bouleuterions geht auf die Vedier zurück. Für diese Wohltäter der Stadt sind zahlreiche Inschriften zur Ehrung aufgehängt worden, und zwar von Handwerkervereinigungen. Die Vereinigungen der Wollarbeiter und Wollhändler (IvE 727) und die Gemeinschaft der Tempelbauhandwerker (IvE 3075) ehren Mitglieder der Familie der Vedier, die so viel Gutes für die Stadt getan haben. Die Tatsache, dass diese Inschriften öffentlich aufgehängt werden konnten, zeigt: Die Vereine sind würdig, solch erhabene Wohltäter zu ehren. Damit steigern auch sie ihr kulturelles Kapital.

Eine Inschrift für Publius Vedius, die von Tempelweinverkäufern initiiert wurde, sucht die Nähe zu den politischen Institutionen der Stadt, dem Rat und der Volksversammlung (IvE 13,728). Die Weinverkäufer demonstrieren damit: »Wir handeln in Übereinkunft mit der Stadtregierung.« Auch das steigert ihr Ansehen.

Vergleichbare Inschriften finden sich in der Nähe von Werkstätten und Ladenlokalen längs der Hallenstraße zwischen Theater und Rennbahn. Dort ehren Berufsvereine den Asiarchen und Prytanen Fulvius Publicanus Nikephoros. Es sind Vereine aus dem produzierenden Gewerbe und dem Handel: Tempelweinhändler, Schuhsohlenmacher, Wurst- bzw. Hanfhändler (vgl. u.a. IvE 2080.2076). Es sind Berufe, die nicht im Bereich der Highsociety angesiedelt sind. Gerade der Umgang mit tierischen Produkten, die zur Wurstherstellung verwendet wurden, war vielen aus der Oberschicht ein Graus. Wer mit solch zunächst unappetitlichen Dingen herumhantierte, der konnte in moralischer Hinsicht nicht ganz in Ordnung sein. So dachten gerade Angehörige der herrschenden Schicht in der hellenistisch-römischen Gesellschaft. Menschen, die von Handarbeit lebten oder mit handwerklichen Produkten zu tun hatten, verfügten von ihrem Beruf her über wenig Ansehen. Sich durch solche Inschriften in Nähe von hohen und angesehenen Personen zu stellen, das konnte ihnen helfen, überhaupt zu Ansehen zu kommen. Ob die Angehörigen dieser Gewerbe durch wirtschaftliche Erfolge über größere Mittel verfügten, kann man nicht genau sagen. Fest steht: Die Gruppe insgesamt konnte das notwendige Geld für die jeweiligen Projekte aufbringen. Die Einzelnen hatten Geld übrig, das sie nicht für das alltägliche Leben und das Geschäft brauchten.

Mit Blick auf ein Projekt des Vereins der Fischer/Fischhändler kann man jedoch sagen, dass solche Vereine über recht umfängliche Mittel verfügen konnten. Irgendwann im Zeitraum von 54-59 n. Chr. hat diese Gruppe ein größeres Bauprojekt am Hafen finanziert. Es war entweder das Vereinshaus mit Verkaufshalle oder das Zollhaus, in dem der Verein die Pacht für Fischereirechte kassierte. An diesem Haus befand sich die Liste der Spender aus dem Verein für dieses Projekt (IvE 11.1,20). Diese Liste weist eine hierarchische Gliederung auf. Gleichzeitig grenzt sie die Spender von den Übrigen im Verein ab, die sich an dem Projekt nicht beteiligen konnten. Solche Vereine waren keine egalitären Vereinigungen, sondern spiegelten die wirtschaftlichen Unterschiede in der Gesellschaft wider.

Eine letzte Gruppe, die erwähnt werden soll, führt zu den neutestamentlichen Texten. Es sind die Silberschmiede von Ephesus, die auch in Apg 19 eine wichtige Rolle spielen. Insgesamt sechsmal taucht diese Berufsgruppe in den Inschriftenfunden von Ephesus auf. Diese Handwerkergruppe gründete ihre Arbeit im Kult der Artemis. Sie fertigten Devotionalien an, die wohl vor allem von Touristen aus dem Reich gekauft wurden. Die Selbstbezeichnung des Vereines »heilige Versammlung« (IvE 13,636) zeigt, wie sehr das eigene Selbstverständnis an Artemis gebunden war. Auch die Silberschmiede ehrten politisch einflussreiche Mitglieder der städtischen Oberschicht und steigerten so ihr eigenesgesellschaftliches Ansehen (vgl. u.a. IvE 425).

Die Vereine waren Organisationen, mit deren Hilfe Menschen ihre Zugehörigkeit zur Stadtgesellschaft zeigen und ihr gesellschaftliches Ansehen aufbessern wollten. Der allgegenwärtige Wettstreit um Ansehen und Ehre erfasste auch die Gruppe der Handwerker und Händler. Auch sie beteiligten sich an diesem Geschehen. Sie erkannten die Spielregeln der Gesellschaft an und zeigten so, dass sie Teil der Gemeinschaft in der Polis waren. Dafür brauchten die Angehörigen der Berufsvereine aber die besondere Ehrenstellung von Menschen aus der Oberschicht. Erst mit Hilfe deren Prestiges konnten sie ihr Ansehen steigern.

Dieses Verhältnis von angesehenen Bürgern und Berufsvereinigungen erinnert stark an das Patron-Klienten-System, das vor allem die politische Landschaft Roms vor der Kaiserzeit geprägt hatte. Bürger aus unteren gesellschaftlichen Schichten, z.B. einfache Handwerker und Betreiber kleinerer Läden, brauchten für die vielen Wechselfälle des gesellschaftlichen Lebens einen mächtigen Fürsprecher, z.B. bei einem Prozess vor Gericht. Sie konnten einen solchen Fürsprecher gewinnen, indem sie einem mächtigeren Bürger ihrerseits Unterstützung zusagten: Wenn dieser sich z.B. für ein politischen Amt bewarb, dann bildeten sie bei Wahlkampfveranstaltungen die jubelnde Menge. Sie wählten ihn selbstverständlich auch. Bei vielfältigen gesellschaftlichen Anlässen bildeten sie sein Gefolge. Je größer das Gefolge, umso größer das gesellschaftliche Ansehen.

Der Handwerker wird zum Klient eines reichen Patrons. Natürlich haben beide von der Beziehung einen Nutzen. Dieser Nutzen ist jedoch ganz unterschiedlicher Natur. Der Reiche steigert seinen gesellschaftlichen Einfluss und vergrößert so möglicherweise auch sein Vermögen. Der Handwerker hingegen geht diese Beziehung ein, da ihn die äußeren Umstände dazu zwingen. Wer sich gegen eine Anklage eines Kunden wehren muss, kann sich in der Regel vor Gericht nicht verteidigen, wenn ein mächtiger Fürsprecher fehlt. Dann stand die wirtschaftliche Existenz auf dem Spiel. Natürlich war auch die Zughörigkeit zu einem bekannten Patron wirtschaftlich interessant: Im Umfeld eines Patrons konnte man Kontakt zu neuen Kunden bekommen. Ähnliches dürften auch die Berufsvereine angetrieben haben: Die öffentlichen Ehrungsinschriften waren Werbung für die eigenen Betriebe. Die Orientierung an den Mächtigen sollte helfen, die eigene soziale und wirtschaftliche Situation zu verbessern.

## Die Schwachen der Welt

Mit Blick auf den andauernden Wettkampf um Ruhm und Ehre ist dieser Satz eine Zumutung und Herausforderung: »Die Geringen und Verachteten der Welt hat Gott erwählt« (1 Kor 1,28). Damit nehmen Sosthenes und Paulus zu einem schweren Konflikt in den ersten Kapiteln dieses Briefes Stellung. Die Leute der Chloe, wahrscheinlich waren es Sklavinnen und Sklaven der Chloe, haben den Messiasleuten in Ephesus von Streitigkeiten in Korinth berichtet: In der Gemeinde haben sich unterschiedliche Gruppierungen gebildet. Sie berufen sich jeweils auf die Person, die sie getauft hat: eine Gruppe auf Apollos, die sich insbesondere ihm zugehörig und verpflichtet fühlt, eine auf Kephas, also

Simon Petrus. Für Paulus und Sosthenes entsteht hier ein Problem, das die Einheit der Gemeinde infrage stellt. Wenn jemand sagt: »Ich gehöre zu Apollos« (1 Kor 1,12), sprechen sie dem Täufer damit eine besondere Ehrenstellung in der Gemeinde zu. Sie ordnen sich ihm zu, und damit ordnen sie sich ihm auch unter.

So imitieren die Messiasanhänger die Patron-Klienten-Beziehungen. Hier dürfte für Paulus und Sostehens das Problem gelegen haben. Sie befürchten eine Übertragung gesellschaftlicher Verhaltensmuster auf das Miteinander in der Gemeinde. Die Bildung von Gruppen um die jeweiligen Täufer weist den Täufern eine besondere Stellung zu: Wer viel getauft hat, der hat viel Einfluss. Streit und Eifersucht (1 Kor 3,3-4) sind die Folge. Es droht, dass sich einige über die anderen erheben, wenn sie auf eine größere Anhängerschaft verweisen (1 Kor 4,6). Der Wettkampf um Ehre und Ansehen hält Einzug in die messianischen Gemeinschaften. Ehre beginnt zu einer neuen Währung im Miteinander zu werden.

Für Sosthenes und Paulus hingegen zählt allein die Botschaft vom auferstandenen Messias Jesus (1 Kor 1,17). Sie gehören alle zum Messias Jesus – das ist entscheidend. Wer der Täufer war, ist belanglos. Dieser Konflikt ist beispielhaft für die Situation früher Gemeinden. Die eigene Botschaft und die gesellschaftlichen Strukturen mit ihren Wertmaßstäben passen nicht zueinander. Es herrscht jeweils ein anderer Geist. »Wir haben nicht den Geist der Welt empfangen, sondern den Geist von Gott« (1 Kor 2,12).

Die Gabe des Geistes ist in den prophetischen Schriften des Alten Testaments ein Kennzeichen, dass Gottes kommende Welt unter den Menschen Wirklichkeit wird (vgl. Jes 61,1; Joel 3). Die messianischen Gemeinschaften sind der Ort, an dem die Gläubigen dieses erfahren können. Unter den Menschen in den Gemeinden nimmt das Reich Gottes Gestalt an und nicht das Reich des Kaisers.

Der Geist Gottes steht aber auch für die Kraft, die Menschen lebendig macht und antreibt. Und diese Kraft kommt allein von Gott. Die Rede vom Geist Gottes macht deutlich: Von woher kommt die Energie, die mich am Leben erhält? Wes Geistes Kind bin ich? Welche Grundeinstellungen prägen mich und mein Leben?

## Vom gekreuzigten Christus erzählen

Was die messianische Gemeinschaft ausmacht, ist die Beziehung zu Christus, der von der römischen Staatsmacht gekreuzigt wurde. Dem Konkurrenzdenken und dem Wettkampf um Ruhm und Ehre stellen die Briefschreiber das »Wort vom Kreuz« (1 Kor 1,18) entgegen. Dieses »Wort vom Kreuz« bedeutet, so Luise Schottroff, das Reden und Erzählen vom gekreuzigten Jesus. Die Messiasleute machen mit ihrem Erzählen vom Kreuz klar: Auf diesen Menschen, der ein Opfer römischer Staatsgewalt wurde, beziehen wir uns. Er ist Grund unseres Lebens. Er prägt unser Zusammensein.

Die Kreuzigung war im römischen Reich eine Strafe für Aufrührer und Feinde der staatlichen Ordnung, die die Delinquenten demütigen und quälen sollte. Schaut man sich die neutestamentlichen Evangelien an, kann man sehen: Die jüdische Selbstverwaltung in Judäa, der Hohe Rat, hat Jesus als Störer der Ordnung angesehen und ihn der Gewalt der römischen Besatzungsmacht übergeben. Der römische Amtsträger in Jerusalem, Pontius Pilatus, sah trotz seiner Zweifel de facto keinen Grund, Jesus nicht hinrichten zu lassen. Damit war Jesus in den Augen Roms ein hingerichteter Aufständischer. Sprechen die frühen Gemeinden vom Gekreuzigten, reden sie von jemandem, den das römische Reich als seinen Feind ansah. In 1 Kor 2,8 macht Paulus deutlich, dass die Machthaber der Welt die Weisheit Gottes, die in Christus gegenwärtig ist, nicht erkannt haben. Diese Machthaber sahen in Jesus eine Gefahr für ihre Herrschaft. Jesu Botschaft vom Reich Gottes und seine Praxis der Nächstenliebe und Solidarität störten das System des Imperiums. Hin und wieder wird in der heutigen Diskussion um den Prozess Jesu gesagt: Das Ganze sei ein Justizirrtum gewesen. Jesus sei unschuldig gewesen. Paulus und die anderen hätten wohl eher gesagt: Im Sinne der Anklage war Jesus schuldig. Seine Botschaft, sein Wirken brachte wirklich die römische Ordnung durcheinander. Deswegen wurde er hingerichtet.

In den Augen der Mächte dieser Welt ist Jesus ein Verlierer, dessen Wirken am Kreuz endete. Er konnte keine Erfolge vorweisen. Er war nicht der strahlende und mächtige Held. Siegreiche Krieger, das waren die Personen, mit denen man sich identifizierte. Und wenn man gegen einen übermächtigen Gegner verlor, dann musste man wie die 300 Spartaner am Thermophylenpass (Herodot, Historien 7, 201-234) bis zum letzten Blutstropfen gegen die übermächtige Armee der Perser kämpften. So starben die wahren Helden. Das Markusevangelium erzählt davon, dass Jesus in Verzweiflung stirbt. Kein trotziges Verhöhnen der Gegner, Jesus stirbt als gebrochener Mann: »Mein Gott, mein Gott, warum hast du mich verlassen?« (Mk 15,34). Von ihm zu erzählen entspricht nicht den herrschenden Wertmaßstäben der griechisch-römischen Gesellschaft. Denjenigen, die sich nach dem Zeitgeist in dieser Gesellschaft richten, erscheint die Verkündigung von Jesus Christus zwangsläufig unvernünftig (1 Kor 1,22). Dieser Jesus steht all dem völlig entgegen, was die meisten in ihrem Leben als gut und richtig ansehen.

In 1 Kor 1,22 formulieren Paulus und Sosthenes Einsprüche von jüdischer Seite, die hochaktuell sind und die man nicht einfach beiseitewischen sollte: »Es gibt jüdische Menschen, die Zeichen Gottes erwarten.« Wie kann in der Niederlage am Kreuz Gottes Heil gesehen werden? Wo wird das greifbar? Hier geht es nicht um vermeintlich typisch jüdische Zeichenforderungen für Gottes Wirken, sondern um existenzielle Anfragen an das Evangelium, das die Messiasleute verkünden: Jüdische Menschen in den Gemeinden erleben die Macht der Herrscher dieser Welt, gerade wenn sie sich zum Gekreuzigten bekennen. In Kapitel 3 ging es darum, wie gefährlich die Nähe zu Anhängern des Gekreuzigten für Jüdinnen und Juden in den Städten des Imperiums werden konnte. Dieses Bekenntnis konnte Tod statt Leben bringen. Die Bedrohung durch römische Staatsorgane war allgegenwärtig. Soll man für diese Messiasleute das Leben von Menschen aufs Spiel setzen? Die Macht der alltäglichen Erfahrungen war ein starker Einspruch gegen das Evangelium von Jesus Christus.

Die Briefeschreiber antworten mit dem Hinweis auf Gottes Offenbarung in der Erwählung des Schwachen, Verachteten und Geringen. So zeigt sich in der Erwählung des schwachen Volkes Israel (und dessen Befreiung aus dem Sklavenhaus in Ägypten) Gottes rettende Kraft (vgl. Dtn 7,7 u.ö.; Jes 42,1ff), ebenso in der Aufrichtung der zahllosen Verachteten in der Geschichte des Gottesvolkes bis hin zu Jesus und über ihn hinaus. In der Auferstehung des Gekreuzigten ist für Paulus der Gott, der den Tod und die Mächte dieser Welt besiegt, erfahrbar. Die Auferweckung Jesu zeigt für Paulus: Gott ist stärker als die römischen Waffen. Gott steht, so Paulus, auf der Seite der Verachteten und Geknechteten. Gottes erwählendes und aufrichtendes Handeln können die Messiasleute jedes Mal konkret erleben, wenn sie sich in seinem Namen in ihren Wohnungen treffen. Dann sitzen dort die, die in den Augen der Mehrheit eigentlich nur Abschaum sind. Aber sie finden sich mit dieser Verachtung nicht ab. Sie haben sich ansprechen lassen vom Evangelium der Auferweckung, von der frohen Botschaft, dass Gott die Schwachen erwählt. Sie haben es gehört und sind aufgestanden. Die alltägliche Erniedrigung durch die Mächtigen wollen sie nicht mehr klaglos hinnehmen. Das, was sie immer wieder erlebten und erlitten, kann nicht alles sein. Weil Gott den Messias Jesus vom Tode aufgeweckt hat, wissen sie: Es gibt mehr als das, was ihren Alltag beherrscht. Diese Menschen treibt nicht der Geist des Kampfes um Ehre und Ansehen an. Der Geist Gottes ist ihre Antriebskraft. Er verleiht ihnen Energie und Lebensmut, gerade da, wo es so wenig Anlass für Hoffnung gibt, wo die allgegenwärtige Macht des Imperiums aufkeimendes Leben immer wieder zunichtemacht:

»Ihr aber seid nicht in menschlichen Grenzen gefangen, sondern lebt in der Geistkraft, so gewiss die Geistkraft Gottes in euch wohnt. Wer aber nicht teilhat an der Geistkraft des Messias, kann ihm auch nicht angehören. Wenn aber der Messias in euch ist – mögt ihr auch wie tot sein aufgrundder allgegenwärtigen Sündenmacht –, dann schenkt euch die Geistkraft Leben, damit Gerechtigkeit verwirklicht wird. Wenn aber die Geistkraft Gottes, die Jesus von den Toten aufgeweckt hat, in euch wohnt, so wird die, die den Messias von den Toten aufgeweckt hat, auch eure der Todesherrschaft unterworfenen Körper lebendig machen. Dies geschieht durch Gottes Geistkraft, die in euch wohnt« (Röm 8,9-11).

Paulus wendet sich gegen die überall gegenwärtige Ausrichtung auf Stärke und Erfolg. Er macht einen Verlierer und Ausgestoßenen zum Bezugspunkt und zur Basis der Gemeinde. Damit ist auch eine Anklage des römischen Imperiums verbunden, das einen Menschen wie Jesus mit Gewalt aus dem Weg räumt.

Der Gekreuzigte wird für Paulus zur Identifikationsfigur für viele aus der Gemeinde in Korinth, die der städtischen Unterschicht angehören: Der von Gott Erwählte hat die Leiden, die auch die Frauen, Männer und Kinder in den Gemeinden erleben, am eigenen Leib erfahren. Sein Ergehen, seine Auferweckung bedeuten in der Sicht des Paulus für die Gläubigen Heil und Befreiung (1 Kor 1,30). Dies können sie in Christus, in der Gemeinde, die der Leib Christi ist, erfahren.

Damit wird klar, warum Konkurrenzstreitigkeiten der Gemeinschaft nachhaltig schaden. So kann die Gemeinde nicht mehr der Raum sein, in dem die Auferweckung Jesu erfahren wird. In einer von Wettstreit geprägten Gemeinschaft ist Christus nicht präsent. Der Erfahrungsraum für den lebendigen Gott wird so zerstört. In Korinth scheint das ein schwerwiegendes Problem gewesen zu sein. Im vorherigen Kapitel 7 ging es um Vergleichbares bei der Feier des Abendmahls.

Im Konkurrenzdenken folgt man dem Geist der Welt. Damit verliert die Gemeinde ihren Halt- und Bezugspunkt, der sie ausmacht: Dem Geist der Welt zu folgen bestätigt die Macht der Herrscher dieser Welt und bekräftigt die Haltung der Mehrheit, dass Jesus gescheitert sei.

Vereine der Stadt zeigten mit ihren Ehrungen für angesehene Personen des öffentlichen Lebens, dass sie dazugehörten. Sie folgten dem Geist dieser Gesellschaft. Die Messiasleute bekennen sich zu einem anderen Geist, dem lebendig machenden Geist Gottes.

Im Zusammenhang des Erzählens vom gekreuzigten Christus ist hier im 1. Brief an die Gemeinden in Korinth nicht von Sündenvergebung die Rede. Gerade innerhalb des Protestantismus hat sich im Gefolge der reformatorischen Theologie die Einstellung verfestigt: Beim Kreuz Christi geht es in erster Linie um Vergebung der Sünden.

Hier kann eine gründliche Lektüre der neutestamentlichen Schriften helfen, eine solche doch etwas einseitige Sicht zu revidieren. Die Identifikation mit dem Gekreuzigten bringt hier im 1. Korintherbrief, aber auch im Philipperbrief etwas anderes zum Ausdruck: Gott hat nicht die Mächtigen erwählt. In Phil 2,6-8 zitiert Paulus einen Text, der innerhalb der messianischen Bewegung schon bekannt war: »Über göttliche Gestalt verfügend, hielt Christus die Gottgleichheit doch nicht wie ein glückliches Los fest, sondern entäußerte sich selbst aller Vorrechte und nahm die Gestalt eines versklavten Menschen an, wurde den Menschen gleich und seine ganze Erscheinung zeigte: Er war ein Mensch wie du und ich. Er erniedrigte sich selbst und war dem Auftrag Gottes gehorsam bis zum Tode, dem Sklaventod am Kreuz.«

In wenigen Sätzen entsteht hier eine theologische Deutung des Lebens und Sterbens Jesu. Der Weg Jesu wird zunächst als Abstieg gesehen. Derjenige, der gottgleich war, wurde zum Menschen, und zwar zu einem versklavten Menschen. Dies ist ein Leben, das allen Karriere- und Aufstiegswegen der römischen Welt entgegensteht. Es war in der römischen Gesellschaft äußerst schwierig, aus seiner gesellschaftlichen Schicht aufzusteigen. Ein Aufstiegsmythos à la »Vom Tellerwäscher zum Millionär« kannte die Antike nicht. Aber im vorgesehenen Rahmen war Aufstieg möglich. Die Ehrungsinschriften verwiesen ja auch auf den wirtschaftlichen Erfolg der Stifter dieser Tafeln und Denkmäler. Handwerker konnten sich so hocharbeiten und ihren Beitrag zur Kultur steigern. Die größte Aufstiegsgeschichte ist aber die Vergöttlichung des verstorbenen Kaisers. Julius Caesar wurde nach seiner Ermordung per Senatsbeschluss zum Gott erklärt. Das fand auch bei Augustus statt und setzte sich dann fort. Aus einem Menschen wurde ein Gott, dem man Opfer darbrachte. Jesus hingegen war nahe bei Gott und erniedrigte sich dann bis zum Tod am Kreuz. Auch hier in Phil 2 fehlt jeglicher Hinweis auf die Sündervergebung durch Jesu Tod. Vielmehr wird der Glaube Jesu hervorgehoben. Die Evangelien erzählen davon so: Jesus bleibt auch im Angesicht der drohenden Verhaftung bei seiner Botschaft vom Reich Gottes. Er ist seinem Bekenntnis zu Gott treu und nimmt dafür den Tod in Kauf. Das erinnert an die jüdischen Märtyrerinnen und Märtyrer im Kampf gegen den griechischen Herrscher Antiochos IV. (2 Makk 7). Auch dort setzen Menschen ihr Leben für den Glauben an den einen Gott ein. Das Sterben solcher Märtyrer wird in der jüdischen Tradition als Appell an Gott verstanden, die Macht der Gewalttäter zu beenden und sein Reich aufzurichten. Die jüdische Tradition geht dabei von einem mitleidenden Gott aus: Gott leidet mit den Gequälten und Ermordeten. Gott ist nicht gleichgültig gegenüber menschlichem Leid.

Die Gemeinden bringen mit ihrem Erzählen von den Leiden Jesu und all der anderen Menschen unter imperialer Gewalt ihre Erfahrungen vor Gott. Sie stimmen damit gewissermaßen ein in Jesu Klage: »Mein Gott, mein Gott, warum hast Du mich verlassen?« (Mk 15,34). Jesu Ruf ist ein verzweifelter Appell an Gott, ihn nicht der Macht des Todes auszuliefern. Gottes schöpferische Kraft soll sich inmitten menschlicher Gewalt zeigen. Die messianische Erzählgemeinschaft stimmt in die Klage ein und bringt ihre leidvollen Erfahrungen vor Gott. Auch hier wird die Märtyrertradition fortgeschrieben.

Dass der Messias Jesus von den Toten auferweckt wird, kann als Gottes Antwort auf diese Klagen gedeutet werden. Wie Gott das Schreien seines Volkes Israel in Ägypten gehört hat (Ex 3,7), so hört er auch auf das Klagen seines Messias. Wie Gott Israel aus der Sklaverei in Ägypten befreit hat, so befreit er Jesus aus dem Tod.

Wenn vom Kreuz Christi erzählt wird, dann geht es genau darum: Es wird eine Abstiegsgeschichte erzählt, eine Geschichte, die an Erfahrungen von Leid und Gewalt erinnert, eine Geschichte, die Klagen vor Gott bringt und der Hoffnung Ausdruck verleiht, dass Jesu Auferstehung erst der Anfang der vollständigen Besiegung des Todes ist. Ein solches Erzählen vom Kreuz wird zum Erkennungszeichen der Messiasleute, ein völlig anderes Erkennungszeichen als die Tafeln von Ruhm und Ehre in den Straßen von Ephesus.

Gleichzeitig stiftet das Erzählen vom Kreuz die Messiasleute immer wieder an, sich mit den Leidenden in ihrer Gegenwart zu solidarisieren. In ihrem Handeln soll die schöpferische Kraft Gottes gegenwärtig sein. Sie, die selbst zu den Schwachen und Gedemütigten gehören, geben Gottes Kraft weiter. Das Erzählen macht sensibel für die Schründe und Abgründe der menschlichen Welt. Wer sich zum Gekreuzigten bekennt, der oder die kann nicht einfach am Leiden von Menschen vorbeischauen.

# 9. WO ES NICHTS UMSONST GIBT – DIE TETRAGONOS-AGORA

Immer wieder stecken sie ihre Köpfe zusammen, Paulus, Titus, Prisca und Aquila: Sorgenvoll betrachten sie die Geldstücke, die auf dem Tisch liegen. Wie lange reicht es noch für das Lebensnotwendige aus, für die Arbeit für den Messias Jesus? Die Werkstatt läuft im Moment nicht sehr gut. Die Einnahmen fließen spärlicher. Morgen müssen sie versuchen, einige ihrer Produkte zu verkaufen. Noch besser wären einige langfristige Aufträge. Sie gehen dann wieder zum großen Marktplatz, der Tetragonos-Agora, am unteren Ende der Straße, die von der Staatsagora Richtung Westen verläuft. Dort war neben dem Hafen das wirtschaftliche Zentrum der Stadt. Hier flossen zwischen prächtigen Bauten die Ströme von Geld und Waren. Die große dreibögige Toranlage, die den südlichen Eingang zum Marktplatz bildet, macht ihnen wie bei so vielen Gebäuden in Ephesus klar, wer der Herr im Reich ist. Oben an der Frontseite des Tores prangt der Name des Kaisers Augustus. Auch wenn er schon lange tot ist, die Herrschaft, die er aufgerichtet hatte, bestimmt immer noch das Leben im Reich. Hinter diesem Tor brummt der Handel. Waren und Geldstücke wechseln den Besitzer. Menschen hetzen sich ab, um einen kleinen Gewinn zu machen. Paulus, Titus, Prisca und Aquila hätten sich von all dem so gern ferngehalten. Doch – umsonst gibt es dieser Stadt nichts. Allein Geld gewährt Zugang zum dem, was sie zum Leben brauchen. Allein Geld hält sie am Leben.

## Ein Platz zum Geldverdienen

Südtor der Tetragonos-Agora

Die Tetragonos-Agora war ein zentraler Ort für Wirtschaft und Handel in Ephesus. Der Name dieses Platzes steht schon auf Bauinschriften aus der frühen Kaiserzeit. Schon zur Zeit des Paulus wurde er wegen seiner viereckigen Gestalt so genannt. Das, was Paulus und die anderen sahen, war wie die Staatsagora ein während der Regierung des Augustus und seiner Nachfolger völlig umgestalteter Platz in der Nähe des Handelshafens. Schon in hellenistischer Zeit war dieser Platz ein Zentrum des Handels. Im Zuge der Baumaßnahmen unter Augustus begann die Umgestaltung dieser Agora nach römischen Bauvorstellungen. Durch drei Tore konnte man den Platz betreten. Von diesen drei konnte nur das südliche rekonstruiert werden, das 3 oder 4 v. Chr. errichtet wurde. Vermutlich war das westliche Tor das Haupttor zum Platz. Von hier ging wahrscheinlich eine breit angelegte Straße zum Hafen. Vergleichbare architektonische Ensembles in anderen griechischen Städten lassen darauf schließen.

Die Agora erstreckt sich über 12.500m$^2$. Zweigeschossige Säulenhallen begrenzten an den Seiten den Platz, dessen Niveau 1,50 m höher als der hellenistische Vorgängerbau lag. In den Hallen fanden wohl um die 190 Ladenlokale Platz. Hinter den Säulenhallen sind weitere Kammern nachgewiesen, die sowohl Wohnraum als auch Speicherplatz boten. Die archäologischen Grabungen haben an der Westseite der Agora Kellergeschoße mit einer Fläche von 1200m$^2$ zutage gefördert. Auch hier wurden wahrscheinlich Waren für die Geschäfte auf der Agora eingelagert. Diese Kellerräume konnten allerdings erst nach Einbau von Wasserleitungen, die das Regenwasser aufnahmen, genutzt werden. Regenfälle, die die Straße von der Staatsagora hinunterflossen, konnten den darunterliegenden Bereich leicht überschwemmen.

Im Jahr 23 n. Chr. richtete ein Erdbeben große Schäden in der Stadt an. Für die Tetragonos-Agora bedeutete dies den konsequenten Umbau im römischen Stil. In dieser Phase der Umgestaltung traten verstärkt finanzkräftige Honoratioren aus der lokalen Oberschicht als Bauherren auf, ebenso wie Vereinigungen von Geschäftsleuten. An der Nordseite wurde die alte Säulenhalle nicht wieder aufgebaut. Man errichtete dort stattdessen eine große zweischiffige Stoa mit einer Größe von 154m x 13,35m. Inschriften bezeugen Widmungen des Gebäudes, und zwar für Artemis, die Bürger von Ephesus sowie Kaiser Nero und seine Mutter Agrippina. Diese Stoa, die wegen fehlenden archäologischen Materials nicht wiedererrichtet werden konnte, wird deswegen Neronische Halle genannt. Man nimmt an, dass das neue Gebäude schon zu Beginn der Regierungszeit Neros (ca. 60 n. Chr.) fertiggestellt wurde. Inschriften weisen darauf hin, dass unterschiedliche Förderer diesen Umbau der Agora möglich gemacht haben. Gerade die Vereinigung der römischen Kaufleute von Ephesus (also Kaufleute mit römischem Bürgerrecht) hat hier wohl mit seiner Finanzkraft eine wichtige Rolle gespielt. Der Platz mit seinen Bauten legte Zeugnis für die wirtschaftliche Stärke solcher Vereinigungen ab. Diese dürften ihre Mitgliederversammlungen dann auch in den Hallen der Agora durchgeführt haben.

## Der Staat braucht Geld

Schon beim Hafen tauchte die Frage auf: Warum gibt es in der Antike überregionalen Handel? Für die Tetragonos-Agora lautet die Frage: Warum betreiben Menschen in der Antike überhaupt Handel? Warum werden sie wirtschaft-

Inschrift auf dem Südtor

lich aktiv und verkaufen hergestellte Produkte oder ihre eigene Arbeitskraft?

Der Geldbedarf des Staates kann als Motor wirtschaftlicher Entwicklung verstanden werden. Für das römische Steuersystem waren insbesondere die Kopf- und Bodensteuer von Belang. Mit seiner Existenz wurde der Mensch steuerpflichtig, ganz egal, ob er über Einkünfte verfügte oder nicht. Die Durchführung von Volkszählungen in den Provinzen des Reiches (Lk 2,1) zeigt, wie sehr Rom darauf achtete, dass solche Steuern auch konsequent erhoben wurden. Für die Steuerpflichtigen hieß es: Sie wurden gezwungen, etwas zu tun, was sie nicht wollten und von dem sie auch keinen Vorteil hatten. Ihr Leben konnten sie auch ohne Steuerzahlungen bestreiten. Im Unterschied zu modernen Gemeinwesen bekam die Bevölkerung für die gezahlten Abgaben keine Gegenleistung vom Staat. Die Abgaben dienten nicht der Finanzierung öffentlicher Aufgaben wie Schule, Sozialwesen und Kultur, sondern den Dingen, die einzig und allein für die Herrschaftssicherung da waren.

Handelsplätze wie Ephesus profitierten davon, dass durch den Zwang, Geld zu erwirtschaften, Produkte aus dem Umland auf den Märkten der Stadt angeboten wurden. Die städtische Wirtschaft wurde belebt. Gleichzeitig konnte so die Versorgung der Stadt mit den verschiedensten Gütern sichergestellt werden.

Die Stadt Ephesus (und damit ihre Bürger) war wohl als civitas libera, als freie Stadt, von der Boden- und Kopfsteuer befreit. Die Bodensteuer zeigte an, wem der Grund und Boden gehörte. Eine freie Stadt war, so die damalige Vorstellung, noch Herrin über ihren Besitz. Während der römischen Bürgerkriege wurden aber von den einzelnen Kriegsparteien in vielen Städten immer wieder Tribute zur Finanzierung des Militärs erhoben, Tribute unter deren Last, wie die Quellen zeigen, die Bevölkerung sehr litt.

Südseite der Tetragonos-Agora

Zog Rom einerseits in freien Städten direkte Steuern nicht ein, so kamen diese andererseits bei den indirekten Steuern nicht ungeschoren davon. Augustus führte eine allgemeine Verbrauchssteuer von 1% ein , die von Tiberius wohl zeitweilig verdoppelt wurde. Auf bestimmte Waren, die auf Märkten feilgeboten wurden, konnten höhere Abgaben erhoben werden. Das geschah vor allem bei Sklavinnen und Sklaven. Auch die Freilassung von Sklainnen und Sklaven unterlag einer Besteuerung, ebenso wie Erbschaften. Eine besonders perfide Abgabe an den Kaiser war das Kranzgold: Delegationen aus den Provinzen und Städten des Reiches übergaben dem Kaiser vergoldete Kränze als Geschenk. Augustus und seine Nachfolger sollen diese Art der Abgabe reduziert haben, es gab sie aber weiterhin. Eine ähnlich Sitte waren die Neujahrsgeschenke für den Kaiser. Diese Finanztransfers, die wie Geschenke aussehen sollten, mussten von den unterworfenen Ländern und Städten aufgebracht werden. Die oberen Schichten standen hier besonders in der Pflicht. Sie dürften aber dafür gesorgt haben, dass sie das für diese Zahlung notwendige Geld von der Bevölkerung eingenommen haben.

Die Steuern wurden von Privatleuten, von Steuergesellschaften oder den Oberen in den Städten erhoben und nach Rom abgeführt. Dafür, dass sie das taten, konnten sie einen regelkonformen Aufschlag für die Steuererhebung verlangen. In der Spätantike wurde das sogar Gesetz. Die Bevölkerung in den Städten und den Provinzen mussten mit ihrer Arbeit sowohl die Zentrale in Rom als auch die lokale Oberschicht finanzieren.

## Geld für das Lebensnotwendige

Die Menschen aus der Unterschicht der Stadt trieb dazu ein realer Mangel ins wirtschaftliche Leben. Bäuerliche Familien hatten den Vorteil, dass sie einen Zugang zu landwirtschaftlichen Nutzflächen hatten und für den eigenen Bedarf produzieren konnten. Die Bewohnerinnen und Bewohner der Mietskasernen in Ephesus mussten sich sehr viel, was sie zum Leben brauchten, kaufen – gegen bares Geld. Sie mussten also Geld erwirtschaften, um sich das Lebensnotwendige kaufen zu können. Die Zahl derjenigen, die in einer solchen Situation steckten, war groß. So war also auch das Angebot von Arbeitskräften gewaltig. Potentielle Arbeitgeber konnten sich die Arbeiter aussuchen und die Löhne diktieren. Ein fairer Tausch von Arbeitskraft gegen Geld gab es nicht. Eine Tätigkeit, bei der dies besonders deutlich wurde, war die Prostitution. Hier verkauften Frauen häufig aus purer Not ihren Körper, um so das Geld fürs Überleben zu bekommen.

Menschen aus der Unterschicht waren jedoch nicht unbedingt nur Lohnarbeiter. Sie unterhielten kleine

Handwerksbetriebe, produzierten bestimmte Produkte für den Markt, um so das nötige Geld zu bekommen. Hier konkurrierten sie mit vielen anderen Anbietern um die zahlungskräftigen Kunden. Die Theorie vom Mangel, der die Menschen zu wirtschaftlich tätigen Subjekten macht, muss für die Antike viel deutlicher zugespitzt werden. Der Mangel am Lebensnotwendigen trieb die Menschen an, wirtschaftlich aktiv zu werden.

## Freigelassene, die unfrei bleiben

Die Tetragonos-Agora wird im Süden durch eine große Toranlage geprägt, an die sich heute die berühmte Celsus-Bibliothek anschließt, die zu Zeiten des Paulus allerdings noch nicht da stand. Dieser Torbau wurde ca. 4 v. Chr. errichtet und in den folgenden Jahrzehnten immer wieder verändert.

Mazaeus und Mithridates, das zeigen Inschriften am Gebäude, haben den Bau finanziert. Sie ließen ihn zu Ehren der kaiserlichen Familien errichten. Die Namen des Kaisers Augustus, seiner Frau Livia, deren Tochter Julia und ihres Ehemannes Marcus Agrippa, der zweite Mann im Staat, sind auf Ehreninschriften genannt. Wahrscheinlich standen auf der Toranlage Statuen des Kaisers und seiner Angehörigen. Mazaeus und Mithridates gehörten einer besonderen Gruppe der römischen Gesellschaft an. Sie waren Freigelassene, also ehemalige Sklaven, die durch einen rechtlichen Akt ihre Freiheit wiederbekommen hatten. Beide waren ehemalige Sklaven des Kaisers, die von ihm freigelassen worden waren. Das war in Rom durchaus üblich. Entweder fand die Freilassung auf alleinige Initiative des Besitzers hin statt, oder Sklaven konnten sich mit Geld, das sie erwirtschaften konnten (was einigen Sklaven durchaus möglich war), selbst freikaufen. Auch dieses bedurfte natürlich des Einverständnisses des Besitzers. Mit dem Akt der Freilassung konnten sich die Besitzer noch einmal öffentlich präsentieren. Sie erkannten die Leistungen des Sklaven an und zeigten sich als freigebige Menschen, was dem Ideal des antiken Wohltäters entsprach. Aus einer überlegenen Stellung heraus tat man für jemanden, der gesellschaftlich niedriger stand, etwas Gutes – und machte dieses auch öffentlich.

Die Freigelassenen waren jetzt allerdings mitnichten wirklich frei. Sie gehörten zwar nach römischem Recht zu den Freien. Aber sie waren immer noch an ihren ehemaligen Herren gebunden und ihm in vielerlei Hinsicht verpflichtet. Mazaeus und Mithridates bekamen ihre neue Stellung nicht umsonst.

Die römische high society hatte mit diesen Freigelassenen große Probleme: Innerhalb der kaiserlichen Verwaltung konnten Sklaven und Freigelassene in hohe Positionen aufsteigen. Das war den konservativen Römern ein Graus: Denn solche Menschen erachteten sie von deren ganzer Person her für solche Aufgaben als nicht geeignet. So ist denn die römische Literatur dieser Zeit voll von üblen und herablassenden Kommentaren über Freigelassene, die versuchen, in der römischen Gesellschaft einen Ort zu finden. Das »Gastmahl des Trimalchio« von Petronius (vgl. oben Kapitel 6) fällt ein vernichtendes Urteil über Freigelassene, die wirtschaftlich erfolgreich sind und nun den Lebensstil der römischen Oberschicht kopieren. Das Ganze wird von Petronius, einem Angehörigen der Oberschicht, als vulgär und abstoßend charakterisiert.

Wir wissen über Mazaeus und Mithridates zu wenig, aber eines ist klar: Sie gehörten zu der Gruppe der Freigelassenen. Sie waren kaiserliche Sklaven gewesen. Als solche dürften sie in der Verwaltung tätig gewesen sein. Sklaven waren hier willkommene und zuverlässige Arbeiter und Gefolgsleute. Sie hatten eine einflussreiche Position inne, in der sie aber völlig von ihrem Herrn abhängig waren. Nur wenn sie voll und ganz loyal waren, dann behielten sie diese Stellung. Auch als Freigelassene engagierten sie sich als zuverlässige Diener des Kaisers und als solche konnten sie an prominentem Ort in der Provinzhauptstadt eine Toranlage errichten. In den Inschriften zeigten sie, wie sehr sie sich der kaiserlichen Familie verbunden sahen. Diese Nähe zum Kaiser verhalf den Freigelassenen zu gesellschaftlicher Anerkennung. Die Oberschicht von Ephesus versuchte wahrscheinlich, gute Kontakte zu den beiden zu haben, denn Augustus hatte sicherlich ein offenes Ohr für die Anliegen seiner treuen Diener. Das Tor an der Tetragonos-Agora zeigt die hohe gesellschaftliche Stellung von Mazaeus und Mithridates.

## Orte jenseits des Marktes

Es fällt auf, dass viele Orte, an denen die Messiasleute ihren Glauben lebten, etwas mit Geld und Wirtschaft zu tun hatten. Schaut man sich einige neutestamentliche Texte an, stellt man fest: Die Werkstätten von Handwerk Treibenden wurden zu Räumen des Glaubens: Prisca, Aquilla und Paulus arbeiteten als Zeltmacher, teilweise Tag und Nacht (1 Kor 4,12). Manche Forscher gehen davon aus, dass sie wirtschaftlich erfolgreich waren. Davon ist in den Texten nichts zu lesen. Die Beschreibung in 1 Kor 4,11-13 zeigt deutlich, wie sehr Paulus und die anderen trotz Arbeit arm bleiben: »Bis zu dieser Stunde leiden wir Hunger und Durst, wir laufen in Lumpen, werden geschlagen und sind obdachlos. [...] Wie Kehrdreck der Welt sind wir geworden, Abschaum in den Augen der Leute, bis jetzt!«

Auch Lydia, eine – so erzählt es jedenfalls die Apostelgeschichte des Lukas – wichtige Unterstützerin der Botschaft vom Messias Jesus, war eine Handwerkerin (Apg 16,14). In der neutestamentlichen Forschung wird diskutiert, worin genau ihre Tätigkeit besteht. Der griechische Begriff »porphurópolis« bedeutet zunächst »Purpurhändlerin«. Sie hat mit purpurgefärbten Stoffen Handel getrieben. Daraus wird häufig der Schluss gezogen: Sie vertreibt Stoffe, die sie nicht selbst hergestellt hat. Das muss »porphurópolis« aber nicht zwangsläufig bedeuten. Lydia wird als eine Frau vorgestellt, die aus Thyatira stammt. Diese Stadt in der Provinz Asia war ein für seine Textilverarbeitung bekannter Ort. Dort wurden hochwertige Stoffe gewebt und eingefärbt. Lydia dürfte in Thyatira ihre handwerklichen Fertigkeiten gelernt haben. Sie färbte Stoffe ein, die sie vielleicht noch selbst gewebt hat, und verkaufte sie dann weiter. Die Wollstoffe bearbeitete sie mit Purpur, wobei wahrscheinlich nicht unbedingt das Färben mit dem Farbstoff, der aus Schnecken gewonnen wird, gemeint ist. In der Antike wurden verschiedene Farben, die u.a. aus pflanzlichen Materialien hergestellt wurden, dafür verwendet. Damit gehört Lydia wie Prisca, Aquila und die anderen zu der Gruppe der mit den Händen arbeitenden Menschen. Menschen, die mit den Händen arbeiteten, galten in den Augen der Oberschicht nicht viel. Sie arbeiteten mit schmutzigen Materialien. Gerade Lydia dürfte man es angesehen haben, womit sie arbeitete. Das färbte im wahrsten Sinne des Wortes auf den Charakter ab – so die Einstellung vieler aus der Oberschicht (vgl. Cicero, Vom pflichtgemäßen Handeln, 150-151).

Wichtig an der Bezeichnung ›Händlerin‹ ist allerdings, dass sie die Vermarktung ihres Produkts selbst in die Hand nimmt. Sie liefert ihre Produkte nicht bei einem Zwischenhändler ab, sondern vertreibt die gefärbten Stoffe selbst. Sie kann so über einen Teil der Wertschöpfung für sich beanspruchen. Daraus jedoch zu schließen, dass sie zu einem gewissen Wohlstand gekommen ist, ist problematisch: Apg 16 sagt nichts darüber, wie groß die Produktionsstätte und das Handelsvolumen sind.

In Apg 16,15 ist von Lydias ›Haus‹ die Rede: Häuser waren auch in antiken Städten sowohl ein Ort des Wohnens als auch des Arbeitens. Wohnräume und Werkstätten lagen eng beieinander. ›Haus‹ meint hier also den Ort, an dem Lydia wohnte und arbeitete, und es umfasst all die, die mit ihr dort wohnten und arbeiteten. In Lydias Haus waren Menschen versammelt, eventuell nur Frauen, die eine Lebens-, Glaubens- und Arbeitsgemeinschaft bildeten. Diejenigen, die gemeinsam gefärbte Stoffe verarbeiteten, bildeten eine Hausgemeinschaft. Diese Gemeinschaft nötigte in Apg 16,15 Paulus und Silas dazu, bei ihnen zu bleiben. Sie sollten unter ihrem Dach Schutz und Unterstützung finden. Solche Werkstätten und Arbeitsplätze von Messiasleuten wurden so zu besonderen Orten. Menschen, die im Vertrauen auf Gott und seinen Gesalbten lebten, gewährten einander Hilfe und Schutz, sie traten füreinander ein und stärkten sich gegenseitig. So wurden Orte, an denen eigentlich Geld erwirtschaftet werden musste, zu Räumen, in denen ein Herrschaftswechsel im Alltag erlebt werden konnte. Hier herrschte nicht mehr das Geld, sondern Gott und sein Messias.

Es fällt auf, dass hier das Wirken von Frauen in den neutestamentlichen Texten konkret genannt und nicht unter den Tisch gekehrt wird. Archäologische Zeugnisse verschiedener Art belegen: Seit der hellenistischen Zeit konnten Frauen gerade im Wirtschaftsleben aktiver werden. Gesellschaftliche Beschränkungen hatten hier ihre Wirkkraft verloren, Restriktionen konnten aufgeweicht werden. Werk- und Produktionsstätten, die von Frauen betrieben wurden, wurden zu Orten, an denen sich Frauen Freiräume erarbeiteten konnten. Solche Freiräume nutzten Lydia, Prisca und andere Frauen dafür, Räume gelebter Solidarität aufzubauen und zu gestalten. Der Zwang, sich an den wirtschaftlichen Prozessen zu beteiligen, konnte so in die Schaffung von solidarischen Lebensformen transformiert werden. Die Frauen nehmen an den wirtschaftlichen Abläufen ihrer Zeit teil. Sie unterwerfen sich damit zwar auch den Gesetzen der Wirtschaft, aber nicht vollständig. In dem sie Dinge produzieren und zu Geld machen, schaffen sie eine Basis für gemeinsames solidarisches Leben. Damit stellen sie sich gegen die allgegenwärtige Ausbeutung in der antiken Wirtschaft.

## Etwas umsonst bekommen

Im 1. Korintherbrief gibt es eine weitere Passage, die zeigt, wie Paulus und die anderen mit der Logik des Marktes und den damit verbundenen Herrschaftsstrukturen umgehen. Jeder Markt macht deutlich: Wenn man hier etwas haben will, muss man dafür bezahlen. Ohne Geld erhält niemand etwas. Auf dem Markt kennt man das Wort »umsonst« nicht. Ein »Umsonst« brächte die Abläufe, die auf einem Geben und Nehmen aufbauen, völlig durcheinander. Es sei denn, ein reiches Mitglied der Oberschicht oder der Kaiser selbst verschenkt Lebensmittel, um seine Freigebigkeit unter Beweis zu stellen. Dann ist das »Umsonst« erlaubt. Ansonsten gilt das eherne Gesetz: Wer etwas haben will, muss dafür bezahlen. Der Verkündiger Paulus nimmt für sich in Anspruch, diese Regeln im Hinblick auf Gott nicht zu befolgen. Es geht um die Frage, ob die Boten des Messias finanzielle und materielle Unterstützung für den alltäglichen Lebensunterhalt durch die örtlichen Gemeinschaften verlangen können. Paulus betont, dass er die ihm zustehende Versorgung nicht in Anspruch nimmt. Warum?

Luise Schottroff stellt in ihrer Auslegung von 1 Kor 9,6-7 Folgendes fest: Toralehrern stand im antiken Judentum eine Entlohnung im geringen Maße zu. Der Zugang zur Tora sollte allen offenstehen und durfte nicht von der Größe des eigenen Geldbeutels abhängen. Denn die Tora war Gottes gute Weisung zum Leben. Jes 55,1f betont ja, dass Gott Wasser zum Leben gibt – umsonst! Dennoch war allen klar: Ein Lehrer oder eine Lehrerin können beim Lehren nicht für den eigenen Lebensunterhalt sorgen. Deswegen etablierte sich eine Bezahlung, die für die Zeit der Lehre den Lebensunterhalt sicherstellte. Genau darauf verzichtet Paulus: Er nimmt kein Geld, sondern verkündigt den Auferstandenen, lehrt Tora und arbeitet als Zeltmacher. Von den Gemeinschaften in Korinth, von den armen Menschen dort will er kein Geld und keine andere materielle Unterstützung. Er gibt sein Lehren und Verkündigen umsonst. So macht Paulus deutlich, dass sein Handeln nicht von der Logik des Marktes bestimmt wird.

Der Kaiser verlangt Steuern und Abgaben, weil er seine schützende Hand über die Bewohner der Provinzen seines Reiches hält. Gerade die Abgaben, die als Geschenke an den Kaiser getarnt sind, machen sehr gut deutlich: Bei dem Herrscher Roms gibt es nichts umsonst. Hier zeigt sich auch das die römische Gesellschaft beherrschende Prinzip: Ein Geschenk fordert eine Gegengabe. »Ich gebe, damit du gibst.« Diese Regel durchdrang alle gesellschaftlichen Beziehungen. Dass Paulus keinen Lohn für seine Verkündigung der frohen Botschaft nimmt, ist von ganz anderen Regeln bestimmt: Gott gibt umsonst, ohne Vorbedingungen. Deswegen fordern die Botinnen und Boten des Messias Jesus auch keinen Lohn, damit sie den Menschen die befreiende Botschaft Gottes verkünden können.

# 10. GEDENKEN DER TOTEN – ZUR EHRE DER LEBENDEN: GRÄBER IN EPHESUS

Nachdem sie im morgendlichen Gottesdienst der Auferstehung Jesu gedacht hatten, brachen sie zusammen auf, Paulus, Prisca, Aqulia und Timotheus. Ihr Ziel: die großen Gräberfelder an den Fernstraßen, die Ephesus mit den anderen Städten der Asia verbanden. Bei ihrer Ankunft in Ephesus hatten Paulus und die anderen die vielen Gräber mit ihren Grabsteinen passiert. Damals waren sie ganz darauf fixiert, nach der langen Wanderung jetzt endlich Ephesus zu erreichen. Jetzt aber wollten sie gemeinsam die besonderen Orte der Toten besuchen. Obwohl Friedhöfe außerhalb der Stadt lagen, gehörten Begräbnisse, die Gräber und die Toten zum städtischen Leben. Schon öfters hatten sie den Leichenzug eines betuchten Bürgers von Ephesus gesehen, alles prächtig herausgeputzt, um den Toten zu ehren. Ganz anders die grauenhaften Bilder von den Karren, auf denen man die Leichen derjenigen lud, die man irgendwo in der Stadt gefunden hatte – tot, und niemand kümmerte sich um die Leichname. Prisca erzählte davon, dass die Toten außerhalb der Stadtmauern verbrannt wurden. Zu diesen Verbrennungsplätzen brachten viele Arme ihre Toten. Sie konnten sich meist kein Begräbnis leisten. Ein krasser Gegensatz. Hier aufwändigen Leichenzüge und die ausgefallenen Grabsteine, dort die blanke Armut, die kein Begräbnis, keinen würdigen Ort für die Erinnerungen an die Toten erlaubte.

## Beerdigungsvereine, Denkmäler und Scheiterhaufen

Antike Friedhöfe waren ein Spiegel der gesellschaftlichen Hierarchie: Hier bekam nur die Person einen Platz, die sich das auch leisten konnte. Die Raumaufteilung in einer antiken Stadt war über den Tod hinaus von den wirtschaftlichen und sozialen Unterschieden bestimmt: Wer sich im Leben keinen guten Platz zum Wohnen finanzieren konnte, der hatte auch im Tod keinen würdigen Ort.

Deswegen war es wichtig, schon früh für seinen Platz auf dem Friedhof zu sorgen. Die Grabinschrift für die ehemalige Sklavin Hellenia Meroe besagt, dass sie schon zu Lebzeiten für sich und ihren Mann dieses Grab errichtet hatte (IvE 2266). In der Inschrift sind sechs weitere Personen genannt, die hier beerdigt werden sollen. Das gilt auch für deren Nachkommen. Die Fürsorge für das Grab trägt ein Beerdigungsverein. Das war keine besondere religiöse Vereinigung, die sich um Beerdigung und Grabpflege kümmerte. Es waren vielmehr die Handwerks- und Berufsvereinigungen, die diese Aufgaben verrichteten, wenn man denn in eine Art Beerdigungskasse eingezahlt hat. Das war kein Einzelfall, wie weitere Funde zeigen. Grabinschriften geben Auskunft darüber, wer in diesem Grab bestattet ist und wer das Recht hat, hier in Zukunft beigesetzt zu werden. Vereine übernehmen die Grabpflege und sorgen auch dafür, dass die eingekauften Rechte zur Bestattung umgesetzt werden.

Gräber und Grabsteine waren und sind Repräsentationsbauten besonderer Art. In der Antike nahm das spezielle Formen an. Zunächst hatte man vielerorts einfach mehr Platz, um bestimmten Toten ein besonderes Erinnerungsmal zu setzen – oder man konnte diesen Platz viel einfacher und schneller freiräumen, da man die

Macht dazu hatte. Die Grabmäler innerhalb der Mauern von Ephesus sind ein gutes Beispiel dafür. Einige wenige Gräber liegen in der Stadt an prominenten Orten. Eines dieser Grabmäler ist das Oktogon am unteren Ende der Kuretenstraße. Das Bauwerk, das wegen seines achteckigen geschlossenen Aufbaus seinen Namen von Archäologen bekommen hat, ist vom Ende des 1. Jh. v. Chr. In ihm ist ein Sarkophag mit den menschlichen Überresten einer jungen Frau gefunden worden. Wer sie war, ist unklar. Es könnte das Grab der Ptolemäerin Arsinoe IV. sein, einer jüngeren Schwester der Kleopatra. Arsinoe starb 41 v. Chr. in Ephesus. In der Nähe des Androklos-Monumentes, gleich neben dem Oktogon, ist ein Sarkophag mit der Büste eines Priesters des Kaiserkultes und Knochen eines älteren Mannes gefunden worden. Man geht davon, dass es sich um das Grab dieses Priesters handelt, der zu Beginn des 2. Jh. n. Chr. im Kaiserkult tätig war.

Celsus-Bibliothek

Eines der berühmtesten Bauwerke von Ephesus, die Celsus-Bibilothek, diente wohl auch als Grab für einen der äußerst prominenten Einwohner der Stadt. Tiberius Iulius Celsus Polemaeanus, wahrscheinlich gebürtig aus dem kleinasiatischen Sardes, war 92 n. Chr. Consul des Imperiums und 105/06 Proconsul (also Statthalter) der Provinz Asia. Nach dem Kaiser waren dies allerhöchste Regierungsposten. Als Proconsul residierte er in Ephesus. Man nimmt an, dass er sich nach der politischen Laufbahn hier niedergelassen und der Stadt eine Bibliothek gestiftet hat. Damit imitierte er den amtierenden Kaiser Trajan, der in Rom zwei Bibliotheken errichten ließ. Er selbst konnte wohl den Bau nicht mehr selbst ins Werk setzen. Sein Sohn C. Iulius Aquila, Consul des Jahres 110 n. Chr., wird in den Inschriften der Bibliothek als Bauherr genannt. Ein prominenter Politiker ehrt seinen prominenten Vater. Er zeigt sich als treuer Sohn, indem er die Stiftung des Vaters in die Tat umsetzt und dieses monumentale und würdige Erinnerungsmal errichten lässt. Die Bibliothek wurde für Celsus zum Denkmal, gelegen über der Grabkammer des Verstorbenen. Die Pracht des Baus sollte dem Celsus ein ewiges Andenken geben. Damit wurde ihm die seltene Ehre zuteil, innerhalb der Stadtmauer seine letzte Ruhe zu finden. Die Stadt Ephesus betonte damit erneut ihre enge Bindung zum Kaiser: Man ehrte einen wichtigen Beamten Roms.

Die wieder aufgebaute Frontseite der Bibliothek zeigt nicht nur Stifter- und Bauinschriften. In vier dekorativ ausgestalteten Nischen auf der unteren Ebene stehen vier Statuen: Personifikationen der Weisheit, der Tugend, des Verständnisses und des Sachverstandes. Das sind die Tugenden, die ein guter Beamter des Kaisers besaß und die Celsus in besonderer Weise verkörperte. Grabmäler spiegeln auch die Werte einer Gesellschaft oder einer wichtigen gesellschaftlichen Gruppe wider. Die Hervor-

Die Celsus-Bibliothek mit Südtor der Tetragonos-Agora, vom Hanghaus 2 aus gesehen

hebung der Weisheit und des Verstandes passen sehr gut zur gestifteten Bibliothek. Sie war ein Ort der Weisheit und des Verstandes. Beides konnte man hier schulen. Menschen, denen ihre alltägliche harte Arbeit die Zeit raubte, hier zu studieren, konnten nicht weise werden. Menschen, die schlecht lesen konnten, waren nicht in der Lage, ihren Verstand zu trainieren. Sie blieben nach Meinung der gebildeten Oberschicht ungebildete und rohe Kreaturen. Auch das transportieren die Inschriften und der Bibliotheksbau.

Genauso vermitteln Grabinschriften die Idealvorstellung einer Mutter und Ehefrau: »Hier ruht Aufidia Severina (…). In keuscher Treue liebte sie immer das eheliche Lager; sie trank nicht, war keine Ehebrecherin, war einfach, freundlich, nur ihrem Gatten ergeben und kannte keinen anderen« (CIL VI 34 060). Der Ehemann Basileus wahrte so das Andenken an seine »liebe, unvergleichliche, einzige Gefährtin«. Die Unterordnung der Frau unter den Mann und die von der Frau geforderte zurückhaltende Lebensweise werden hier in Stein gemeißelt und so anderen Frauen als klare Handlungsanweisung mit auf den Weg gegeben. Noch im Tod wurden Geschlechterrollen festgeschrieben.

Ein Grabmal diente der öffentlichen Erinnerung und Ehrung des Verstorbenen. Gleichzeitig schuf es aber auch dem ein Erinnerungsmal, der das Grab finanzieren und errichten ließ. Diese doppelte Ausrichtung der Erinnerung zeigt sich auch in einer weiteren Grabinschrift aus Ephesus: »Der guten Mutter Claudia Nereis zum Gedenken« (IvE 2546b). Dann folgen die Namen der vier Söhne, die die Grabstele der Mutter errichten ließen. Sie präsentieren sich damit als Söhne, die das Andenken ihrer Mutter gemeinsam in Ehren halten. Grabinschriften damals entsprachen in gewisser Weise unseren heutigen Todesanzeigen.

Römische Beerdigungsrituale standen ganz im Dienst der Erinnerung und Würdigung: Es gab für höhergestellte Personen in der Regel einen öffentlichen Trauerzug zum Grab. Er wurde begleitet von der Familie des Verstorbenen und dessen Verwandten. Oft wurden auch professionelle Klagefrauen engagiert. Im Zug führte man Statuen der Ahnen des Toten mit. Sie zeigten, aus welch ehrenvoller Familie er kam. Dieser Teil des Rituals rief ebenso die Ahnen selbst in Erinnerung. Jede Beerdigung diente auch als Bühne für die großartige Vergangenheit einer Familie. Eine Ruhmesrede auf den Verstorbenen rundete das Geschehen in der Regel ab.

Menschen aus der Unterschicht waren zu all dem nicht in der Lage. Dass sie niemandem ein ehrenvolles Gedächtnis stiften konnten, zeigt an einem besonderen Beispiel, wie wenig Handlungsmöglichkeiten für gesellschaftlich anerkannte Taten ihnen offenstanden. Während die Reichen noch im Tod ihre gesellschaftliche Position präsentieren konnten, machte die Art und Weise der Entsorgung des Körpers eines armen Menschen klar: Er oder sie war ein Nichts und Niemand. Wie Müll wurde der Leichnam auf einem Scheiterhaufen verbrandt.

## Über den Tod hinaus?

In der griechisch-römischen Gesellschaft sind die Vorstellungen davon, was nach dem Tod kommt, äußerst verschieden. Man muss sich bei diesem Thema wieder vor Augen führen: Die Anbetung der Götter geschah in seltenen Fällen mit einem Blick auf die Frage: Was kommt nach dem Tod? In der Moderne scheint das manchmal zu der zentralen Frage von Religion überhaupt geworden zu sein: Was kommt nach dem Tod? Oder: Wie kann man mit der Endlichkeit des Lebens umgehen?

In der Antike finden wir häufig die Vorstellung, dass mit dem Tod wirklich alles vorbei ist. Es gibt keine Idee davon, dass nach dem Tod etwas kommt. Im Gegensatz dazu gibt es aber auch die Hoffnung, dass auf den Verstorbenen ein besseres Leben wartet. Entweder kann dort das Leben, das abrupt beendet wurde, weiter fortgesetzt und die nicht gelebten Möglichkeiten können ausgekostet werden. Oder es wird das Bild einer anderen Welt entwickelt, in der die Schattenseiten der Gegenwart nicht mehr vorkommen und aufgehoben sind. Dabei kann sogar das Faktum des Todes verneint werden: »Du starbst nicht, Prote, du gingst in ein besseres Land ein und bewohnst die Inseln der Glückseligen in großem Überfluss, wo du dich erfreust in dem elysischen Gefilde.« Das ließ der Vater seiner Tochter Prote auf ihr Grab schreiben (in: Werner Peek, Griechische Versinschriften, 1830). Die Inseln der Glückseligen sind eine in der griechischen Kultur weit verbreitete Vorstellung. Sie stehen für einen Ort des höchsten Glücks, so dass man gar nicht mehr in das alte Leben zurück will. Die Grabinschrift für Prote lokalisiert sie in der Nähe der olympischen Götter. Die Götter, die man anbetete und verehrte, sollten dann doch eine Heimat nach dem Tod bieten. Welche Vorstellungen arme Menschen vom Tod und einem möglichen Leben danach hatten, lässt sich schwer sagen. Es gibt dazu keine authentischen Überlieferungen.

## »Das tut zur Erinnerung an mich« – Gedenken eines Gekreuzigten

Die messianischen Gemeinschaften entwickelten bei ihren Zusammenkünften eine Kultur der Erinnerung, die für sie charakteristisch wurde: »Das tut zur Erinnerung an mich« (1 Kor 11,24). Diese Worte Jesu kennzeichnen das gemeinsame Essen der Messiasleute in besonderer Weise. Es ist eine Mahlzeit zur Erinnerung an Jesus, und zwar an den Gekreuzigten.

In Kapitel 8 ist die Bedeutung des gekreuzigten Jesus für die Identität der Messiasleute innerhalb der griechisch-römischen Kultur dargestellt worden. Dies zeigt sich auch hier. Während man sich bei den Bestattungen in der griechisch-römischen Gesellschaft an die erfolgreichen Taten des Verstorbenen erinnerte, stellten die Messiasleute das Gedächtnis eines Opfers menschlicher Gewalt in den Mittelpunkt. Jesus musste, wie viele andere auch, unter der Gewalt des Imperiums leiden. Das soll nicht vergessen werden. Die Erinnerung an das Kreuz macht deutlich, von welcher Qualität das römische Reich ist. Für Paulus und die anderen damals ist das ein wichtiges Mittel gegen die allgegenwärtige Propaganda Roms, die die Vorzüge der römischen Herrschaft preist. Mit der Erinnerung an die Leiden und den Tod Jesu bekennt die Gemeinschaft: ›Roms Versprechen sind Lug und Trug! Wir erinnern uns an den, den Rom umgebracht hat. Wir halten die Erinnerung an Jesus fest und stehen zu ihm.‹

Mit ihrem erinnernden Bekennen verweisen sie aber auch auf die Worte und Taten Jesu, die für ihr Leben prägend sind. Es ist Erinnerung an ein widerständiges Leben: Seine Praxis der Nächstenliebe und Solidarität wollte sich nicht mit der allgegenwärtigen Unterdrückung und Ausbeutung abfinden. Die Erinnerung an Jesus ist aber nicht nur ein Blick zurück, sondern sie weist in die Zukunft. Jesus und sein Leben werden so zur Weisung für einen gemeinsamen Weg. Jesus steht damit in der Verkündigung, dem Leben und Handeln der messianischen Gemeinschaft auf. Dort ist er als der Lebendige erfahrbar.

Innerhalb der messianischen Gemeinschaften hat sich ein besonderes Verständnis vom Tod entwickelt. Der Tod wird nicht mehr als das Ende von allem gesehen. Es ist vom Aufstehen vom Tod die Rede. In 1 Kor 15,4 sprechen Paulus und Sosthenes davon, dass Jesus vom Tod aufgeweckt wurde: »Er wurde begraben und am dritten Tag aufgeweckt nach der Schrift.«

Die Rede von der Auferstehung wird noch vor der Erinnerung an den Tod am Kreuz zu dem wesentlichen Erkennungsmerkmal der messianischen Gemeinschaften und dem späteren Christentum. Diese Vorstellung, dass jemand von den Toten aufsteht, wurzelt in der jüdischen Tradition. Die alttestamentlichen Schriften setzen sich in vielerlei Hinsicht mit dem Problem des Todes auseinander: Wieso müssen Menschen viel zu früh sterben? Wieso triumphiert der Gewalttäter über den Gerechten und kann ihn töten?

*»Mein Auge ist abgenutzt vom Elend. Ich schreie zu dir, Adonaj, jeden ganzen Tag, strecke nach dir meine Handflächen aus. Kannst du für die Toten Wunder tun? Stehen die Schatten auf, preisen sie dich?*
*Wird im Grab von deiner Freundlichkeit erzählt?*
*Von deiner Verlässlichkeit am Grund der Zerstörung?*
*Werden in der Finsternis deine Wunder bekannt?*
*Deine Gerechtigkeit im Land des Vergessens?«*

So beten Menschen mit dem Psalm 88 (hier Verse 10-13). Im Angesicht von Ungerechtigkeit, Gewalt und Elend steht Gottes Gerechtigkeit auf dem Spiel. Wenn Gott nicht einschreitet, wenn er nicht die Todesgrenze überschreitet und die Macht des Todes überwindet, dann kann er nicht Gott sein.

Gerade im Widerstand gegen ungerechte Herrscher, wenn gottesfürchtige und gerechte Menschen durch Gewalttäter umgebracht werden, kam in Israel die Hoffnung auf, dass genau diese Toten aufstehen werden. Wenn Gott alles geschaffen, wenn er Israel aus der Sklaverei befreit hat, dann wird er die Menschen, die auf ihn vertrauen, nicht dem Tod überlassen. Die absolute Macht der menschlichen Gewalt wird so bestritten. »Du Gottloser, für den Augenblick löschst du unser Leben aus, aber die wahre königliche Macht über die ganze Welt wird uns, die wir um ihrer Gesetze willen gestorben sind, auferstehen lassen zu einem neuen, ewigen Leben.« So spricht in 2 Makk 7,9 der erste von sieben Märtyrern, die der König Antiochos IV. foltern und hinrichten ließ, im Angesicht des nahen Todes, und zwar zu Antiochos selbst.

In dieser Linie sind die neutestamentlichen Texte von der Auferstehung Jesu zu verstehen: Gottes Leben schaffende Kraft ist stärker als die Gewalt des römischen Hinrichtungskommandos. Nicht der römische Statthalter Pontius Pilatus ist Herr über Leben und Tod, sondern der

Gott Israels, der Jesus nicht im Tod lässt. Die neutestamentlichen Texte zeugen von einer Hoffnung, bei der die alltägliche Realität nicht das letzte Wort hat: Die Gewalttäter werden nicht auf ewig siegen.

Wie sehr das Erzählen von der Auferstehung Jesu das Leben der Menschen beeinflusst und in neue, ganz andere Bahnen lenkt, zeigt das Leben des Paulus. Erst verfolgte er die messianische Bewegung. Paulus schreibt, dass ihm der Auferstandene erschienen ist (1 Kor 15,8). Die Erscheinung des Auferstandenen veränderte sein Leben in umstürzender Weise. Genau darin liegt das Besondere der Auferstehung Jesu. Gott bricht die Macht des Todes und der Messias steht vom Tod auf. Davon lassen sich Menschen anstiften und begeistern, sodass sie ihre bisherigen Lebensbahnen verlassen und dem Messias Jesus nachfolgen. Dort, wo Menschen sich auf Gottes schöpferische Kraft verlassen, aufstehen und dem Leben Jesu nachfolgen, ereignet sich Auferstehung. Auch und gerade im Leben der Nachfolgegemeinschaft steht Jesus auf. Indem sie verkünden, Jesus lebt, bestreiten sie die Macht Roms. Die gemeinsame Mahlfeier ist in dieser Perspektive auch eine Proklamation, dass Gott Jesus vom Tod erweckt hat. Sie ist Leidensgedächtnis und Feier des Lebens in einem.

Diese Hoffnung über die Todesgrenze hinaus bezieht sich aber nicht allein auf Jesus. In Röm 8,11 schreibt Paulus davon, dass Gottes lebendige Geistkraft nicht nur Jesus, sondern auch die Menschen, die ihm nachfolgen, vom Tod aufweckt.

## Gibt es eine Auferstehung der Toten?

Doch im Angesicht der alltäglich erfahrenen Macht Roms sind Zweifel innerhalb der Gemeinschaften aufgekommen, ob der Messias Jesus wirklich auferstanden ist, ob die Menschen auf die Auferstehung der Toten hoffen können. »Es gibt keine Auferstehung der Toten« (1 Kor 15,12). So geben Paulus und Sosthenes die Meinung einiger aus Korinth wieder. Prächtig waren die repräsentativen Gebäude Roms und ihrer Helfershelfer, stark der Druck, sich an die Gepflogenheiten und Regeln in der Polis anzupassen, tödlich die Waffen der Verwaltung und Ordnungshüter. Wie konnte man angesichts dieser Machtfülle glauben, dass die Toten aufstehen? Wie konnte man die Hoffnung haben, dass die für ihren Glauben an Gott Hingerichteten auferweckt werden?

Diesen auf bittere Erfahrung gründenden Zweifel lässt sich nicht mit Argumenten begegnen. Niemand hat schon erlebt, dass die Toten aufstehen. Die Briefschreiber wollen sich aber nicht vor der Macht der Realität beugen. Sie versuchen, die Zweifelnden zu ermutigen. Dabei muss man sich noch einmal vor Augen führen: Sie haben für ihre Hoffnung keinen stichhaltigen Beweis, der beispielsweise heutige Naturwissenschaftler zufriedenstellen würde. Paulus nennt zwar die Vielzahl der Menschen, die den auferstandenen Jesus gesehen haben. Aber dabei geht es nicht darum, unabhängige Zeugen für die Faktizität der Auferstehung Jesu zu benennen. Paulus verweist mit der Nennung der Namen und Zahlen auf Biografien und Lebenswege, die von der Begegnung mit dem aufgeweckten Messias radikal verändert wurden. Es ist ein Hinweis auf Menschen, die im Glauben an die Auferstehung ihr Leben gestalten und mit ihrem Leben Zeugnis für die Auferstehung ablegen. In ihrem Sprechen, Schreiben, Arbeiten, Helfen, Beten und dem gemeinsamen Essen ist für Paulus die Kraft der Auferweckung erlebbar. Das Leben vieler und auch sein Leben sind ein Zeugnis und Bekenntnis für Gottes schöpferische Macht. Mehr kann Paulus nicht tun, aber genau darauf will und kann er nicht verzichten. Sonst wäre alles sinnlos und leer: »Ist aber Christus nicht aufgeweckt worden, dann ist unsere Verkündigung kraftlos und euer Vertrauen läuft ins Leere« (1 Kor 15,14).

Innerhalb dieses Kapitels des Briefes wagen die Autoren einen hoffnungsvollen Blick in die Zukunft. Für sie ist das Aufwecken des gekreuzigten Messias der Beginn (1 Kor 15,23), der auf Vollendung zielt. Was sie unter Vollendung verstehen, daran versuchen sie sich in den folgenden Versen: »Gott entmachtet [...] alle Herrschaft, alle Gewalt und alle Mächte. [...] Der letzte Feind, der seine Gewalt verliert, ist der Tod« (1 Kor 15,24.26).

Es wird darüber diskutiert, ob Paulus hier nur über dämonische Kräfte und eben nicht über politische Mächte spricht. In vielen neutestamentlichen Texten zeigen sich Dämonen in menschlichen Herrschaftssystemen (vgl. Mk 5,1-20; Offb 13). Die Unterdrückung und Ausbeutung von Menschen wird dort als Auswirkung dämonischer Kräfte verstanden. In ihnen ist der »letzte Feind«, von dem 1 Kor 15 spricht, gegenwärtig. Ihm und damit allen Imperien der Weltgeschichte bereitet Gott ein Ende. Das ist die Hoffnung des 1. Korintherbriefes.

Damit Menschen an dieser Hoffnung Anteil haben können, müssen Paulus und die anderen sich eines Problems annehmen: Was kommt nach dem Tod? Die Erfahrung des viel zu frühen Todes ist allgegenwärtig: Menschen werden Opfer von Gewalt. Menschen sterben, weil die Lebensbedingungen katastrophal sind: Hunger, schlechte hygienische Bedingungen, fehlende Gesundheitsversorgung. All das stellt den Glauben an den Gott, der seine Schöpfung erhalten will, infrage. Der viel zu frühe Tod von Menschen ist der massive Einspruch gegen die schöpferische Kraft Gottes.

Der Schluss von 1 Kor 15 stellt einen der wenigen Texte im Neuen Testament dar, in denen die Vorstellung, von dem, was kommen wird, etwas an Gestalt gewinnt. »Wie werden die Toten aufgeweckt?« (1 Kor 15,35). Im dann folgenden Gedankengang werden verschiedene Bilder verwandt, um die Hoffnung auf den lebendigen Gott in Worte zu fassen:

»Genauso ist es auch mit dem Aufstehen der Toten. Gesät werden Menschen in eine zerstörbare Welt, wahrhaft Lebendige stehen auf. Gesät werden Menschen in eine Welt voller Erniedrigung, Erhöhte stehen auf. Gesät werden Zerbrechliche, Menschen voller Kraft von Gott stehen auf« (1 Kor 15,42-43).

Diese Passage wird häufig so verstanden, dass der aktuelle Körper des Menschen mit Blick auf den Auferstehungskörper nichts wert ist. Es geht hier aber um Gottes schöpferische Kraft, die für Paulus überall in der Schöpfung erfahrbar ist. Trotz der allgegenwärtig todbringenden Gewalt halten die Messiasleute an dem Schöpfergott fest, der immer wieder Leben hervorbringt, hier und jetzt und nicht erst in einem anderen jenseitigen Leben. Die Hoffnung auf die Zukunft wird getragen von der Erfahrung und dem Erleben gegenwärtigen erfüllten Lebens. Trotz all der Erfahrungen von Scheitern und Sterben fordert der Text dazu auf, nach solchen Erfahrungen Ausschau zu halten, sie wahrzunehmen und wertzuschätzen. Paulus will das gegenwärtige Leben als Gottes Geschenk begreifen und es nicht einfach wegwerfen, weil in einem Jenseits etwas Besseres warte.

Im weiteren Verlauf erinnert 1 Kor 15 an die Hoffnungen Israels. Es ist von einem geistlichen Leib die Rede. Der Geist Gottes ist in den Traditionen Israels eine Kraft, die lebendig macht. In Ez 37 findet sich die große Vision von der Auferstehung der Toten Israels. Der Prophet Ezechiel sieht ein riesiges Feld voller Leichen, ein Reflex auf die zahlreichen Opfer von Kriegen, unter denen Israel zu leiden hatte.

Diese toten Knochen werden vom Geist Gottes belebt. Gottes schöpferische Kraft bricht die Macht menschlicher Gewalt. Der 1. Korintherbrief schreibt diese Hoffnung Israels fort. Die Auferstehung Jesu ist hier eine Art Unterpfand: Es ist schon einmal einer von den Toten aufgestanden. Deswegen wird der Tod nicht das Letzte sein.

Im 2. Korintherbrief wird dann die Auferweckung Jesu auf die Gegenwart der Messiasleute in Korinth bezogen: »Alle, die mit Christus verbunden sind, sind neu erschaffen. Das Erste ging vorüber, seht: Neues kam zur Welt« (2 Kor. 5,17). Gott schafft schon jetzt neues Leben, nicht erst in der Zukunft. Jetzt können Menschen die Auswirkungen der Auferstehung Jesu erleben, und zwar in Christus, der Gemeinschaft der Messiasanhänger. Dies ist ein Raum, in dem Menschen Erfahrungen von Auferstehung machen: Menschen hören einander zu und spenden Trost, sie begegnen einander mit Respekt, sie leisten füreinander praktische Hilfe und helfen einander auf die Füße. Alle sind in diesem Raum willkommen, ohne dass sie etwas vorweisen müssen, keine lange Ahnenreihen, keine ehrenvollen Verdienste für die Stadt, keinen Reichtum. Die Geringsten und Verachteten sind hier willkommen, weil der Messias selbst einer der Geringsten war.

»Wie werden die Toten aufgeweckt?« Die Frage wird gewissermaßen mit dem Verweis auf die alltäglich erfahrbare Schöpfung beantwortet. So, wie Gott all dies geschaffen hat, wird er auch die Toten durch seinen Geist lebendig machen. Paulus hält an der Hoffnung fest, dass niemand aus Gottes Schöpfung herausfällt. Die Frage nach dem »Wie« klärt der Text nicht. Es ist Sosthenes und Paulus viel wichtiger, dass es so sein wird: Alle werden leben, auch die Toten, die vielen Opfer menschlicher Herrschaft.

Gegen Ende dieses Abschnittes im 1. Korintherbrief kommt ein Satz, der in der christlichen Tradition vielfach aufgenommen wurde: »Wo ist deine Peitsche, Tod?« (1 Kor 15,55). Mit der Peitsche (griechisch: kéntron) wurden Tiere und versklavte Menschen angetrieben. Dieses Instrument hatte häufig auch die Gestalt eines Stocks, der mit einem oder mehreren Stacheln versehen war. Solche Geräte wurden auch als Folterwerkzeug eingesetzt. Paulus denkt hier noch einmal an die Herrschaft des Todes, die in der versklavenden und todbringenden Gesellschaft des Imperiums Gestalt angenommen hat. Das Imperium, das häufig seinen Sieg über die Feinde verkündete und in triumphalen Umzügen beging, wird nicht den Sieg davontragen. Es wird ein Ende haben, und die Menschen werden leben.

Innerhalb einer griechischen Polis bekommt die Bezugnahme auf die neue Schöpfung in Christus (2 Kor 5,17) eine besondere Note. Die Gründer antiker Städte, zumeist Figuren aus der mythischen Vergangenheit, hatten in der Öffentlichkeit der Stadt eine große Bedeutung. Sie wurde mit Bauten und Inschriften verehrt. Ihre Bildnisse sind auf Münzen zu finden. Das griechische Wort für Schöpfung (ktísis) verweist auf die Bezeichnung dieser Stadtgründer: ktístes (Gründer). Die Einwohner der Städte verstanden sich in gewisser Weise als Geschöpfe ihres Gründers. Sie lebten in seiner Schöpfung. Androklos, der mythischen Überlieferung nach der Gründer von Ephesus, wird in Inschriften von Ephesus als ktístes bezeichnet. Aber nicht nur Figuren der Sagen werden so genannt, auch Menschen aus der jeweiligen Gegenwart. In vorkaiserlicher Zeit werden besondere Wohltäter der Stadt, die besondere und wichtige Bauten finanziert haben, so geehrt und betitelt. In der Kaiserzeit wird ktístes verwendet, um den Kaisern Ehre zu erweisen (IvE 252: Augustus). Sie wurden gerade nach Erdbeben als Finanziers dringender Wiederaufbauarbeiten tätig. Hadrian wird deshalb als neuer ktístes tituliert. Verbunden damit wird er auch »Retter« genannt

(IvE 272 und 274). Hier in Ephesus bedeutete das Gründen und Bewahren Rettung.

Die Messiasleute sahen sich aber als Schöpfung des Gottes Israels. Sie lebten in Christus und verstanden sich so als eine völlig andere und neue Schöpfung. Ihr Retter war nicht der Kaiser. Ihr Leben beruhte nicht auf der Gründung eines Herrschaftsträgers des Imperiums. Im Gegenteil: Die Auferstehung Jesu ist das Unterpfand dafür, dass Roms Herrschaft nicht auf ewig währt. Im Messias ist schon jetzt Gottes neue Schöpfung gegenwärtig. Dies war für Paulus das Fundament, um als Anhänger des Messias Jesus im Imperium Romanum überhaupt leben zu können.

# 11. WETTKAMPF UM UNVERGÄNGLICHES – DER LAUF DER MESSIASLEUTE

»Hypolythos zurück in der Arena! Demnächst der große Kampf im Theater!«

Eine solche oder vergleichbare Ankündigung auf großen Tafeln in den Straßen von Ephesus jagten Paulus immer wieder einen panischen Schrecken ein. Das war nicht einfach nur Werbung für ein unschuldiges Sportereignis in der Stadt. Nein, es ging darum, dass bewaffnete Männer, und manchmal auch Frauen, vor einem großen und begeisterten Publikum aufeinander losgingen. Menschen wurde umgebracht für ..., ja, wofür eigentlich? Er konnte das nicht nachvollziehen, nicht verstehen, vor allem weil es ihn an ein schreckliches Erlebnis erinnerte, an seine öffentliche Bestrafung vor einigen Jahren. Eigentlich hatte er noch Glück gehabt, dass sie ihn nicht zum Tode verurteilt hatten. Aber das Warten in den unterirdischen Gängen des Stadions auf die öffentliche Auspeitschung war eine schier endlose Qual – die Angst vor den kommenden Schmerzen, dazu das Brüllen von irgendwelchen Bestien, die im Stadion auf Menschen gehetzt wurden. Deren Schreie gelten ihm immer noch in den Ohren. Nein, freiwillig würde er nicht zurück in die Arena gehen.

## Gladiatoren als Projektionsflächen

Die Gladiatorenspiele waren ein fester Bestandteil der römischen Kultur und ihre Verbreitung im ganze Reich war ein deutliches Zeichen: Dieser Teil des römischen Lebens wurde von den Untertanen übernommen. Gladiatorenspiele zu veranstalten war so auch ein klares Zeichen: Die Veranstalter und Zuschauer identifizierten sich mit Rom. Einige griechische Herrscher brachten ihre Verbundenheit mit Rom zum Ausdruck, indem sie Wettkämpfe mit Gladiatoren ausrichteten. Auch der jüdische König Herodes tat dieses, um sich als treuer Vasall Roms zu zeigen.

Die öffentliche Inszenierung solcher Kämpfe fand in Rom zunächst im Rahmen von Gedenkfeiern von verstorbenen Persönlichkeiten des öffentlichen Lebens statt. Sklaven traten im bewaffneten Kampf gegeneinander an. Dabei ging es nicht um eine Art Menschenopfer für den Verstorbenen. Der tapfere Kampf Mann gegen Mann, die Entschlossenheit, den Gegner zu besiegen, und die ehrenvolle Haltung, mit der der unterlegene Kämpfer dem Tod entgegensah – all das diente der ehrenvollen Erinnerung des Verstorbenen. Seiner Tapferkeit und Entschlossenheit sollte mit dem öffentlichen Kampf gedacht werden.

Die Gladiatorenkämpfe wurde im Lauf der Zeit zu einem öffentlichen Schauspiel, das zeigt, wie Menschen mit dem Tod konfrontiert wurden und wie sie ihm begegneten. Mit Tapferkeit, Entschlossenheit und Würde sollten die Gladiatoren im Kampf agieren, selbst wenn sie unterlagen. Sie zeigten so beispielhaft, wie man dem Tod oder anderen Schicksalsschlägen im Leben würdig begegnet. So wurden Gladiatoren zur Projektionsflächen für die Zuschauer. Für ein solches Schauspiel wurden in den Arenen, wie dem Theater in Ephesus, Menschenleben geopfert.

Die Gladiatoren wurden für dieses Schauspiel in besonderer Weise trainiert. Das war mit großen Folgen für Körper und Gesundheit verbunden, wie in Ephesus gefundene Gladiatorengräber zeigen. Archäologen haben an den Skeletten nachweisen können, dass das einseitige Waffentraining zu erheblichen Veränderungen an Knochen und Gelenken geführt hat. Ebenso konnten sie an den Knochen verheilte Verletzungen aus Kämpfen finden. Die Besitzer der Gladiatoren versuchten wohl mit ihrem Eigentum halbwegs schonend umzugehen. Die Anschaffung eines Kämpfers war schließlich teuer. Römische Quellen lassen auf eine im Rahmen der antiken Möglichkeiten gute medizinische Versorgung der Gladiatoren schließen. Auch mit Hilfe besonderer Ernährung versuchte man die Körper bei der hohen Belastung fit zu halten. Spuren dieser Ernährung lassen sich in den Skeletten von Gladiatoren nachweisen. Die Körper der Gladiatoren wurden für die Inszenierung von gesellschaftlichen Werten zugerichtet und geschunden. Die Körper dieser Menschen war ein reines Mittel für einen Zweck, der ihr Wohlergehen und ihr Leben nicht achtete.

## Hinrichtungen im Vorprogramm

Die Arena, das Stadion oder das Theater waren aber nicht nur ein Ort des Kampfes. Hier fanden auch öffentliche Bestrafungen und Hinrichtungen statt, und zwar als fester Bestandteil eines Wettkampftages. Zwischen den Tierhetzen am Vormittag und den Gladiatorenkämpfen am Nachmittag wurden Verurteilte öffentlich bestraft. Öffentliche Bestrafungen und Hinrichtungen stellten den Kampf gegen Verbrechen und Aufruhr dar. Die Inszenierung der Bestrafung vor Publikum diente dazu, das Funktionieren des Rechtssystems zu zeigen. Nicht immer waren der Staat und sein Recht im Leben der Untertanen gegenwärtig. Die Bestrafung bei einem Rechtsbruch musste von daher dergestalt sein, dass die Bevölkerung den Eindruck hatte: Das Recht funktioniert. Dies war für Kriminelle oder Feinde der öffentlichen Ordnung eine Warnung, für die restliche Bevölkerung die Zusage der Sicherheit. Oder eben auch

Das Große Theater

eine klare Warnung, nicht vom Weg des Gehorsams gegenüber dem Gesetz des Staates abzuweichen. Die Zuschauer bezeugen das Funktionieren des Gemeinwesens und seines Rechts.

Die Ereignisse an den Orten der Kämpfe und Bestrafungen hatten einen gemeinschaftsstiftenden Charakter. Die, die auf den Rängen saßen, wurden durch das gemeinsame Zuschauen, Anfeuern und Niederbrüllen zu einer Gruppe, die sich denen gegenüberstellte, die unten um Leben ihr kämpften. Die Zuschauer standen über denen unten im Sand des Kampfplatzes. Gerade für diejenigen, die ansonsten in der Gesellschaft ganz unten standen, war dies ein seltener Moment: Jemand stand noch unter ihm oder ihr. Was das für diese Menschen bedeutet hat, darüber lässt sich nur spekulieren. Vielleicht war das Theater oder das Stadion ein Ort, an dem sie sich für einen begrenzten Zeitraum über jemand anderen erheben konnten.

## Die Messiasleute – zum Tode Verurteilte

Auf die öffentliche Bestrafung in der Arena nehmen Paulus und Sosthenes in 1 Kor 4,9 eindeutig Bezug: »Mir kommt es nämlich so vor, als habe Gott uns Gesandte ans Ende der Prozession in die Arena gestellt, an den Platz derer, die zum Tode verurteilt sind; so werden wir zum Schauspiel für die Welt.« Das ist kein reines Bild, das da verwandt wird. Die Absender des Briefes haben Erfahrungen mit öffentlicher Bestrafung gemacht. Sie wurden vor die Menge gezerrt und vor den Augen vieler gedemütigt und bestraft. Der Brief nach Korinth nimmt solche Erfahrungen auf und versucht sie im Zusammenhang des Glaubens an den einen Gott Israels und seines Messias zu verarbeiten.

In 1 Kor 4,11-13 beschreiben die beiden, wie es ihnen bei der Arbeit für den Messias Jesus ergangen ist: »Bis zu dieser Stunde leiden wir Hunger und Durst, wir laufen in Lumpen, werden geschlagen und sind obdachlos. Wir arbeiten hart mit unseren eigenen Händen; wenn wir beschimpft werden, segnen wir; wenn wir verfolgt werden, halten wir durch. Wenn wir verleumdet werden, stellen wir die Dinge freundlich richtig. Wie Kehrdreck der Welt sind wir geworden, Abschaum in den Augen der Leute, bis jetzt!« Es geht um Leiden unter materieller Armut, um Verfolgung und Demütigung. Der Dienst für Christus führt nicht an den Platz an der Sonne in der Gesellschaft des Imperiums. Der Glaube an den Messias Jesus macht nach den Maßstäben der Gesellschaft nicht glücklich.

Das Geschick der Messiasleute gleicht dem des Messias Jesus. Jesus wurde zwar nicht im Vorprogramm zu den nachmittäglichen Gladiatorenkämpfen hingerichtet. Das gesellschaftliche Programm, das der Kreuzigung auf Golgatha zugrunde lag, glich dem der Bestrafungen in der Arena. Es ging um Demütigung, Quälerei, Abschreckung und Vernichtung des Feindes der Gesellschaft. Der gekreuzigte Messias wird dennoch zum Identifikationspunkt seiner Anhänger. Der Gekreuzigte bildet in vielen Schriften des Neuen Testaments ein grundlegendes Thema. Die Bezugnahme dieser Texte auf einen Verlierer und ein Opfer menschlicher Gewalt wird zu einem Erkennungszeichen der Messiasleute. Sie sparen die Erfahrung von Leid und Erniedrigung nicht aus, sie geben solchen Erfahrungen Raum. Die Messiasleute können sich mit ihren Erfahrungen von Demütigungen und Gewalt in diesen Texten, insbesondere in der Lebensgeschichte Jesu, bergen. In ihm können sie sich mit ihrem Ergehen aufgehoben wissen. Auch das leistet das Erzählen vom Kreuz Jesu.

Die Konzentration auf den Gekreuzigten, das Erzählen von Kreuz Jesu führen jedoch dazu, dass die Messiasleute immer wieder mit dieser Gewalt konfrontiert werden. Das kann zur Folge haben, das zeigt jedenfalls der erste Brief nach Korinth, dass Menschen durch die ständige Erinnerung an erlittene Gewalt zutiefst aufgewühlt und durch und durch erschreckt werden. Vielleicht kann man sogar von Retraumatisierung sprechen. »Nicht um euch zu beschämen, schreibe ich das« (1 Kor 4,14). Paulus und Sosthenes sind sich der möglichen Folgen des Erzählens vom Kreuz Jesu bewusst. Wie kann auch eine immer wieder stattfindende Begegnung mit Demütigung und Gewalt als frohe Botschaft wirken? Das kann eigentlich nur geschehen, wenn das Erzählen vom Kreuz Jesu das Mitteilen der eigenen Gewalterfahrungen und Demütigungen einschließt. Die Gewalt der Mächtigen sollte die Erniedrigten mundtot machen. Was und wie sie die alltägliche Gewalt erlebten – dafür gab es keine Möglichkeit und keinen Raum. Die Geschichte vom Kreuz Jesu verändert das. Sie schafft damit dem Leiden von Menschen ein Gedächtnis (vgl. Kapitel 10). In den Gottesdiensten der Messiasleute sind die

Psalmen Israels gesungen und gebetet worden. Dazu gehörten auch die Klagepsalmen, die erfahrenes Leiden und erlittene Gewalt vor Gott bringen. Im Markusevangelium wendet sich Jesus mit diesen alten Gebetsworten an Gott und klagt ihn in seinem Leiden an: »Mein Gott, mein Gott, warum hast du mich verlassen?« (Mk 15,34). So können aus stummen Opfern sprachfähige Subjekte werden.

Die Messiasleute stehen zu ihrer Botschaft, sie bleiben bei Jesus und erzählen von ihm und seinem Ende am Kreuz (1 Kor 1,18). Dabei sind sie keine kraftstrotzenden Kämpfer und Gegenbilder zu den trainierten und ge-drillten Gladiatoren.

Claudia Janssen, hat für das Verständnis des größeren Abschnittes 1 Kor 4,6-13 wichtige Beobachtungen gemacht. In 1 Kor 4,10 wird das »Wir« einer Gruppe gegenübergestellt, die mit »ihr« angesprochen werden: »Wir sind Christi wegen unklug geworden. Und ihr, seid ihr die klugen Leute Christi? Wir sind schwach, und ihr, ihr seid stark? Seid ihr angesehen? Wir werden verachtet.« Diese andere Gruppe wird mit den Worten Stärke, Ansehen, Klugheit, Reichtum und Satt sein in Verbindung gebracht. Ihr ergeht es damit völlig anders als den Schreibern des Briefes und denen, die sie beim »wir« miteinbeziehen. Sie leiden keinen Mangel und keine Qualen, sie werden anerkannt und geachtet, sie sind satt und wirtschaftlich abgesichert. In 1 Kor 4,11 formulieren es Sosthenes und Paulus deutlich, dass sie verfolgt werden. Sie werden verfolgt, weil sie zu Jesus halten und ihn öffentlich verkündigen. 1 Kor 4,9 benennt sehr klar die Konsequenzen dieses Einstehens: Die Gesandten Gottes stehen an dem »Platz derer, die zum Tode verurteilt sind«.

Die anderen verweigern das Bekenntnis zu Jesus. Sie sehen in Jesus zwar den Messias. Sie sind aber nicht bereit, in der Öffentlichkeit zu Jesus zu stehen und dafür Nachteile und Verfolgung in Kauf zu nehmen. Sie schrecken vor der Demütigung zurück. Trotz ihres Glaubens an den Messias haben sie sich von den Vorstellungen von imperialer Stärke noch längst nicht verabschiedet. Damit verweigern sie denen, die zum Gekreuzigten halten und sich gegen die Anbetung von Macht und Stärke stellen, die Solidarität. Sie sitzen gewissermaßen mit den anderen auf den Plätzen im Theater oder im Stadion und sind Zuschauer von menschlichem Leid.

Die Briefeschreiber setzen alles daran, diese Gruppe von ihren Zuschauerplätzen zu holen. Die andere Gruppe, zu der sie sich mit dem »Wir« zählen, versuchen Paulus und Sosthenes auf ihrem Weg in Solidarität mit dem Gekreuzigten in besonderer Weise zu stärken.

Paulus und Sosthenes fragen die anderen: »Seid ihr wirklich schon satt? Seid ihr schon reich?« (1 Kor 4,9). Dies ist eigentlich die Frage danach, ob sie das, was sie im Leben wirklich wollen, schon erreicht haben. Sind eure Wünsche für das Leben Wirklichkeit geworden? So könnte man das umformulieren. Dahinter verbirgt sich die kritische Frage oder gar der Vorwurf: Glaubt ihr, dass durch Anpassung an Rom der Hunger nach Leben wirklich gestillt wird? Glaubt ihr, dass auf den Rängen der Arenen wahrer Reichtum zu finden ist?

Damit stellen die beiden ein Lebenskonzept infrage, das auf Anpassung und damit auf eine Reduzierung des Erhofften setzt. Die »Ihr«-Gruppe setzt in der Konfrontation mit der Macht des Imperiums darauf, durch Anpassung an die Regel Roms zu überleben. Mit Blick auf die Gewalt, die den Abweichlern und Aufständischen drohte, ist das, gerade aus heutiger Sicht, eine mehr als verständliche Haltung. Aber dieses Überleben wird erkauft mit einem hohen Preis: Eine Welt ohne gewalttätige Reiche scheint nicht mehr vorstellbar. Mit der Anpassung wird alle Hoffnung auf eine bessere Welt fahren gelassen. Eine andere Welt wird nicht mehr als möglich angesehen.

Für Paulus und Sosthenes hat diese andere Welt allerdings schon längst begonnen. In der Auferweckung des Gekreuzigten hat Gottes schöpferische Kraft sich gegen das Imperium durchgesetzt. Bis zu dieser Stunde (1 Kor 4,11) leiden die Menschen unter Gewalt und Ausbeutung, aber in der Auferstehung Jesu beginnt diese Gegenwart, Vergangenheit zu werden.

Später wird Paulus Folgendes an die messianische Gemeinschaft in Rom schreiben:

»Wenn aber die Geistkraft Gottes, die Jesus von den Toten aufgeweckt hat, in euch wohnt, so wird die, die den Messias von den Toten aufgeweckt hat, auch eure der Todesherrschaft unterworfenen Körper lebendig machen. Dies geschieht durch Gottes Geistkraft, die in euch wohnt« (Röm 8,11). Gottes lebendigmachende Kraft wirkt, und das bleibt für Paulus nicht ohne Folgen. Im Kontext von Röm 8 geht es um die Anpassung an die Regeln der Gesellschaft. Das Mitmachen, das Zuschauen und Sitzen in der Arena – das bedeutet für Paulus den Tod. Leben kann es nur geben, wenn den Gewalttaten ein Ende gesetzt wird (Röm 8,13). Der Ort dafür ist die Gemeinschaft, der Körper Christi, dort, wo die Körper der Messiasleute versuchen, eine solidarische Gemeinschaft zu bilden. Das Miteinander hier soll nicht vom Folgenden geprägt sein: vom Gewinnen-Müssen, vom Training des Körper für den Kampf und von der Vorbereitung, gegeneinander zu kämpfen und anderes Leben auszulöschen. Die von harter Arbeit und schlechten Lebensbedingungen gezeichneten Körper – sie bilden einen Raum von gelebter Nächstenliebe. Obwohl die Mächtigen immer noch über die Körper bestimmen, gerade bei Versklavten, nehmen sich Messiasleute die Freiheit, schon jetzt so zu handeln, wie der Messias Jesus es sich im Sinne der Nächstenliebe vorgestellt hat. Diese Körper sind ein Ort, wo Gottes Geist sich in einer Welt von Gewalt Raum verschafft.

Das dürfte für die Messiasleute auch körperlich erfahrbar gewesen sein. An ihren Körper haben Menschen in der Antike alltäglich die allgegenwärtige Gewalt erfahren, nicht nur in den Theatern der Gewalt. Versklavte und Tagelöhner wurden mit aller Härte zur Arbeit angetrieben. Schläge waren ein akzeptierter und gutgeheißener Bestandteil von Kindererziehung. Männer konnten in der Regel über den Körper von Frauen verfügen, wie sie es für richtig hielten, von körperlicher Züchtigung bis zu erzwungenem Sex. Auch die soziale Situation wurde in körperlichen Dimensionen erlebt: Unzureichende und schlechte Ernährung schwächte den Körper bei gleichzeitig körperlich harter Arbeit massiv. Ungesunde Wohnumstände führten zu Krankheiten. Nicht nur das einseitige Training der Gladiatoren veränderte die Knochen von Menschen, auch harte Arbeit schädigte sie. Häufig wird der Bauboom im Kaiserreich als Indikator eines wirtschaftlichen und sozialen Aufstiegs vieler bewertet. Dabei wird aber völlig übersehen: Irgendwer musste mit seinen Knochen für die vielen neuen Gebäude in den Städten des Reiches bezahlen. Irgendwer schleppte die Steine und andere Baustoffe, Tag für Tag. Das ging an den Arbeitenden nicht spurlos vorüber.

Die Gemeinschaften der Messiasleute konnten solche Erfahrungen körperlicher Ausbeutung natürlich nicht einfach beseitigen. Sklavinnen und Sklaven wurden weiter zur Arbeit gezwungen, Handwerkerinnen und Handwerker gingen weiter einer harten Arbeit nach. Aber: Solidarische Zuwendung hat eine wichtige körperliche Dimension. Die Gemeinschaften konnten der Ort sein, wo Essen geteilt wurde – wenn es gut lief. Bei den gemeinsamen Treffen oder Versammlungen prägte keine körperliche Gewalt das Miteinander. Niemand trieb den anderen mit Schlägen zu etwas an. Wenn der Körper der Messiasleute ein Tempel der heiligen Geistkraft war (1 Kor 6,19), dann heißt das auch: Das, was der Körper gerade im alltäglichen Austausch mit anderen macht, soll von dieser Kraft geprägt sein, und nicht von dem Geist der Gewalt. Die Körper sind Ort praktizierter Nächstenliebe, durch sie ereignet sich Nächstenliebe.

Die so positive Sicht auf die geschundenen und teilweise von Gewalt gezeichneten Körper steht im engen Zusammenhang mit dem Glauben an den Gott Israels als den Schöpfer. In 1 Kor 15 heben Sosthenes und Paulus an verschiedenen Stellen hervor, dass der Körper Geschöpf Gottes ist. »Gott gibt die Körper in göttlicher Weisheit« (1 Kor 15,38). Sie wollen das gegenwärtige Leben als Gottes Geschenk begreifen. Dieses Geschenk verliert durch den Tod nicht seine Relevanz. Gottes Schöpfermacht, davon war im vorherigen Kapitel die Rede, reicht über den Tod hinaus. So von der Schöpfung Gottes zu sprechen versucht, für die bedrohten, gequälten und erniedrigten Körper eine Hoffnungsperspektive zu entwickeln.

Im weiteren Verlauf von 1 Kor 15 verwenden die Briefeschreiber Begriffe, die deutlich zeigen, in welcher Welt die Menschen mit ihren Körpern leben:

»Gesät werden Menschen in eine zerstörbare Welt, wahrhaft Lebendige stehen auf. Gesät werden Menschen in eine Welt voller Erniedrigung, Erhöhte stehen auf. Gesät werden Zerbrechliche, Menschen voller Kraft von Gott stehen auf« (1 Kor 15,42-43).

Das griechische Wort phthorá (die zerstörbare Welt, das Verderben) bedeutet hier nicht nur die natürliche menschliche Vergänglichkeit. Es ist geht hier um Lebensumstände und gesellschaftliche Strukturen, die auf Menschen und ihr Miteinander zerstörerisch wirken. In Offb 19,2 wird das ganze Handeln der Hure Babylon, die ein Bild für das römische Reich ist, so gekennzeichnet: Sie verdirbt mit ihrem Tun die ganze Welt. Ihr Tun – das ist Ausbeutung der Völker, ein luxuriöses Leben auf Kosten anderer und Gewalt gegen Menschen.

Das griechische atimía (Erniedrigung) kennzeichnet die Lebenssituation der Menschen in den Gemeinschaften: Sie sind Verachtete und Misshandelte. Die Zerbrechlichkeit und Schwäche (griech. asthéneia) bezieht sich auf das Ansehen der Menschen in der Gesellschaft. Menschen werden als schwach und damit als wertlos angesehen, und zwar von den Starken und Mächtigen. Dadurch erniedrigen die Herrschenden die, die unter ihnen stehen.

In einer solchen Welt leben die Menschen, aber sie ist trotzdem – und das ist für Sosthenes und Paulus der Grund zur Hoffnung – Gottes Welt. Gott hat diese Welt, mit all den Menschen, geschaffen: »Gesät werden …« – so formuliert 1 Kor 15,42-43, und zwar von Gott. Die Menschen verbleiben aber nicht im Verderben, in Erniedrigung und Zerbrechlichkeit: Lebendige stehen auf, Erhöhte stehen auf, Menschen voller Kraft von Gott stehen auf.

Dies ist aber nicht erst in Zukunft erfahrbar. Paulus pendelt in den Briefen zwischen Aussagen, die die Gegenwart und die die Zukunft betreffen, hin und her. Dieser Gegensatz darf nicht einfach zu einer Seite hin aufgelöst werden. Beide Aspekte sind jeweils im Blick: Gottes Schöpfungskraft ist Grund für die Hoffnung über den menschlichen Tod hinaus. Der Tod beendet nicht die Beziehung eines Menschen zu Gott. Sie besteht auch danach. Gleichzeitig gilt aber für Paulus: Im alltäglichen Leben ist Gottes Schöpfungsmacht erlebbar. Die menschlichen Körper sind für Paulus der Ort, an dem die Gegenwart der Auferstehung erfahrbar ist. Die vom Geist Gottes erfüllten Körper sind unzerstörbar, sie haben Würde und werden belebt durch Kraft und Energie.

Größer könnte der Gegensatz nicht sein: Diese vom Leben in der Unterschicht gezeichneten Körper – in ihnen ist die Auferweckung, die neue Schöpfung Gottes gegenwärtig. Dieser veränderte Blick, das zeigen die Briefe, stellt sich nicht automatisch ein. Es ist ein Prozess mit vielen Hindernissen und Rückschritten. Das Miteinander in den Gemeinschaften kann ein Ort sein, wo dieser Prozess stattfindet und wo sich Veränderungen immer wieder Raum verschaffen. Messiasleute sehen sich nicht nur als Opfer von Demütigung und Gewalt, sondern lassen sich in ihrem Leben und Handeln von Gottes schöpferischer Kraft antreiben. In ihnen wirkt Gottes Geist. Das wird nicht immer und ständig im Alltag erlebt. Aber es dürfte diese vielfältigen Augenblicke und Gelegenheit gegeben haben, wo Gottes Geist Menschen beseelte. Das kann als enorme Aufwertung der Menschen verstanden werden. Es sind nicht mehr die in den Augen der Welt Verachteten und Geringen. Es sind Kinder Gottes (Röm 8,15).

Während im Theater oder im Stadion Gladiatoren aufeinander losgingen und menschlichen Körpern für die Unterhaltung der Massen Gewalt angetan wurde, versuchten die Messiasleute, ein Netzwerk der Solidarität und Räume für gegenseitige Hilfe aufzubauen, mit ihren Körpern. Die Körper gaben die Nächstenliebe weiter, die auch körperlich erfahren wurde.

## »Ich laufe auf das Ziel zu, um den Siegespreis zu erlangen« – die Messiasleute und das Stadion

Nicht nur Gladiatorenkämpfe hinterließen Spuren in den paulinischen Briefen, sondern auch Wettkämpfe aus dem Sportstadion einer antiken Stadt. Paulus und die anderen kämpfen für einen unvergänglichen Siegeskranz (1 Kor 9,26). Der Bote der Auferweckung läuft auf das Ziel zu, um den Sieg zu erlangen (Phil 3,14).

Die Stadt Korinth beherbergte einen berühmten antiken Wettkampf, die sog. Isthmischen Spiele. Diese gehörten nach den Olympischen Spielen zu den prominentesten Sportveranstaltungen der griechisch-römischen Antike. Auch in Ephesus gab es ein Stadion, in dem Wettkämpfe in den klassischen antiken Sportarten (u.a. verschiedene Laufdisziplinen, Ringen, Boxen, Reiten und Wagenrennen) stattfanden: das Stadion nordwestlich des Panayir Dağ. Es wurde in der ersten Hälfte des 1. Jh. n. Chr. zu einem prächtigen Stadion ausgebaut, mit einer Lauffläche von 180m Länge. Ab dem 2. Jh. wurde in Ephesus dann auch ein überregionales Sportereignis veranstaltet. Paulus und die anderen lebten in einer Stadt, die durch und durch von antiker Wettkampfkultur geprägt war.

»Dabeisein ist alles!« Dieser Satz ist im Hinblick auf das Spektakel der modernen olympischen Spiele nur ideologische Fassade für ein millionenschweres Unternehmen. Für die antike Wettkampfkultur ist er unpassend: Nur der Sieg zählte, nur der Sieger bekam einen Siegespreis, nur an den Sieger erinnerte man sich. Damit war der Sport ein Spiegel der gesellschaftlichen Spielregeln: So, wie die Politiker und reichen Bürger der Polis darum rangen, Erster zu sein, so wetteiferten die Athleten im Stadion um den Sieg. Als Belohnung für das harte Training und den Kampf im Stadion winkten öffentliche Anerkennung und Siegesprämien. Sieger in einem prominenten Sportwettbewerb erfuhren große öffentliche Ehrungen. Nur Wettbewerbe, die keinen großen Namen hatten, lockten mit Preisen für den zweiten und dritten in einem Wettkampf, so wie Herodes, der in Caesarea Maritima Spiele zu Ehren des Kaisers abhielt.

Städte schmückten sich mit ihren sieghaften Athleten. Da unterscheidet sich die Antike nicht allzu sehr von unserer Gegenwart: Siege laden dazu ein, sich mit dem Sieger zu identifizieren. Ihre Leistung im Sport strahlt auf das Ansehen des Gemeinwesens ab. Verlierer hingegen verschwinden, wenn es gut läuft, in der Versenkung. Ansonsten werden sie mit Schimpf und Schande davongejagt. Aber auch der materielle Lohn für einen Sieg war nicht zu verachten. Neben zum Teil üppigen Preisgeldern öffnete eine Sportlerkarriere den Zugang zu öffentlichen Ämtern. Sport diente als Mittel für den gesellschaftlichen Aufstieg. Publius Aelius Aurelius Serapion (2./3. Jh. n. Chr.) aus Ephesus, Olympiasieger im Fünfkampf, dürfte in seiner Heimatstadt ein gemachter Mann gewesen sein.

Führt man sich diese Gewinn- und Aufstiegsmöglichkeiten vor Augen, wundert es nicht, dass es im antiken Sport alles andere als fair zuging. Heute versucht man bei Sportveranstaltungen immer noch, eine Fassade der Fairness vor all dem Doping aufzubauen. Darum bemühte man sich in der Antike nicht. Zwar gab es Regeln, deren Nichtbeachtung und Bruch sanktioniert wurden. Aber Sportler, die sich nicht an die Regeln hielten und so den Sieg davontrugen, erfuhren trotzdem hohe Anerkennung.

Aus der Welt des Sports und des Wettkampfs sprachliche Bilder für den Lebensweg von Menschen zu entwickeln – das war und ist nichts Ungewöhnliches und nicht nur auf das Neue Testament beschränkt. Antike Philosophen, insbesondere aus der Schule der Stoa, arbeiteten in ihren Texten häufig mit Bildern aus dem Sport. Der Weg eines Sportlers zum alles entscheidenden Wettkampf gleicht dem Leben eines Menschen. Der hart trainierende und unbeirrt auf sein Ziel hinarbeitende Athlet wird zum Vergleichspunkt für den standhaften Weisen, der gemäß der Weltvernunft lebt, sich dem Schicksal nicht widersetzt und dafür seine Begierden kontrollieren will. Sport und Wettkampf werden hier als eine Lebensform angesehen, die vergleichbar ist mit dem Leben eines wahrhaft weisen Philosophen.

Verstehen sich Timotheus und Paulus, die Absender des Briefes nach Philippi, als stoische Philosophen, als solche, die hart und unerbittlich auf der Laufbahn des Lebens kämpfen? Die Bezüge in den Briefen auf die Welt der Wettkämpfe zeigen, dass die beiden hier einen Anknüpfungspunkt sehen. Sie unterwerfen den Körper einem kraftraubenden Training, sie fordern dem Körper im Wettkampf viel ab. Dies machen sie aber nicht für die Siegesprämien, auf die Sportler hoffen. Anderswo, in 1 Kor 9,25 wird die Prämie als vergänglich bezeichnet: »Alle, die am Wettkampf teilnehmen, leben enthaltsam, um einen vergänglichen Siegeskranz zu erlangen, wir aber kämpfen um einen unvergänglichen.«

Paulus und Timotheus hoffen, wie all die anderen Messiasleute, auf einen unvergänglichen Siegeskranz. Wofür der Siegeskranz steht, sagen sie aber nicht konkret. Wahrscheinlich gingen sie davon aus, dass es den Adressatinnen und Adressaten des Briefes klar ist. In Phil 3,12-16 werden sie aber konkreter. Auch hier ist davon die Rede, dem Ziel nachzujagen:

»Nicht, dass ich es schon ergriffen hätte.« So lautet die traditionelle Übersetzung in der Luther-Bibel zu Phil 3,12. Auf was bezieht sich das »es«? Das Neutrum lässt an das ewige Leben denken. Es ist das, nach dem sich Paulus ausstreckt, das, was vor ihm liegt. Zum besseren Verständnis sollte man den Kontext des Textes genauer betrachten. In Phil 3,10-12 machen die Briefeschreiber die Auferstehung des Messias Jesus zum Thema: »Christus möchte ich erkennen und die Kraft seiner Auferstehung erfahren, an seinen Leiden möchte ich Anteil haben, und mein Leben soll von der Gestalt seines Todes mitgeprägt werden, damit ich auch zur Auferstehung von den Toten gelange. Nicht, dass ich es schon ergriffen hätte oder schon zum Ziel gelangt wäre, ich laufe aber auf das Ziel zu, um es zu ergreifen, weil ich selbst von Jesus Christus ergriffen bin.«

Sie möchten den Messias erkennen (Phil 3,8), sie möchte ihn gewinnen (Phil 3,9). Dieses sich voll auf den Messias Jesus Ausrichten grenzt Paulus von seiner Zeit als Pharisäer ab (Phil 3,7). Timotheus, selbst kein ehemaliger Pharisäer, stimmt als Absender des Briefes damit ein.

Klaus Wengst hat für diesen Abschnitt des Briefes nach Philippi wichtige Beobachtungen gemacht: Das Erkennen des Messias bezieht sich auf die Kraft der Auferstehung Jesu und die Teilhabe an seinem Leiden. Erkennen bedeutet hier nicht einfach ein Faktenwissen in dem Sinne, dass Jesus der Messias ist und dass seine Auferstehung stattgefunden hat. Paulus spricht nicht einfach von der Auferstehung, sondern von der dýnamis der Auferstehung. Das griechische Wort dýnamis kann mit Macht, Kraft oder im Englischen mit Power übersetzt werden. Auch das Wort Dynamik ist eine angemessene Übertragung. Die Auferstehung Jesu setzt eine Dynamik in Gang, die Menschen Kraft gibt und in Bewegung versetzt. Von der Auferstehung Jesu geht Macht aus, die das Hier und Jetzt nicht unverändert lässt. Das Erkennen des Messias und seiner Auferstehung bezieht sich auf die Teilhabe an diesem dynamischen Prozess. Dass Jesus von den Toten auferstanden ist, hat Paulus mit seiner ganzen Existenz in Bewegung versetzt. Das hat ihm Kraft dafür gegeben, und so befindet er sich auf einem Lebensweg, den er sich nie vorstellen konnte. Das Wissen um Jesus und seine Auferweckung meint ein Leben im Kraftfeld der Auferweckung. Es geht also nicht um ein rein kognitives Wissen um die Auferstehung, sondern um Lebensführung und Lebensvollzug. Das Leben der Athleten ist bestimmt vom Siegen-Wollen und von der damit verbundenen Siegesprämie. Dem stoischen Philosophen geht es um ein Leben, das das Schicksal freudig annimmt und ihm sich nicht widersetzt. Beide Gruppen müssen aus sich heraus die Energie und Kraft entwickeln, um auf ihrem Weg bestehen zu können.

Paulus und Tiomotheus dagegen werden angetrieben von einer Macht außerhalb von ihnen. Daraus ergibt sich aber nicht die Vorstellung, dass ihr Handeln bedeutungslos und irrelevant ist: »Ich lauf auf das Ziel zu …« (Phil 3,14). Die ganze Existenz und die ganze Kraft werden auf das Ziel ausgerichtet, angetrieben von der Dynamik der neuen Schöpfung in Jesu Auferstehung. Phil 3,11 gibt das Ziel dieses Weges an: die Auferstehung von den Toten. Sie ist es, der sie nachjagen und noch nicht erreicht haben

Das Ziel des Lebensweges ist jedoch auf dem Weg selbst schon erfahrbar: Die Auferstehung des Messias, des Erstlings von den Toten, ist der Anstoß, die Kraftquelle und die Energie für das Nachjagen der Boten des Messias. Das Ziel zeichnet sich dadurch aus, dass die Macht der Auferstehung den Tod besiegt hat. Es ist wieder dieses »schon jetzt« und »noch nicht«. Schon jetzt erfährt Paulus die Auferstehung als lebenspendende Kraft für sein Leben, auch in einer Zeit, in der die Macht des Todes eine unhintergehbare Realität ist.

Dieses Leben wird immer noch von den Mächten des Todes bedroht und in Mitleidenschaft gezogen. Dies zeigt das Leben, Leiden und Sterben des Messias Jesus. Er ist ein Sklave unter der Gewalt menschlicher Herrschaft, er wird am Kreuz hingerichtet. Davon schreiben Paulus und Timotheus vorher in Phil 2,6-11:

»Über *göttliche* Gestalt verfügend, hielt Christus die Gottgleichheit doch nicht wie ein glückliches Los fest, sondern entäußerte sich selbst aller Vorrechte und nahm die Gestalt eines *versklavten* Menschen an, wurde den Menschen gleich und seine ganze Erscheinung zeigte: Er war ein Mensch wie du und ich. Er *erniedrigte* sich selbst und war dem Auftrag Gottes gehorsam bis zum Tode, dem Sklaventod am Kreuz. Darum hat Gott den Erniedrigten erhöht und ihm den Namen verliehen, der über jeden Namen erhaben ist, damit im Namen Jesu sich alle Knie beugen sollen im Himmel und auf Erden und unter der Erde, und jede Zunge bekennen soll, dass Jesus Christus *der* Herr ist zur *Ehre* Gottes, unserer *Mutter* und unseres Vaters.«

Timotheus und Paulus machen sich keine Illusionen. Der Lebensweg steht unter der Macht menschlicher Herrschaft, die mit Gewalt die Menschen unterdrückt und Tod und Verderben bringt. Das Leben von Paulus und den anderen Messiasleuten verläuft in vielerlei Hinsicht vergleichbar mit dem Leben Jesu. Sie sind der Macht des Imperiums ausgeliefert. Sie erleben Roms Gewalt Tag für Tag. Wenn Paulus und Timotheus das schreiben, dann ist das kein krampfhaftes Wünschen, möglichst genau so viel und intensiv zu leiden wie der Messias. Zunächst ist es eigentlich eine einfache Beschreibung des Alltags vieler Messiasleute. Im Kraftfeld der Auferstehung leben, das heißt: von Jesus erzählen, versuchen, ihm im alltäglichen Leben zu entsprechen, und sich öffentlich zu ihm zu bekennen. Das ist, davon war bisher schon verschiedentlich die Rede, mit negativen Reaktionen aus der Gesellschaft der Städte im römischen Reich verbunden, mit Erfahrungen von Ausgrenzung, Verfolgung und Gewalt. So haben Messiasleute Anteil an den leidvollen Erfahrungen Jesu. In der Kraft der Auferstehung leben schließt dies nicht aus, sondern unbedingt ein. Die Auferstehung überspielt das auch nicht einfach. Aber die Teilhabe an dem Leiden Jesu und auch der eigene Tod liegen nicht außerhalb des Kraftfeldes der Auferstehung Jesu.

In Phil 4,17 fordern Paulus und Timotheus alle Geschwister zur Nachahmung auf. Damit verlassen sie das

Regelwerk des antiken Sports und entwickelt eine andere Welt. Die Geschwister sollen wie sie dem wahren Ziel nachjagen und den ewigen Siegespreis erringen. Aus der Perspektive des Sports ein merkwürdige Vorstellung. Im Wettkampf kann es nur einen Sieger geben. Timotheus und Paulus gehen davon aus, dass alle, übertragen gesprochen, eine Goldmedaille oder den Siegerkranz bekommen. Damit ist das prägende Element antiken Wettkampfs, dass es nur einen Sieger gibt, auf den Kopf gestellt. Alle bekommen den Siegespreis – nicht allein aus eigener Kraft, sondern mit Hilfe der Energie, die von Gott kommt. Die messianischen Wettkämpfer werden von Paulus in besonderer Weise bezeichnet. Sie sind vollkommen (Phil 4,15). Vollkommen – aber in welcher Hinsicht? Vollkommen (griechisch.: téleioi; hebr.: tamim) ist zunächst ein Begriff, der sich auf die Lebensweise von Menschen bezieht. Tamin sind in der antiken jüdischen Literatur diejenigen, die nach Gottes Weisungen leben und diese befolgen. Sie entsprechen in ihrer Lebensweise den Ansprüchen des Gottes Israels. Im antiken Sport wird die strenge Regelkonformität der Atheleten und Wettkämpfer zwar immer wieder betont. Schaut man sich die konkreten antiken Zeugnisse der Antike an, dann wird diese Regelkonformität deutlich relativiert. Betrug gehört zum Sieg dazu. Wer die besseren Unterstützer hat, kann sich gegen die Gegner durchsetzen und so Erster werden. Der Zweck heiligt hier wirklich die Mittel. Hier geht es nicht darum, die Messiasleute als die moralisch integren Menschen herauszustellen. Paulus und Timotheus machen hier nur deutlich: Für den gemeinsamen Kampf auf dem Lebensweg gelten andere Regeln: Es geht nicht darum, Erster zu werden, koste es, was es wolle. Nichts rechtfertigt es, dass der andere durch einen zugefügten Schaden auf der Strecke bleibt. Vollkommen sein meint im Sinne der Tora: solidarisch leben.

Für Paulus ist es klar, dass er wie alle anderen auch noch auf dem Weg ist. Er hat das Ziel noch nicht erreicht. Die Vollkommenheit besteht auch darin zu wissen, die Ziellinie noch nicht erreicht zu haben, also noch nicht vollkommen zu sein. Dieses Wissen, noch unterwegs zu sein, lässt Paulus und Timotheus beinahe ein wenig entspannt wirken, wenn sie auf diejenigen zu sprechen kommen, die einiges von dem, was sie in Phil 3 ausgeführt haben, anders sehen. Ihnen wird Gott das angemessene Verständnis und die entsprechende Einsicht offenbaren (Phil 3,16). Sie vertrauen es Gott an und müssen ihr Gegenüber zu nichts zwingen. Differenzen mit Blick auf Gott, der für das Richtige sorgen wird, stehen lassen können, das ist eine Vorstellung, die so manchen gewalttätigen Konflikt um die Wahrheit verhindern helfen kann.

Das heißt aber nicht, dass den beiden die Positionen anderer egal sind, nach dem Motto: Gott wird es schon richten. Unter Tränen kommen sie dann auf die zu sprechen, die mit dem Gekreuzigten nichts zu tun haben wollen (Phil 3,18). Dazu war in Kapitel 2 schon einiges zu lesen. Wichtig ist: Solche Haltungen berühren sie zutiefst. Es bewegt sie zutiefst, wenn ihre Position so zur Seite gewischt wird, wenn das, wofür sie mit ihrer ganzen Existenz stehen, einfach ignoriert wird. Es kann als ein Zeichen gesehen werden, dass sie umsonst gekämpft haben, dass ihr Weg vergeblich war.

Verschiedentlich wird in diesem Zusammenhang Phil 2,16 (wie auch Gal 2,2) so verstanden, dass das Festhalten der Gemeinden am Wort Gottes, am Evangelium, quasi die Eintrittskarte für den Apostel in das Reich Gottes ist: »Haltet das *Wort* des Lebens fest, so dass ihr mir zur Ehre gereicht am Tage Christi, damit ich mir nicht umsonst die Hacken abgelaufen und mich nicht umsonst abgemüht habe.«

Diese Deutung geht jedoch an dem Text vorbei. Das griechische Wort kenón (umsonst oder nutzlos) macht deutlich: Wenn die Menschen in den Gemeinde nicht zu dem Evangelium, das Paulus im Auftrag Gottes verkündet, stehen, dann hat er wirklich umsonst und ohne Ergebnis gearbeitet. Die Geschwister sind nicht seine Eintrittskarte ins Reich Gottes. Für ihn ist es wichtig, dass so viele Menschen wie möglich zur Gemeinschaft Christi dazugehören. Die Gemeinschaft der Anhänger des Messias verschafft Jesus Raum in der Gegenwart. Wenn möglichst viele Menschen dazugehören, dann legt das Zeugnis für das Wirken Gottes in seinem Messias ab. Nur wenn sie dabeibleiben, waren all die Mühen und der Kampf nicht umsonst. Den Erfolg der Arbeit messen Paulus und Timotheus daran, ob Menschen in Christus ein gutes und heilvolles Leben führen können. Sie instrumentalisieren ihr Wirken nicht, um in den Himmel zu kommen.

In der Art und Weise, wie Timotheus und Paulus über ihren Lebensweg im Einsatz für den Gott Israels schreiben, zeigt, wie weit sich die beiden von Spielregeln der antiken Gesellschaft entfernt haben. Es geht für sie nicht darum, als Erste in den Himmel zu kommen oder einen Logenplatz im Paradies zu haben. Gerade für den ehemaligen Verfolger der Messiasleute wäre das auch ein unmögliches Unterfangen: Die anderen hatten nicht so eine dunkle Vergangenheit wie er.

Die beiden Boten des Messias kämpfen dafür, dass die Gemeinschaft Christi an Gestalt und Raum gewinnt. Die Liebe, von der Jesus gesprochen und die er praktiziert hat, soll unter den Menschen Wirklichkeit werden, damit sie ein im Sinne Gottes gutes Leben führen können, im Gegenüber zu den Macht-und Ausbeutungsstrukturen des Imperiums. Wenn das viele Menschen erleben können, haben sie Lohn und Siegesprämie genug.

# 12. DEN VÖLKERN DIE GUTE BOTSCHAFT BRINGEN

Das Nymphaeum Traianum in Ephesus

Titus saß auf einer Bank in der Werkstatt. Sie waren im Hafen gewesen und konnten einiges von dem, was sie hergestellt hatten, an den Kapitän eines Handelsschiffes aus Alexandria verkaufen. Gut, dass wieder Geld in die Kasse kam. In den letzten Wochen hatten sie eine finanzielle Durststrecke durchgemacht. Er hielt eines der Geldstück in Hand und betrachtete es intensiv. Der Kaiser war darauf zu sehen, der Kaiser als Herrscher, sitzend auf einem Thron. Auch mit ihrem Geld zeigten es die Römer allen: Unser Kaiser herrscht – über alle Länder, über alle Völker. Falls das jemand vergessen sollte, so erinnerte einen nur ein einziger Blick auf eine solche Münze wieder daran: Der Kaiser hat die Macht. Heute im Hafen waren sie wieder Zeuge der Stärke und Größe Roms geworden. Mehrere Schiffe der kaiserlichen Kriegsflotte hatten im Hafen von Ephesus angelegt. Unzählige Soldaten waren an Bord. Nachschub für die Provinz Syrien, wie man hörte. Der Anblick der römischen Kampfschiffe mit den waffenstarrenden Legionären, das Bild des Kaisers auf der Münze. Er schüttelte den Kopf. Wie konnten sie nur behaupten, dass nicht Rom diese Erde beherrscht, sondern Gott – und dass der Messias Jesus von den Toten auferstanden ist?

## Rom – Herrin der ganzen Welt

Auch wenn manche Sandalenfilme oder die Comics aus der Asterix-Reihe einen anderen Eindruck vermitteln: Nicht hinter jedem Strauch und an jeder Straßenecke des römischen Reichs stand ein römischer Legionär. Ephesus lag weit entfernt von den Grenzen des Reiches. Die Tage, als die bewaffneten Konflikte auch hier in der Nähe ausgetragen wurden, gehörten zur Zeit des Paulus der Vergangenheit an. Römische Legionen waren hier in der Provinz Asien nicht ständig stationiert. Wenn der Statthalter in Ephesus weilte, dann war Militär in der Stadt präsent, Soldaten, die für den Schutz des Statthalters und seines Stabes sorgten. Dann wurde wieder einmal klar: Diese Stadt und dieses Gebiet werden von Italien aus beherrscht. Hin und wieder haben auch Galeeren der römischen Kriegsflotte in Ephesus festgemacht. Die römische Flotte verband die einzelnen Provinzen auf recht schnellem Wege miteinander und stellte so ein wichtiges Verkehrsmittel dar. Die bewaffneten Soldaten waren ein klares Zeichen, worauf Roms Herrschaft beruhte – auf der Schlagkraft der Armeen, die die Länder rund um das Mittelmeer unterworfen und dem römischen

Herrschaftsgebiet eingliedert hatten. Rom sah sich als Herrin der Welt. Heutige archäologische Führer weisen bei ihren Touren durch die Ruinen von Ephesus bei einer Brunnenanlage für den Kaiser Trajan (etwa 102-114 n. Chr. erbaut), direkt an der Kuretenstraße, gern auf die Weltkugel hin: Der Fuß einer vormals vollständigen Statue des Kaisers steht auf einer Weltkugel. Der Kaiser herrschte über die bewohnte und zivilisierte Welt. In diesem Bildnis zeigt sich sehr gut das römische Selbstverständnis von seiner Weltherrschaft.

Die unterworfenen Völker ernährten mit ihren Ressourcen Rom. Für Cicero waren die Provinzen auch Landgüter des römischen Volkes (Reden gegen Verres 2,3,7). Aber die anderen Völker stellten auch eine Gefahr dar, der man sich erwehren musste.

Nach dem Galliersturm von 387 v. Chr., bei dem Rom geplündert wurde, galten die Gallier als ein gefährlicher Volksstamm, der mit seiner militärischen Kraft Roms Existenz gefährden oder gar vernichten konnte. Die sukzessive Einnahme Galliens durch Caesar wurde ideologisch gern mit dem Verweis auf die Bedrohung durch die Gallier begründet. Roms Eroberungen konnte man so als präventive Bekämpfung von Feinden verstehen. Auch wenn die Zahlenangaben in Caesars »Gallischem Krieg«, wie in der Antike üblich, übertrieben hoch sind, so wird eines deutlich: Die Feldzüge in Gallien zielten auf die Vernichtung ganzer Volksstämme ab. Große Menschenmengen wurden massakriert, natürliche Lebensressourcen durch ausgiebige Plünderung vernichtet. Auch die römische Kriegsführung bei der Niederschlagung des jüdischen Aufstandes wird von einigen Historikern als Genozid eingestuft: Es ging der römischen Armee nicht um einen militärischen Sieg über die Truppen des Gegners. Das aufrührerische Volk der Juden musste insgesamt bestraft werden. Deswegen verloren so viele Menschen, die gar nicht kämpften, ihr Leben.

## Rom und die Unterworfenen

Die Eliten Roms blickten mit Skepsis und Verachtung auf die Menschen in den eroberten Gebieten und nicht nur auf die so ganz anders lebenden Volksstämme wie die Gallier. Gallier, Skythen und andere galten als kulturlose Haufen, vor denen man sich in Acht nehmen musste. Auch die Griechen, die den Römern eigentlich sehr nahe waren, wurden von ihnen mit abschätzigen Blicken bedacht. Ein wichtiges Thema bei abwertenden Äußerungen über Griechen war Folgendes: Als die römische Armeen die griechischen Stadtstaaten Zug um Zug eroberten, kamen sie mit dem griechischen Luxus in Berührung. Der verweichlichte die Legionäre. Das führte zu lasterhaftem Verhalten der Soldaten und ihrer Befehlshaber. Der griechische Osten mit all seinen Verlockungen war eine Gefahr für die standhafte Moral der Legionen und damit für die ganze römische Gesellschaft.

Völlig anders gelagert ist die Neugier vieler Römer auf die griechische Kultur. Viele Angehörige der Oberschicht suchten griechische Schulen auf und lernten bei griechischen Wissenschaftlern. Gerade die griechische Philosophie im Gefolge von Plato und Aristoteles stand hier hoch im Kurs. Beinahe alles, was sich in Rom an Literatur entwickelte, lebte von dem kulturellen Austausch mit Griechenland. Die Haltung von Römern gegenüber griechischen Menschen und deren kulturellen Traditionen war durchaus zwiespältig.

Im Lauf der Zeit, gerade nach massiven Aufständen in einigen Provinzen, änderte sich der Blick auf die dortigen Menschen. Sie wurden immer mehr zu Bündnispartnern und Stellvertretern Roms vor Ort. Am Beispiel des Kultes sieht man, wie die Oberschicht einer großen Stadt in die Herrschaftsstruktur des Reiches integriert wurde. Auch der aus dem Neuen Testament bekannte jüdische Hohe Rat in Jerusalem ist mitnichten nur das oberste religiöse Gremium Israels mit den Hohepriestern an der Spitze. Es ist das zentrale Organ der jüdischen Selbstverwaltung in Judäa, die nicht nur Fragen des Tempels und die Anbetung des Gottes Israels regelte, sondern alle wichtigen Dinge zur Aufrechterhaltung der öffentlichen Ordnung. Der römische Prokurator in Caesarea Maritima baute auf die Arbeit des Hohen Rates, der viele Dinge des öffentlichen Lebens in Judäa regelte. So arbeiteten römische Regierungsvertreter trotz einer in der römischen Gesellschaft weit verbreiteten Judenfeindschaft mit den oberen Schichten in Judäa zusammen. Ohne solche Gruppen in den verschiedenen Provinzen hätte das riesige Reich kaum regiert werden können. Auch der jüdische König Herodes hatte, wie wir gesehen haben, enge Beziehung zu den Spitzen des Reiches.

Während der Ausbreitung der römischen Herrschaft begannen immer mehr Römer, sich in den eroberten Gebieten niederzulassen. Dazu gehörten die nach langen Dienstjahren ausgemusterten Soldaten. Römischen Veteranen wurde für ihren militärischen Dienst Land in den eroberten Gebieten gegeben. Solche römischen Kolonien brachten römische Kultur in die einzelnen Provinzen. Die griechische Stadt Philippi ist dafür ein prominentes Beispiel. Hier wurden in großem Umfang Veteranen angesiedelt. Ab 27 v. Chr. hieß die Stadt Colonia Augusta Iulia Philippensis. Hier, mitten im griechischen Makedonien, herrschten römische Lebensformen vor. Apg 16,13-15 erzählt davon, dass Paulus, Timotheus, Silas und andere Messiasleute hier Lydia und ihre Hausgemeinschaft taufen und so bei der Gründung einer messianischen Gemeinschaft mithelfen.

Mit Blick auf die Verbreitung römischer Kultur von einer groß angelegten Romanisierung zu sprechen ist verfehlt. Aber gerade im Westen des Reiches wurde Latein zur Verkehrssprache. Die materielle Kultur (Bauwesen, Kleidung, Haushaltsgegenstände usw.) näherten sich nach und nach den römischen Vorbildern an. Roms Lebensweise war hier eindeutig die Leitkultur. Im griechischen Osten war es durchaus anders. Griechische Kultur blieb als solche erkennbar. Griechisch war weiterhin die Verkehrssprache im Osten des Reiches und die Sprache der Gelehrten. Aber es fällt auf, dass in Ephesus Inschriften an wichtigen und zentralen Gebäuden in Latein abgefasst sind. Latein war hier bestimmt nicht die Alltagssprache, aber das Verständnis von Latein setzte sich immer mehr durch. Bei der Beschäftigung mit der Staatsagora haben wir gesehen, wie Augustus die Stadt nach seinen Vorstellungen umgestaltete. Rom prägte den öffentlichen Raum.

## Rom aus der Sicht der Provinzen

Innerhalb der griechischen Kultur ist die römische Herrschaft schon recht früh als die beste anerkannt worden. Der griechische Historiker Polybius (ca. 200-120 v. Chr.), der von den Römern während der Eroberung gefangen genommen wurde, sieht im politischen System der römischen Republik das Beste seiner Zeit. Aelius Aristides, ein berühmter griechischer Redner aus der Provinz Asia, hält um 142 n. Chr. vor Kaiser Antonius Pius eine Rede zum Lobe Roms: Er preist die Vorzüge römischer Herrschaft für die Menschen in den Provinzen und deren Städte: »Wie bei einem Festtag hat der ganze Erdkreis sein altes Gewand, das Eisen, abgelegt und sich dem Schmuck und sämtlichen Freuden zugewandt, um sie zu genießen. Jeder andere Streit ist den Städten fremd geworden, sie alle beherrscht nur dieser eine Ehrgeiz, dass jede von ihnen möglichst schön und einladend erscheine. Überall gibt es Gymnasien, Brunnen, Vorhallen, Tempel, Werkstätten und Schulen. Mit einem klugen Vergleich könnte man sagen, dass der am Anfang gleichsam kranke Erdkreis gesund geworden ist. Niemals hört der Strom der Geschenke auf, welcher von eurer Seite diesen zufließt, und es ist unmöglich herauszufinden, wer mehr bekommen hat, da eure Menschenfreundlichkeit gegen alle gleich ist« (Romrede 97-98; Übersetzung Richard Klein).

Roms Herrschaft ist, so Aristides, für die Menschen in den unterworfenen Ländern gewissermaßen ein Segen. Rom heile die unterschiedlichen Völker von der Krankheit des Streits, des Krieges, der Rechtlosigkeit und der Kulturlosigkeit, erziehe sie und bessere so das Leben aller. »Fortwährend sorgt ihr für die Griechen wie für eure Pflegeeltern, haltet eure Hand über sie und richtet sie gleichsam auf, wenn sie darniederliegen. Diejenigen unter ihnen, welche einst die Vornehmsten waren und eine Führerstellung innehatten, erlangten von euch Freiheit und Unabhängigkeit, die Übrigen regiert ihr maßvoll mit großer Schonung und Umsicht. Die Barbaren aber erzieht ihr entsprechend ihrer jeweiligen Natur entweder mit größerer Milde oder Strenge« (Romrede 96; Übersetzung Richard Klein).

Solche Texte zeigen, wie sehr das Leben in den Provinzen ganz von Rom durchdrungen war. Es war die bestimmende Macht im Leben vieler Menschen. Das Denken, Sprechen und Schreiben wurde von römischer Kultur nachhaltig beeinflusst. Aelius Aristides zeigt, welche Auswirkungen das haben konnte: Das Zusammenleben der Völker kann nur gelingen, wenn eine zentrale militärische Macht das Leben aller regelt und diese Macht auch einsetzt, um das Regelwerk zu erhalten. Das Miteinander der Völker könne nur friedlich sein, wenn es mit Waffen geschützt werde (Romrede 84-85). Die Friedensstörer und Aufrührer sind, wie es Vergil (Aeneis 6,851-53) schon formuliert hat, zu bestrafen. Die anderen wurden gemäß dieser Vorstellung nur so lange akzeptiert, wie sie sich dem römischen System anpassten und in ihm eine stabilisierende Rolle spielten.

## Die Völker in der Sicht des antiken Judentums

Die antike jüdische Tradition hat einen etwas anderen Blick auf die Fremden, auf die, die anders leben. Auch dieser ist nicht einheitlich, sondern in seiner Vielfalt bestimmten historischen Gegebenheiten unterworfen. Auch innerhalb der alttestamentlichen Texte und andere jüdische Schriften aus dieser Zeit sind andere Völker eine Gefahr für Israel. Gerade in der Zeit nach dem babylonischen Exil wurden von bestimmten Kreisen innerjüdische Ehen als ein wichtiges Lebensziel ausgegeben (Esr 9,1-2; 10,10-11). Mit den anderen sollten keine Ehen geschlossen werden. Man sah darin eine Gefahr für den Fortbestand des eigenen Volkes. Die anderen waren dann auch häufig die Eroberer, die Gewalt und Tod brachten. Die sicherlich sehr interessante griechische Kultur kam im Gefolge griechischer Armeen nach Israel, mit all den bekannten negativen Begleiterscheinungen. Das machte nicht neugierig auf die Kultur der Fremden.

Gerade im Buch Josua werden die fremden Völker in Israel als eine Gefahr für Gottes Volk dargestellt. So wird die Eroberung des von Gott verheißenden Landes als ein Kriegszug erzählt, bei dem die Völker des Landes zum Teil ausgerottet werden, ein Genozid im Auftrag Gottes gewissermaßen. Man muss sich aber vor Augen führen: In der Antike wurden solche alttestamentlichen Texte von jüdischer Seite nicht für die Rechtfertigung aggressiver Eroberungspolitik verwendet, ganz im Gegensatz zu den vielen

Texten der lateinischen Tradition, die der Rechtfertigung der römischen Eroberungen dienten. Christliche Leser des Buches Josua begründeten allerdings mit dieser biblischen Tradition die Eroberung des nordamerikanischen Westens, als sie die von Indianern bewohnten Territorien gewaltsam in Besitz nahmen und die indianischen Stämme zum größten Teil auslöschten.

Aber es gibt eben auch die anderen jüdischen Traditionen, die die anderen Völker positiv einbinden. Dabei ist, auch wenn das für die paulinischen Texte kaum eine Rolle spielt, der Bund Gottes mit Noah und dessen Familie (Gen 9) ein ganz wichtiges Element. Laut der literarischen Fiktion der Bibel stammen alle Menschen, die nach der Sintflut auf der Erde lebten und leben, von Noah und seiner Familie ab. Alle stehen damit unter dem Schutz des Bundes Gottes mit der Familie Noahs. Alle Menschen befinden sich in der Sicht dieses Textes in einer Beziehung zum Gott Israels, ob sie nun zu Israel gehören oder nicht. Sie müssen nicht erst dafür gewonnen werden, Gott zu suchen und zu ihm einen Bezug aufzubauen, denn er besteht ja schon. Im Judentum ist damit eine ausgeprägte Mission, die den Menschen Gott überhaupt bekannt macht, nicht notwendig. Allen Menschen gilt die Bundeszusage Gottes im Noahbund.

Das Buch Jona sieht in Bewohnern der Stadt Ninive Menschen, die in der Lage sind, ihre falschen Lebenswege zu verlassen. Sie hören auf die Botschaft des Gottes Israels und verändern ihr Leben. Die Völker sind für das Buch Jona keine Menge von Menschen, die unfähig sind, Gottes Wort zu hören. Dies ist umso bemerkenswerter, wenn man bedenkt: Ninive ist die Hauptstadt des assyrischen Reiches, das Israel mit Krieg überzogen und unterworfen hat. Trotzdem wird die Bevölkerung genau dieser Stadt hier positiv gezeichnet.

Ein Traditionszusammenhang, der für die paulinischen Briefe zentral ist, findet sich in den anderen prophetischen Schriften. Dort taucht in der Zeit nach dem babylonischen Exil die Erwartung auf, dass dereinst die Völker zum Zion, zum Berg, auf dem Jerusalem liegt, kommen. Die sog. Völkerwallfahrt zum Zion gibt der Hoffnung Ausdruck, dass die Völker den Gott Israels kennenlernen und Tora lernen wollen (Jes 2,2-5; Mi 4,1-4). Die Völker wollen vom Gott Isarels lernen und ziehen selbst zum Zion. Sie erwarten etwas Positives und Förderliches für ihr Leben. Vergleichbares findet sich in Dtn 4,6-8. Dort sehen die Völker, wie gut die Tora dem Leben Israels tut. Man könnte fast sagen: Solch eine Weisung wollen sie auch. Hier wird deutlich, von wem der Impuls ausgeht, zum Zion zu gehen: Niemand zwingt hier die Völker. Sie gehen von sich aus zum Zion. Sie erwarten, dass ihr Leben dort von Gott in eine für sie positive Weise verändert wird. Jes 2,4 bzw. Mi 4,3 konkretisiert das: Gott wird Recht sprechen. Es soll gerecht zugehen. Des Weiteren, bestimmt als Konsequenz des Rechtsprechens Gottes, werden die Völker die Schwerter zu Pflugscharen umschmieden. Es findet damit eine weltweite Abrüstung statt. Das Toralernen der Völker beinhaltet das Verlernen des Krieges.

Rom brachte seine Kultur den Völkern mit der Gewalt seiner Legionen. Niemand hatte darum gebeten, auch wenn manche antike Autoren manchmal versuchen, es so zu drehen. Für Jes 2 und Mi 4 kann das Zusammenleben von Israel und den Völkern nur funktionieren, wenn die Völker selbst sagen: »Wir wollen hinaufziehen zum Berg Gottes!« Es ist ihre Entscheidung, Tora zu lernen.

## Die Völker als Opfergabe für Gott

Paulus und die anderen sehen ihre Aufgabe, genau in diesem Szenarium verortet. Das »Es wird geschehen am Ende der Tage« (Jes 2,2) beginnt jetzt, wo der Erste von den Toten auferstanden ist und Menschen aus den Völkern sich an den Gott Israels wenden, sich in der Wirklichkeit durchzusetzen. Die Kollekte für Jerusalem ist ein wichtiger Teil davon, dass die Völker zum Zion kommen. Die Völker sammeln für den Zion und bringen so Geschenke mit. Paulus erweitert in Röm 15 dies um wichtige Elemente. In Röm 15,16 bezeichnet er die Völker als Opfergabe für den Gott Israels. Die Völker bringen nicht nur etwas zum Gott Israels. Paulus bringt sie zu Gott, und zwar als Opfer. Die Bezeichnung Opfer könnte hier missverstanden werden. Opfer bedeutet nicht: Etwas muss vernichtet werden, bzw. jemand muss sterben, damit eine Gottheit besänftigt wird. Ein Opfer wird Gott dargebracht, um ihm etwas zu weihen, zu übereignen. Das Opfer gehört zu Gott. Bestimmte Teile der Ernte werden Gott, dem Schöpfer, als Opfer zurückgegeben. Seine Schöpfermacht hat alles wachsen und gedeihen lassen. Ihm gehört damit eigentlich alles. Das Opfern und Darbringen von Weihegaben will dies deutlich machen. Die Bezeichnung der Völker als Opfer meint also, dass die Völker jetzt zum Gott Israels gehören, dass sie ihm geweiht sind.

Im Hinblick auf das römische Imperium ist das eine steile Aussage. Der Kaiser beansprucht eigentlich, dass die Völker ihm gehören. Deswegen fordert er Kopfsteuern. In den vielen Inschriften und Bauten, die den Kaiser verherrlichen, zeigt sich: Der Kaiser herrscht über die Menschen. Sie sind ihm unterworfen. Sie sind ihm Gehorsam schuldig. All dies bestreitet Paulus hier. Die Völker gehören jetzt zum Gott Israels.

Aus dem Machtbereich des Kaisers sind aus der Sicht der Messiasleute alle schon befreit. Davon müssen die Völker aber nun erfahren. Dafür arbeiten Paulus und die anderen. Es ist ihr priesterlicher Dienst, dass die Völker von der alles umstürzenden guten Nachricht hören. Sie stehen jetzt in einer völlig andersartigen Beziehung zum Gott Israels. Dieser Gott will keine Steuern, er plündert nicht die Provinzen seines Reiches aus, um seine Gier zu befriedigen. Mit Mi 4,4 gesprochen: Alle sollen unter ihrem Weinstock und unter ihrem Feigenbaum wohnen. Sie haben genug Gutes zum Leben. Dafür müssen sie keine Leistung erbringen. Sie müssen keine Steuern zahlen, damit sie an den Segnungen der Zivilisation Anteil haben. Gott schenkt dies den Menschen – es ist umsonst, ohne eine Gegenleistung. All das, was in den Beziehungen der Mächtigen zu den Unterworfenen ganz normal ist, hat hier keinen Platz.

## Keine Unterwerfung der Völker

Paulus und die andere traten bei ihrer Arbeit nicht machtvoll auf und demonstrierten keine Stärke. Sie wollen das Gegenüber nicht mit Stärke blenden. Paulus, und andere mit ihm, versteckt seine Krankheit, sein Unvermögen und seine Leiden nicht. Sie machen es öffentlich – und das wird sozusagen zur Programmatik ihres Arbeitens. In 2 Kor 12 macht Paulus das in einem weiteren Brief an die Messiasleute in Korinth zum Thema. Vielleicht haben sich dort einige über das schwache Äußere von Paulus oder einer anderen Person aus seiner Gruppe abfällig und verächtlich geäußert. In 2 Kor 12,7-8 beschreibt Paulus mit bildreicher Sprache sein Leiden: Ein Bote Satans versetzt ihm Faustschläge. Etwas quält ihn, was er Dorn im Fleisch nennt. Was das jeweils genau ist, lässt sich heute nicht mehr sagen. Alle Versuche, hier mit Begriffen gegenwärtiger Medizin eine Diagnose zu stellen, sind doch nur pure Spekulation, die zu wenig führen.

In diesem Leiden fleht Paulus zu Gott: »Dreimal habe ich den Ewigen inständig gebeten, dieser möge von mir ablassen« (2 Kor 12,9). Im Bibeltext steht »Herr«. Das kann sich auf Christus oder Gott beziehen. Da Paulus sich hier, formal und sprachlich, an den Psalmen orientiert, scheint ein Gebet zu »Gott« die wahrscheinlichere Möglichkeit. In 2 Kor 12,9 nennt Paulus die Antwort Gottes: »Lass dir meine Zuneigung genug sein. Gerade in den Schwachen lebt meine volle Kraft.« Das, was Paulus schwächt und quält, wird nicht einfach weggeblasen. Aber Gott steht zu Paulus und all den anderen. Paulus muss nicht erst stark und unverletztlich werden, damit Gott sich ihm zuwendet: »Lass dir an meiner Zuneigung genug sein.« Gott neigt sich den Schwachen zu und richtet sie auf. Marlene Crüsemann betont dazu, dass gerade in den Schwachen Gottes Kraft erfahrbar sei, und nicht bei den Spitzen der Gesellschaft. Dass so viele Anhängerinnen und Anhänger Jesu, alles Menschen aus den unteren Schichten, losgezogen sind, um vom Messias Jesus zu erzählen, macht eines deutlich: Gottes Zuspruch ist für sie Wirklichkeit geworden. Das göttliche empowerment treibt sie an.

In 2 Kor 13,4 setzt sich der schwache Apostel mit den anderen in Beziehung zum leidenden Messias: »Er wurde zwar als schwacher Mensch gekreuzigt, er lebt jedoch aus Gottes Kraft. Auch wir sind schwach in der Verbundenheit mit ihm, werden aber bei euch mit ihm aus Gottes Kraft leben.« Der auferstandene Messias ist hier das Zeichen für die schöpferische und aufrichtende Kraft Gottes. Diese lebt auch in den Botinnen und Boten des Messias. In der Forschung ist diese Übersetzung von 2 Kor 13,4 an einem

Punkt umstritten. »Auch wir sind schwach in ihm, aber wir werden zusammen mit ihm vor euren Augen aus Gottes Kraft leben.« So liest die Einheitsübersetzung diesen Vers. Das griechische eís hymás wird mit »vor euren Augen« wiedergegeben. Hier scheint es dann um eine Machtdemonstration des Apostels vor der Gemeinde in Korinth zu gehen: Sie sollen erkennen, dass Gott in ihnen wirkt. Marlene Crüsemann hebt hervor, dass der griechische Ausdruck eís hymás (bei euch) eigentlich die Teilhabe und das gemeinsame Leben zum Ausdruck bringen will, wie schon in 2 Kor 8,6. Die Kraft Gottes kann nur im Beziehungsnetz menschlichen Lebens erfahren werden. So ist das Werk von Paulus und den anderen auch ein Arbeiten in und an diesen Beziehungen. Es ist niemals ein autoritäres Machtgebaren, das andere kleinmacht. Der Apostel überwältigt die Menschen, die er zu Gott bringen möchte, nicht. Aufrichten will Paulus die Völker, und als Aufgerichtete und Gestärkte will er ihnen vom Gott Israels erzählen.

Natürlich werden in der jüdischen Tradition und in den paulinischen Briefen die Völker als unwissend hingestellt. Sie kennen den Gott Israels, den Schöpfer allen Lebens, nicht. Dieses Nichtwissen bewerten die Texte jeweils als einen klaren Mangel. Wichtig ist jedoch die Frage: Welche Konsequenzen ziehen sie daraus? In der Geschichte der christlichen Mission wurde in vielfältiger Weise den Ungläubigen die gute Nachricht immer wieder auch mit Gewalt gebracht. Wer sich gegen das christliche Evangelium sperrte, musste mit Zwang rechnen. Hier wurden römische Verhaltensweisen gegenüber den Völkern übernommen. Die Vorgehensweise der Messiasleute war eine gänzlich andere. Dies zeigt eine Episode aus der Apostelgeschichte (Apg 17,16-34): Diese Geschichte zeigt den lukanischen Paulus als jemanden, der in der Öffentlichkeit einer antiken Stadt die Auseinandersetzung mit Menschen anderer Religionen sucht.

Paulus sucht den Diskurs und gerät mit Vertretern philosophischer Schulen aneinander (Apg 17,18). Von ihnen wird Paulus aufgefordert, seine Position zu erläutern (Apg 17,19). Dabei konfrontiert er das Gegenüber nicht einfach mit seiner Position. Er entfaltet sie, indem er eine inhaltliche Ebene sucht, die den Gesprächspartnern vertraut ist und die es ihnen erlaubt, in der Diskussion mitzugehen. Paulus nimmt in seiner Rede bestimmte Elemente auf, die in der griechischen Philosophie eine wichtige Rolle spielen: Neben der Aussage, dass man Gott keine Tempel bauen soll, ist es die Beziehung zwischen der Gottheit und den Menschen: Alle Menschen stammen von Gott ab, sie sind von seiner Art. Es gibt zwischen ihnen etwas Verbindendes (Apg 17,28). Paulus macht hier eines deutlich: Dieser zentrale Inhalt wird sowohl von der jüdischen als auch von der griechischen Tradition geteilt. Paulus betont die Gleichheit der Menschen vor Gott. Damit erkennt er die Würde des anderen als Geschöpf Gottes an, ohne dass dafür vom anderen die Bekehrung zur Tradition des Paulus vollzogen werden muss. Der andere wird in seiner Würde als Gottes Geschöpf anerkannt. Trotzdem und gleichzeitig kann Paulus die andere Position kritisieren. Der heftige Zorn des Paulus (Apg 17,16) richtet sich gegen die politische ›Theologie‹ des römischen Reichs, die in vielen Kulten in Athen präsent war, ebenso wie in Ephesus. Mit dieser harschen Kritik hält Paulus nicht hinter dem Berg. Er verschweigt auch nicht den zentralen Aspekt der Auferstehung Jesu Christi als Ausdruck der Gerechtigkeit Gottes, die im Widerstreit zu der der Herrscher dieser Welt steht. Paulus kann klare Kritik äußern, ohne die anderen in ihrer besonderen Würde herabzusetzen. Trotz der Ablehnung ihrer besonderen Tradition und Kultur sind seine Gesprächspartner für ihn Geschöpfe Gottes. Dies ist gerade vor dem Hintergrund bemerkenswert, dass das Gespräch aus der Sicht des Paulus ja erfolglos verläuft. »Als sie vom Aufstehen der Toten hörten, spotteten die einen und die anderen sagten: ›Darüber wollen wir dich ein andermal hören.‹ So ging Paulus von ihnen weg« (Apg 17,33-34). Man vertagt sich und Paulus reist ab. Hier wird allerdings kein Verdammungsurteil gesprochen, vielmehr bleibt die Anerkenntnis der Würde des anderen gerade im Hinblick auf die gescheiterte Diskussion bestehen. Apg 17 macht eine wichtige Frage zum Thema: Wie geht man damit um, wenn das Gegenüber in einer Diskussion die eigene Position klar zurückweist? Antwort: Dies soll nicht dazu führen, dass über die Erfahrung des Dissenses das Verbindende aus dem Blick gerät. Die Zurückweisung schlägt nicht in Feindschaft um. Der Dissens zerstört nicht das Verbindende, das Verbindende verdeckt nicht das Strittige und Trennende.

## Abschied von Ephesus

Paulus und die anderen wollen in vielen Städten des Imperiums ihre Botschaft vom Messias Jesus erzählen. Deswegen werden sie Ephesus nach einem längeren Aufenthalt verlassen. Nach wahrscheinlich drei Jahren geht Paulus wieder auf die Reise, zunächst nach Griechenland. Dort wird, u.a. in Korinth, die Sammlung für Jerusalem weiter geführt und vollendet. Mit dieser Kollekte machen sich die Messiasleute auf nach Jerusalem, um sie den Geschwistern dort zu übergeben. In Jerusalem wurde, wenn man den Erzählungen der Apostelgeschichte folgt, Paulus verhaftet (Apg 21,30). Die Apostelgeschichte erzählt sodann, dass er als Gefangener nach Rom gebracht wurde, damit sein Fall dort vor dem kaiserlichen Appellationsgericht verhandelt werden konnte (Apg 25,11-12). Was dort geschehen ist, davon erfährt man in der Apostelgeschichte nur weniges: »Paulus blieb volle zwei Jahre in einer privaten Mietwohnung und empfing alle, die zu ihm kamen. Er verkündigte das Reich Gottes und lehrte ganz unerschrocken über den Gesalbten Jesus, den Herrn – ungehindert« (Apg 28,30-31).

Der 1. Clemensbrief, eine christliche Schrift vom Beginn des 2. Jh., erwähnt, dass Paulus wie auch Petrus als Anhänger Jesu vom römischen Staat hingerichtet wurden (1 Clem 5,2-7). Die sog. Paulusakten, Schriften vom Ende des 2. Jh., bringen die Ermordung des Paulus mit der Verfolgung der römischen Messiasleute unter Kaiser Nero im Jahr 64 in Verbindung (Paulusakten 11,1-7).

Über den Grund der Anklage des Paulus, den Prozess gegen ihn und seinen Tod wissen wir wegen fehlender zeitgenössischer Quellen nichts Genaueres. Klar ist aber: Paulus wurde Opfer des Imperiums, das den Messias und viele andere Menschen umgebracht hatte. Die Macht, mit der er ständig konfrontiert war, die ihn wohl mehrfach gefangen nahm und foltern ließ, – sie setzte seinem rastlosen Leben im Dienste des Messias Jesus ein Ende. Die Spur der anderen, wie Titus, Timotheus und Phoebe, verliert sich in den Texten des Neuen Testaments. Kein neutestamentlicher Text erwähnt, was mit ihnen geschehen ist, wie sie weiter für den Messias arbeiteten und wohin sie noch reisten, um vom Gott Israels und seinem Gesalbten zu erzählen. Spätere neutestamentliche Autoren liehen sich die Namen Timotheus und Titus aus, um unter ihren Namen Briefe an Gemeinden zu verfassen. Die Autorität der Weggefährten des Paulus sollte ihren Schreiben Gewicht und Einfluss verleihen. Das war ein in der Antike durchaus übliches Vorgehen. Unser modernes Urheberrecht ist ein Kind des Kapitalismus.

Bedauerlich ist, dass wir späteren Leserinnen und Leser das Interesse an Phoebe, Prisca, Aquilla, Timotheus,

Titus, Sosthenes und all die anderen verloren haben. Wir gehen häufig immer noch davon aus, dass Paulus als der geniale Theologe und umtriebige Missionar eine einzigartige Persönlichkeit war, dem die anderen nur zugearbeitet haben. Es ist an der Zeit, sich wieder an die vielen Frauen und Männer zu erinnern, die den Glauben an den Messias Jesus im römischen Reich und über seine Grenzen hinaus verbreitet haben. Das Christentum gründet in diesem so wirkmächtigen Beziehungsnetz ganz unterschiedlicher Menschen. Nicht große Männer machen Geschichte, sondern ein bunter Haufen von Menschen, gezeichnet vom harten Leben im Imperium Romanum, begeistert vom Messias Jesus.

# 13. LITERATUR

Die Kapitel dieses Buch gründen in vielem auf dem Wissen und den Veröffentlichungen anderer Wissenschaftlerinnen und Wissenschaftler. Zum Abschluss der Expedition in die Zeit der Neuen Testaments verweise ich auf Bücher und Aufsätze, die für das Entstehen von »Paulus in Ephesus« anregend gewesen sind, deren Inhalte ich hier teilweise wiedergebe und weiter bearbeite.

Diese Literaturhinweise sollen auch den Leserinnen und Lesern eine Hilfe sein, die gern tiefer in die jeweilige Materie einsteigen wollen.

## 1. Allgemein zur Erforschung von Ephesus:

Nach den ersten erfolgreichen Grabungen 1895 in den antiken Ruinen, die einst Ephesus waren, wurde 1898 das Österreichisch-Archäologische Institut gegründet. Die Mitarbeitenden des Instituts haben umfängliche Veröffentlichungen zur archäologischen Erforschung von Ephesus und dem Artemis-Heiligtum vorgelegt. Einen guten Einstieg und Überblick in die Thematik bieten:

Stefan Karwiese, Groß ist die Artemis von Ephesos. Die Geschichte einer der großen Städte der Antike, Wien 1995.

Dieter Knibbe, Ephesus. Geschichte einer bedeutenden antiken Stadt und Portrait einer modernen Grossgrabung im 102. Jahr der Wiederkehr des Beginnes österreichischer Forschungen (1895-1997), Frankfurt a. M. u.a. 1998.

Peter Scherrer (Hg.), Ephesos, der neue Führer. 100 Jahre österreichische Ausgrabungen 1895-1995, Österreichisches Archäologisches Institut, Wien 1995.

Daniel Schowalter u.a. (Hg.), Religion in Ephesos Reconsidered. Archaeology of Spaces, Structures and Objects, Leiden/Boston 2019.

Der archäologische Führer von Wolfgang Letzner, Ephesos. Eine antike Metropole in Kleinasien. Kulturführer zur Geschichte und Archäologie, Mainz 2010, bietet ebenfalls einen kompakten Überblick über die Grabungsstätte in Ephesus.

Für die Geschichte von Ephesus (gerade in Bezug auf das Neue Testament) sind ebenfalls hilfreich:

James R. Harrison/L.L. Welborn (Hg.), The First Urban Churches 3 Ephesus, Atlanta 2018.

Helmut Koester (Hg.), Ephesos. Metropolis of Asia. An Interdisciplinary Approach to its Archaeology, Religion and Culture, Cambridge/Mass. 1995.

Josef Pichler/Christine Rajič (Hg.), Ephesus als Ort frühchristlichen Lebens. Perspektiven auf einen Hotspot der Antike, Regensburg 2017.

Zu Kleinasien in der Antike:

Christian Marek, Geschichte Kleinasiens in der Antike, München ²2010.

## 2. Die theologische Erforschung des paulinischen Briefe

Folgende Veröffentlichungen waren in grundlegender Weise sehr wichtig:

Marlene Crüsemann, Gott ist Beziehung: Beiträge zur biblischen Rede von Gott, Gütersloh 2014.

Richard A. Horsley (Hg.), Paul and the Roman Imperial Order, Atlanta 2004.

Neil Elliott, Liberating Paul. The Justice of God and the Politics of the Apostle, Atlanta ²2006.

Claudia Janssen, Anders ist die Schönheit der Körper: Paulus und die Auferstehung in 1 Kor. 15, Gütersloh 2005.

Luise Schottroff, Der erste Brief an die Gemeinde in Korinth. Theologischer Kommentar zum Neuen Testament 7, Stuttgart 2013.

Elsa Tamez, Gegen die Verurteilung zum Tod: Paulus oder die Rechtfertigung durch den Glauben aus der Perspektive der Unterdrückten und Ausgeschlossenen, Fribourg/CH. 1998.

Gerade das genannte Buch von Luise Schottroff bildet durchweg die Grundlage für meine Auslegungen zu den Texten aus dem 1. Brief an die Gemeinde in Korinth.

Einen Überblick über die aktuelle theologische Diskussion gerade im deutschsprachigen Raum bieten:

Friedrich W. Horn (Hg.), Paulus Handbuch, Tübingen 2013.

Udo Schnelle, Paulus: Leben und Denken, Berlin u.a. ²2014.

Michael Wolter, Paulus. Ein Grundriss seiner Theologie, Neukirchen-Vluyn ²2011.

Eine sehr gut zugängliche und inhaltlich anregende Darstellung des Paulus und seiner Theologie (mit einer anderen inhaltlichen Stoßrichtung als der in diesem Buch vorgestellten) bietet Gerd Theißen mit:

Der Anwalt des Paulus, Gütersloh ²2017. Vgl. auch Gerd Theißen/Petra von Gmünden, Der Römerbrief. Rechenschaft eines Reformators, Göttingen 2016.

## 3. Bibeltexte und antike Quellen

Im Buch verwende ich als Bibelübersetzung durchweg die »Bibel in gerechter Sprache«, hg. von Ulrike Bail u.a., Gütersloh ⁴2011. Die paulinischen Briefe sind dort zum großen Teil von Theologinnen übersetzt, deren theologische Arbeit für dieses Buch grundlegend sind.
Die Abkürzung der biblischen Bücher erfolgt nach den Loccumer Richtlinien.

In den einzelnen Kapiteln wird häufig auf Texte von antiken Autoren verwiesen. Dabei gebe ich neben dem Namen des Autoren eine gebräuchliche deutsche Übersetzung des Titels der Schrift oder des Buches an. Über den Titel lässt sich dann leicht eine gute deutsche Übersetzung des Werkes finden. Diese werden hier nicht eigens aufgeführt.

Bei den zitierten Inschriften aus Ephesus und anderen antiken Städten verwende ich die einschlägigen Inschriftensammlungen, deren Abkürzungen jeweils hinter den Zitaten angegeben ist:

IvE: Inschriften von Ephesus, die Teil der größeren Sammlung der Inschriften griechischer Städte sind. Die Inschriften zu Ephesus umfassen zurzeit 10 Teilbände.

CIL: Corpus Inscriptionum Latinarum, eine umfassende und systematisierende Sammlung lateinischer Inschriften aus der Zeit des römischen Reiches. Die Sammlung umfasst zurzeit über 70 Teilbände.

OGIS: Orientis Graecae Inscriptiones Selectae, Quellensammlung von griechischen Inschriften aus dem kleinasiatischen Raum.

SEG: Supplementum Epigraphicum Graecum, eine ebenfalls umfassende Sammlung von griechischen Inschriften.

Im Weiteren wird die für die einzelnen Kapitel verwendete Literatur aufgeführt.

## Kapitel 1

Der ganze Text »Fragen eines lesenden Arbeiters« findet sich in: Bertolt Brecht, werkausgabe edition suhrkamp, Gesammelte Werke Bd. 9, Frankfurt 1967, S. 656-657.

Zur sozialgeschichtlichen Bibelauslegung allgemein:

Sozialgeschichtliches Wörterbuch zur Bibel, hg. von Frank Crüsemann u.a., Gütersloh 2009.

www.bibel-kontextuell.de (die Homepage des Heidelberger Arbeitskreises für sozialgeschichtliche Bibelauslegung mit zahlreichen Veröffentlichungen aus dem Arbeitskreis)

Zur Gruppe um Paulus:

Kathy Ehrensperger, Paul and the Dynamics of Power. Communication and Interaction in the Early Christ-Movement, London 2007 (insb. S. 35-60).

## Kapitel 2

Zur antiken Stadt:
Martin Ebner, Die Stadt als Lebensraum der ersten Christen. Das Urchristentum in seiner Umwelt, Göttingen 2012.
Peter Funke, Bürgerschaft und Bürgersein – Teilnehmen als Teilhabe, in: Elke Stein-Hölkeskamp/Karl-Joachim Hölkeskamp (Hg.), Die Griechische Welt. Erinnerungsorte der Antike, München 2010, S. 472-486.
Christiane Kunst, Leben und Wohnen in der römischen Stadt, Darmstadt [2]2008.

## Kapitel 3

Zum antiken Judentum:
Bernadette J. Brooten, Women Leaders in the Ancient Synagogue. Inscriptional Evidence and Background Issues, Atlanta 1982.
Shaye J. D. Cohen, The Beginnings of Jewishness. Boundaries, Varieties, Uncertainties, Berkeley u.a. 1999.
Hubert Frankemölle, Frühjudentum und Urchristentum. Vorgeschichte – Verlauf – Auswirkungen, Stuttgart 2006.
Erich S. Gruen, Diaspora. Jews admits Greeks and Romans, Cambridge/London 2002.
Lee I. Levine, The Ancient Synagogue. The First Thousand Years, New Haven /London 2000.
Karl Leo Noethlichs, Das Judentum und der römische Staat. Minderheitenpolitik im antiken Rom, Darmstadt 1996.
Monika Schuol, Augustus und die Juden. Rechtsstellung und Interessenpolitik der kleinasiatischen Diaspora, Frankfurt a. M. 2007.
Michael Tilly, So lebten Jesu Zeitgenossen. Alltag und Glaube im antiken Judentum, Stuttgart 2008.
The Eerdmans Dictionary of Early Judaism, hg. von John J. Collins/ Daniel C. Harlow, Grand Rapids/Michigan, Cambridge 2010.

Zur Theologie der Tora:
Frank Crüsemann, Bewahrung der Freiheit. Das Thema des Dekalogs in sozialgeschichtlicher Perspektive, Gütersloh ²1998.
Frank Crüsemann, Die Tora: Theologie und Sozialgeschichte des alttestamentlichen Gesetzes, Gütersloh ⁴2015.
Rainer Kessler, Der Weg zum Leben. Ethik des Alten Testaments, Gütersloh 2017.

Zum klassischen Verständnis von Paulus im Kontext reformatorischer Rechtfertigungslehre:
Günter Bornkamm, Paulus, Stuttgart u.a. ⁶1987.
Ernst Käsemann, Paulinische Perspektiven, Tübingen ²1972.
und die oben genannten Bücher zur deutschen Paulus-Forschung.

Zur Neuen Paulus-Perspektive/New Perspective on Paul:
James D.G. Dunn, The New Perspective on Paul, Tübingen 2005.
Peter von der Osten-Sacken, Der Brief an die Gemeinden in Galatien, Stuttgart 2019.
Ed P. Sanders, Paul. The Apostle's Life, Letters, and Thought, Minneapolis 2015.
Krister Stendahl, Der Jude Paulus und wir Heiden. Anfragen an das abendlandische Christentum, Munchen 1978.
Krister Stendahl, Das Vermächtnis des Paulus. Eine neue Sicht auf den Römerbrief, Zürich 2001.
Klaus Wengst, »Freut euch ihr Völker, mit Gottes Volk!« Israel und die Völker als Thema des Paulus – ein Gang durch den Römerbrief, Stuttgart 2008.

Zum Verständnis der Konflikte in Antiochien und Galatien:
Paula Fredriksen, Paul. The Pagan's Apostle, New Haven/London 2017.
Brigitte Kahl, Galatians Re-Imagined. Reading with the Eyes of the Vanquished, Minneapolis 2010.
Mark D. Nanos, The Irony of Galatians. Paul's Letter in First-Century Context, Minneapolis 2002.
Mark D. Nanos/Magnus Zetterholm (Hg.), Paul within Judaism. Restoring the First-Century Context to The Apostle, Minneapolis 2015.

Zur sozialgeschichtlichen Interpretation von Röm 3,21-28:
Luise Schottroff, Die Schreckensherrschaft der Sünde und die Befreiung durch Christus nach dem Römerbrief des Paulus, in: dies., Befreiungserfahrungen. Studien zur Sozialgeschichte des Neuen Testaments, München 1990, S. 57-72.
Marlene Crüsemann, »Heißt das, dass wir die Tora durch das Vertrauen außer Kraft setzen?« Röm 3,28-31 und die ›Bibel in gerechter Sprache‹, in: dies., Gott ist Beziehung. Beiträge zur biblischen Rede von Gott, Gütersloh 2014, S. 53-66.

## Kapitel 4

Zur Veränderung der Staatsagora unter römischer Herrschaft:
Guy MacLean Rogers, The Mysteries of Artemis of Ephesos. Cult, Polis, and Change in the Graeco-Roman World, New Haven/London 2012, S. 122-170.
Dirk Steuernagel, The Upper Agora at Ephesos: an Imperial Forum?, in: Daniel Schowalter u.a. (Hg.), Religion in Ephesos Reconsidered. Archaeology of Spaces, Structures, and Objects, Leiden/Boston 2019, S. 93-107.

Zur Herrschaft des Augustus/Herrscherkult:
Jochen Bleicken, Augustus. Eine Biographie, Berlin 2000.
Steven J. Friesen, Imperial Cults and the Apocalypse of John. Reading Revelation in the Ruins, Oxford 2001.
Ralf van den Hoff/Wilhelm Stroh/Martin Zimmermann, Divus Augustus. Der erste Kaiser und seine Welt, München 2014.
S.R.F. Price, Rituals and Power: The Roman Imperial Cult in Asia Minor, Cambridge 1985.
Klaus Wengst, »Wie lange noch?« Schreien nach Recht und Gerechtigkeit – eine Deutung der Apokalypse des Johannes, Stuttgart 2010.
Paul Zanker, Augustus und die Macht der Bilder, München ³1997.

Zu Röm 13:
Neil Ellliott, The Arrogance of Nations. Reading Romans in the Shadow of Empire, Minneapolis 2008, S. 143-162.
Klaus Wengst, »Freut euch ihr Völker, mit Gottes Volk!« Israel und die Völker als Thema des Paulus – ein Gang durch den Römerbrief, Stuttgart 2008.

## Kapitel 5

Zum Wohnen in einer antiken Stadt allgemein:
Christiane Kunst, Leben und Wohnen in der römischen Stadt, Darmstadt $^{2}$2008.
Karl-Wilhelm Weeber, Alltag im alten Rom. Das Leben in der Stadt, Düsseldorf/Zürich $^{2}$2000.
Karl-Wilhelm Weeber, Die Schwelgerei, das süße Gift .... Luxus im alten Rom, Darmstadt 2003.

Zu den Hanghäusern in Ephesus:
Sabine Ladstätter, Das Hanghaus 2 in Ephesos, Istanbul 2012.
Friedrich Krinzinger (Hg.), Das Hanghaus 2 von Ephesos – Studien zu Baugeschichte und Chronologie, Wien 2002.

Zur Diskussion um die soziale Einordnung der Messiasleute – Eine kompakte und differenzierte Einführung in die Diskussion bietet:
Timothy A. Brookins, Economic Profiling of Early Christian Communities, in: Thomas R. Blanton IV/Raymond Pickett (Hg.), Paul and Economics. A Handbook, Minneapolis 2017, S. 57-88.
Der ansonsten hilfreiche Band von Rainer Kessler/Stefan Alkier/Michael Rydryck, Wirtschaft und Geld, Gütersloh 2016 umgeht in seinem neutestamentlichen Teil diese differenzierte Diskussion leider.

Relevante Forschungspositionen zur sozialen Einordnung:
Adolf Deissmann, Licht vom Osten. Das Neue Testament und die neuentdeckten Texte der hellenistisch-römischen Welt, Tübingen $^{4}$1923.

Michael Ernst/Peter Arzt-Grabner/Thomas Naumann, Art. Geld/ Geldwirtschaft, in: Sozialgeschichtliches Wörterbuch zur Bibel, hg. von Frank Crüsemann u.a., Gütersloh 2009, S. 191-196.
Steven J. Friesen, Die Hoffnung der Armen in Schranken halten, in: Richard A. Horsley, Die ersten Christen. Sozialgeschichte des Christentums, Gütersloh 2007, S. 205-226.
Steven J. Friesen u.a. (Hg.), Corinth in Contrast. Studies in Inequality, Leiden/Boston 2014.
Bruce W. Longenecker, Remember the Poor. Paul, Poverty and the Greco-Roman World, Grand Rapids/Cambridge, 2010.
Wayne A. Meeks, Christentum und antike Stadtkultur, Gütersloh 1993.
Justin Meggitt, Paul, Poverty and Survival, Edinburgh 1996.
Peter Oakes, Reading Romans in Pompeii, Paul's Letter at ground level, Minneapolis 2009.
Walter Scheidel/Steven J. Friesen, The Size of the Economy and the Distribution of Income in the Roman Empire. The Journal of Roman Studies 99 (2009), S. 61-91.
Ekkehard W. Stegemann/Wolfgang Stegemann, Urchristliche Sozialgeschichte. Die Anfänge im Judentum und die Christusgemeinden in der mediterranen Welt, Stuttgart u.a. 1995.
Gerd Theißen, Studien zur Soziologie des Urchristentums, Tübingen [3]1989.

Zur Hauskirche in Dura Europos und deren Bezüge zum Neuen Testament:

Marlene Crüsemann, In ihrem Haus. Hausgemeinde und Geschwisterlichkeit im frühen Christentum. Bibel und Kirche 70 (2015), S. 220-224.
Ulrich Mell, Christliche Hauskirche und Neues Testament. Die Ikonologie des Baptisteriums von Dura Europos und das Diatessaron Tatians, Göttingen 2010.

Zu Frauen in den frühen Gemeinden:

Luise Schottroff, Lydias ungeduldige Schwestern. Feministische Sozialgeschichte des frühen Christentums, Gütersloh 1994.

Ekkehard W. Stegemann/Wolfgang Stegemann, Urchristliche Sozialgeschichte. Die Anfänge im Judentum und die Christusgemeinden in der mediterranen Welt, Stuttgart u.a. 1995.

Zur Bedeutung der Psalmen für das Neue Testament:

Zu Ps 110: Frank Crüsemann, Das Alte Testament als Wahrheitsraum des Neuen: Die neue Sicht der christlichen Bibel, Gütersloh 2011, S. 288-301.

Zu Röm 3: Luise Schottroff, Die Lieder und das Geschrei der Glaubenden. Rechtfertigung bei Paulus, in: Claudia Janssen u.a. (Hg.), Paulus. Umstrittene Traditionen – lebendige Theologie, Gütersloh 2001, S. 44-66.

## Kapitel 6

Zu antiken Häfen allgemein:

Christina Wawrzinek, Tore zur Welt. Häfen in der Antike, Darmstadt 2016.

Zum Hafen in Ephesos:

Neben der unter 1. genannten archäologischen Einführungsliteratur siehe:

Christine M. Thomas, Invisible ›Christians‹ at the Ephesian Landscape. Unsing Geophysical Surveys to De-Center Paul, in: Daniel Schowalter u.a. (Hg.), Religion in Ephesos Reconsidered. Archaeology of Spaces, Structures, and Objects, Leiden/Boston 2019, S. 171-193 (zum Hafen: S. 176-187).

Zur antiken Wirtschaft und zum antiken Handel:

Hans-Joachim Drexhage u.a., Die Wirtschaft des Römischen Reiches (1.-3. Jahrhundert). Eine Einführung, Berlin 2002.

Heinrich-Wilhelm Drexhage, Wirtschaftspolitik und Wirtschaft in der römischen Provinz Asia in der Zeit von Augustus bis zum Regierungsantritt Diokletians. Bonn 2007.

Ulrich Fellmeth, Pecunia non olet. Die Wirtschaft der antiken Welt, Darmstadt 2008.

Richard Garnsey/Peter Saller, Das römische Kaiserreich. Wirtschaft, Gesellschaft, Kultur, Hamburg 1989.

Kai Ruffing, Wirtschaft in der griechisch-römischen Antike, Darmstadt 2012.
Sitta von Reden, Antike Wirtschaft, Berlin/Boston 2015.
Walter Scheidel (Hg.), The Cambridge Companion to the Roman Economy, Cambridge 2012.

Zur Sklaverei im römischen Reich:
Moses I. Finley, Die Sklaverei in der Antike. Geschichte und Probleme, München 1994.
Elisabeth Herrmann-Otto, Sklaverei und Freilassung in der griechisch-römischen Welt, Hildesheim 2018
Sandra R. Joshel/Lauren Hackworth Petersen, The Material Life of Roman Slaves, Cambridge 2014.
Walter Scheidel, Slavery, in: ders., The Cambridge Companion to the Roman Economy, Cambridge 2012, S. 89-113.

Zum Zollgesetz der Asia:
Michelle Cottier u.a (Hg.), The Customs Law of Asia, Oxford 2008.

Zur Sammlung für Jerusalem:
Marlene Crüsemann, Trost, charis und die Kraft der Schwachen. Eine Christologie der Beziehung nach dem zweiten Brief an die Gemeinde in Korinth, in: Dies./Carsten Jochum-Bortfeld, Christus und seine Geschwister. Christologie im Umfeld der Bibel in gerechter Sprache, Gütersloh 2009, S. 111-137.
Richard A. Horsley, Covenant Economics. A Biblical Vision of Justice for All, Louisville 2009, S. 143-147.

Zum Philemon-Brief und Sklaverei im Neuen Testament:
Sabine Bieberstein, Brüche in der Alltäglichkeit der Sklaverei. Eine feministische Lektüre des Philemonbriefs, in: Claudia Janssen u.a. (Hg.), Paulus. Umstrittene Traditionen – lebendige Theologie, Gütersloh 2001, S. 116-128.
Klaus Wengst, Der Brief an Philemon, Stuttgart 2005.
Clarice J. Martin, Es liegt im Blick – Sklaven in den Gemeinschaften der Christus-Gläubigen, in: Richard A. Horsley (Hg.), Die ersten Christen. Sozialgeschichte des Christentums, Gütersloh 2007, S. 251-270.

## Kapitel 7

Zur Verehrung der Artemis in Ephesus:
Guy MacLean Rogers, The Mysteries of Artemis of Ephesos. Cult, Polis, and Change in the Graeco-Roman World, New Haven/London 2012.

Zur Stiftung des Vibius Salutaris:
Guy MacLean Rogers, The Sacred Identity of Ephesos: Foundation Myths of a Roman City, London 1991.

Zum den Epheben in der griechischen Kultur:
Leonard Burckhardt, Die attische Ephebie in hellenistischer Zeit, in: Daniel Kah/Peter Scholz, Das hellenistische Gymnasion, Berlin 2007, S. 193-206.

## Kapitel 8

Zu den Inschriften und deren Stiftern:
Dorothea Rohde: Zwischen Individuum und Stadtgemeinde. Die Integration von Collegia in Hafenstädten, Mainz 2012.

Zur Deutung des Todes Jesu:
Andrea Bieler/Luise Schottroff, Abendmahl. Essen, um zu leben, Gütersloh 2007, S. 87-95.
Carsten Jochum-Bortfeld, Die Verachteten stehen auf. Widersprüche und Gegenentwürfe des Markusevangeliums zu den Menschenbildern seiner Zeit, Stuttgart 2008, S. 267-273.
Klaus Wengst, Die Macht des Ohnmächtigen, in: Einwürfe 5, hg. von Friedrich-Wilhelm Marquardt u.a., München 1988, S. 155-179.

## Kapitel 9

Zur Tetragonos-Agora:
Peter Scherrer/Elisabeth Trinkl, Die Tetragonos Agora in Ephesos: Grabungsberichte von archaischer bis byzantinischer Zeit – ein Überblick, Wien 2006.

Zur Bedeutung von Geld in der antiken Wirtschaft:
Karl-Heinz Brodbeck, Die Herrschaft des Geldes. Geschichte und Systematik, Darmstadt 2009.
Christopher Howgego, Geld in der antiken Welt, Darmstadt 22011.
Vgl. des Weiteren die Literaturangaben zur antiken Wirtschaft unter Kapitel 6.

Zu Lydia in Apg 16:
Eva Ebel, Berenike und Lydia. Zwei selbständige Frauen bei Lukas, Leipzig $^{2}$2012.
Ivoni Richter Reimer, Frauen in der Apostelgeschichte des Lukas. Eine feministisch-theologische Exegese, Gütersloh 1992, S. 91-161.

## Kapitel 10

Zur Kultur des Todes in der griechisch-römischen Gesellschaft und in Ephesus:
Catherine Edwards, Death in Ancient Rome, New Haven/London 2007.
Martin Steskal, Mortuary Landscape and Group Identity in Roman Ephesos, in: Daniel Schowalter u.a. (Hg.), Religion in Ephesos Reconsidered. Archaeology of Spaces, Structures, and Objects, Leiden/Boston 2019, S. 123-134.
Katharina Waldner u.a. (Hg.), Burial Rituals, Ideas of Afterlife, and the Individual in the Hellenistic World and the Roman Empire, Stuttgart 2016. Darin insbesondere der Aufsatz von Matylda Obryk, Prote im Land der Negationen: Per negationem definitiertes Nachleben in einer griechischen Grabinschrift (S. 53-66).

Zur Vorstellung des ktístes (Stadtgründer):
Elisabeth Rathmayr, Die Präsenz des Ktistes Androklos in Ephesos. Anzeiger der Österreichischen Akademie der Wissenschaften, Philosophisch-historische Klasse 145 (2010), S. 19-60.

Zu 1 Kor 15:
Claudia Janssen, Anders ist die Schönheit der Körper: Paulus und die Auferstehung in 1 Kor. 15, Gütersloh 2005.

## Kapitel 11

Gladiatoren in Ephesos. Tod am Nachmittag, hg. von Wolfgang Pietsch u.a., Wien 2002.
Michael Lehner, Die Agonistik im Ephesos der römischen Kaiserzeit. Dissertationsschrift an der Ludwig-Maximilians-Universität, München 2004.
Christian Mann, Die Gladiatoren, München 2013.
Ulrich Sinn, Das antike Olympia. Götter, Spiel und Kunst, München 2007.
Paul Veyne, Brot und Spiele. Gesellschaftliche Macht und politische Herrschaft, München 1994.
Karl-Wilhelm Weeber, Unheilige Spiele. Das antike Olympia zwischen Legende und Wirklichkeit, Düsseldorf/Zürich 2000.
Thomas Wiedemann, Kaiser und Gladiatoren. Die Macht der Spiele im antiken Rom, Darmstadt 2001.

Zum Wettkampf in Paulus-Briefen:
Martin Brändl, Der Agon bei Paulus. Herkunft und Profil paulinischer Agonmetaphorik, Tübingen 2006.
Uta Poplutz, Athlet des Evangeliums. Eine motivgeschichtliche Studie zur Wettkampfmetaphorik bei Paulus, Freiburg i.Br. u.a. 2004.

Zu 1 Kor 4:
Claudia Janssen, »Ich schreibe das nicht, um euch zu beschämen« (1 Kor 4,14). Beschämung und Scham im Kontext antiker Genderdiskurse und den paulinischen Gemeinden, in: Alexandra Grund-Wittenberg/Ruth Poser (Hg.), Die verborgene Macht der Scham: Ehre, Scham und Schuld im alten Israel, in seinem Umfeld und in der gegenwärtigen Lebenswelt, Göttingen 2018, S. 159-182.

Zu Phil 2:
Klaus Wengst, Demut – Solidarität der Gedemütigten, München 1987, S. 88-95.

Zu Phil 3:
Klaus Wengst, »Freut euch ihr Völker, mit Gottes Volk!« Israel und die Völker als Thema des Paulus – ein Gang durch den Römerbrief, Stuttgart 2008, S. 123-135.

## Kapitel 12

Zur imperialen Politik Roms:
William V. Harris, Roman Power: A Thousand Years of Empire, Cambridge 2016.
Greg Woolf, Rom. Die Biographie eines Weltreichs, Stuttgart 2015.
Klaus Wengst, Pax Romana. Anspruch und Wirklichkeit, München 1986.

Zum Verhältnis von Israel und den Völkern:
Frank Crüsemann, Der Gott Israels und die Religionen der Umwelt, in: Christian Danz/Friedrich Hermani (Hg.) Wahrheitsansprüche der Weltreligionen. Konturen gegenwärtiger Religionstheologie, Neukirchen-Vluyn 2006, S. 214-232.
Terence J. Donaldson, Judaism and the Gentiles: Jewish Patterns of Universalism (to 135 CE), Waco 2007.
Rainer Kessler, Micha, Freiburg i. Br. 1999 (zu Mi 4,1-5 und Jes 2,1-5).

Zum paulinischen Verständnis der Völker:
Klaus Wengst, »Freut euch ihr Völker, mit Gottes Volk!« Israel und die Völker als Thema des Paulus – ein Gang durch den Römerbrief, Stuttgart 2008.

# 14. BIBELSTELLENVERZEICHNIS

# EIN DANK ZUM SCHLUSS

Dieses Buch konnte ich schreiben, weil sein Werden und Wachsen von Menschen begleitet wurde. Nachdem ich 2012 die archäologischen Stätten in Ephesus, Priene, Milet und Didyma besucht hatte, reifte der Plan, ein Buch zu schreiben, in dem die Paulus-Briefe in den Ruinen des antiken Ephesus gelesen werden. Dieses Vorhaben wäre aber in der ersten Planungsphase steckengeblieben, wenn nicht Prof. Dr. Luise Schottroff (†), Dr. Marlene Crüsemann und Prof. Dr. Claudia Janssen in unterschiedlicher Art und Weise Gesprächsmöglichkeiten eröffnet hätten, um über neue und andere Wege, Paulus zu lesen, ins Gespräch zu kommen. Ihre theologische Beratung gab dem Projekt »Paulus in Ephesus« die entscheidende Richtung, ihre Veröffentlichungen bilden eine wichtige Basis meiner Auslegungen der paulinische Texte, ihr Zuhören und ihre Ermutigungen waren wichtige Wegzehrung für die Auseinandersetzung mit Paulus. Dafür möchte ich ihnen herzlich danken!

Sie stehen stellvertretend für den »Heidelberger Arbeitskreis für sozialgeschichtliche Bibelauslegung«, dessen alljährliche Treffen ein guter Ort sind, um über neue Wege der Auslegung biblischer Texte in ein weiterführendes Gespräch zu kommen. Ich bin dankbar, Teil dieses Arbeitskreises zu sein.

Hanna Baumeister und Sebastian Blume, ehemals studentische Hilfskräfte am Institut für Evangelische Theologie der Universität Hildesheim, haben nicht nur geholfen, Material und Literatur zusammenzutragen. Sie haben die ersten Textentwürfe einzelner Kapitel kritisch gelesen. Ihre ehrlichen Rückmeldungen waren ermutigend und hilfreich. Vielen Dank dafür!

Damit Texte zu einem Buch werden, braucht es Menschen, die wirklich etwas vom Büchermachen verstehen. Diedrich Steen vom Gütersloher Verlagshaus hatte recht früh großes Interesse an dem Projekt gezeigt. Er und Dr. Renate Hofmann haben dann vieles dafür getan, dem Buch eine klare Kontur zu geben. Renate Hofmann hat in kritischer und konstruktiver Weise die Entstehung der Endfassung begleitet. Ein herzlicher Dank dafür!

Natürlich brauchte dieses Buch nicht nur die fachliche Begleitung: Meine Frau Katja Jochum hat in unterschiedlicher Art und Weise viele Impulse für das Nachdenken über Paulus gegeben, auch gespeist aus dem Arbeitsalltag einer evangelischen Pfarrerin. Aber ebenso wichtig war es, sich neben der Theologie am gemeinsamen Leben zu erfreuen, um so auch immer wieder in Distanz zu Paulus und Co. treten zu können. Dass das möglich war, dafür danke ich ihr von ganzen Herzen!

Das Buch möchte ich meiner Mutter Ute Bortfeld mit herzlichem Dank widmen. Sie hat mich in den letzten Jahrzehnten liebevoll und stärkend begleitet.

Vale da Telha im März 2020
*Carsten Jochum-Bortfeld*

Bibliografische Information der Deutschen Nationalbibliothek
Die Deutsche Nationalbibliothek verzeichnet diese Publikation in der Deutschen Nationalbibliografie; detaillierte bibliografische Daten sind im Internet über https://portal.dnb.de abrufbar.

Klimaneutral
Druckprodukt
ClimatePartner.com/14044-1912-1001

FSC
www.fsc.org
MIX
Papier aus verantwortungsvollen Quellen
FSC® C014496

Penguin Random House Verlagsgruppe FSC® N001967

1. Auflage


Umschlagmotiv: © Reimer – Shutterstock.com
Bilder im Innenteil: © Carsten Jochum-Bortfeld
Karten: © Peter Palm, Berlin
Druck und Bindung: GGP Media GmbH, Pößneck
Printed in Germany
ISBN 978-3-579-01753-4

www.gtvh.de

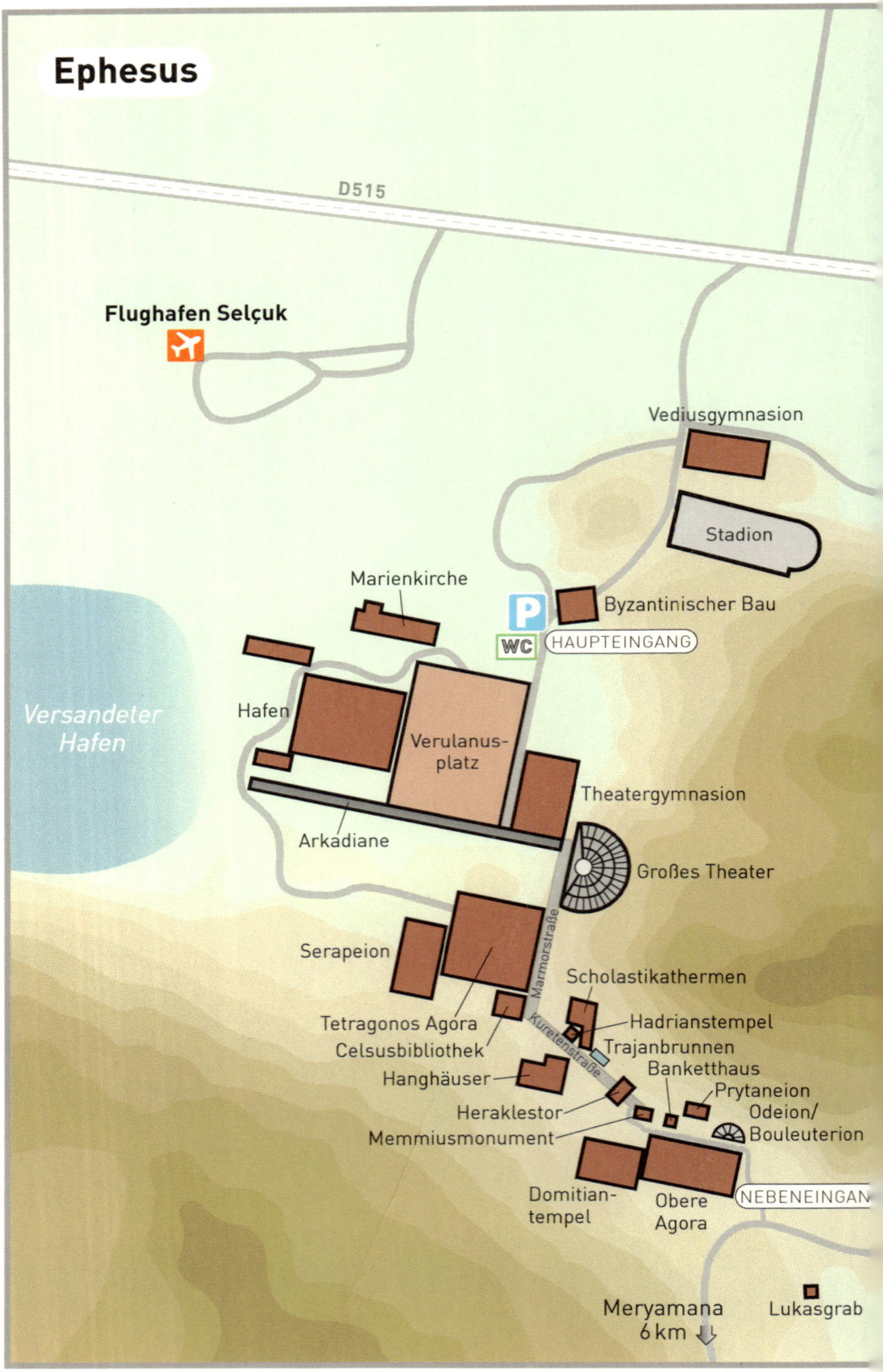

Ephesus
D515
Flughafen Selçuk
Vediusgymnasion
Stadion
Marienkirche
Byzantinischer Bau
WC
HAUPTEINGANG
Versandeter Hafen
Hafen
Verulanus-
platz
Theatergymnasion
Arkadiane
Großes Theater
Serapeion
Marmorstraße
Scholastikathermen
Tetragonos Agora
Hadrianstempel
Celsusbibliothek
Kuretenstraße
Trajanbrunnen
Hanghäuser
Banketthaus
Prytaneion
Heraklestor
Odeion/
Bouleuterion
Memmiusmonument
Domitian-
tempel
Obere
Agora
NEBENEINGAN
Meryamana
6 km
Lukasgrab